UNE AUTRE IDÉE
DU BONHEUR

chez le même éditeur

Et si c'était vrai..., 2000
Où es-tu ?, 2001
Sept jours pour une éternité..., 2003
La Prochaine Fois, 2004
Vous revoir, 2005
Mes amis, mes amours, 2006
Les Enfants de la liberté, 2007
Toutes ces choses qu'on ne s'est pas dites, 2008
Le Premier Jour, 2009
La Première Nuit, 2009
Le Voleur d'ombres, 2010
L'Étrange Voyage de Monsieur Daldry, 2011
Si c'était à refaire, 2012
Un sentiment plus fort que la peur, 2013

Marc Levy

UNE AUTRE IDÉE
DU BONHEUR

roman

ROBERT LAFFONT

© Éditions Robert Laffont, S.A., Paris,
Versilio, Paris, 2014
ISBN 978-2-221-13573-0

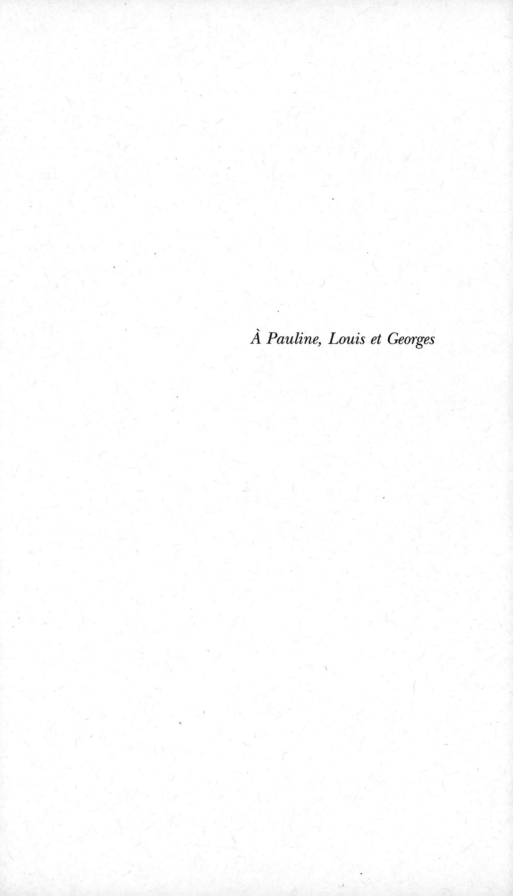

À Pauline, Louis et Georges

« Il n'y a pas de hasard,
il n'y a que des rendez-vous. »

Paul Éluard

Il tenait son journal intime entre ses mains, affamé des mots qu'elle avait couchés sur le papier, tentant de reconnaître ses traits dans l'un ou l'autre des personnages, l'écho de leurs conversations dans les cafés de Greenwich Village, un épisode volé au temps. Et à chaque page qu'il tournait, il écoutait battre son cœur, essoufflé par un amour dont le souvenir s'était effacé comme les pas du marcheur qui s'éloigne sur la neige.

Tandis que le soir s'installait, il poursuivait sa lecture, seul assis à la table de l'unique pièce de sa maison, ne se souciant ni de son repas ni des heures qui l'entraînaient dans la nuit. Il n'y avait aucun superflu chez lui, mais rien de ce qui était nécessaire pour survivre ne manquait. Lorsque les premières lumières du jour traversèrent les persiennes, il referma le manuscrit, et, les mains posées sur ses genoux, retint ses larmes dans une inspiration profonde.

Elle avait raconté sa vie sans jamais le nommer, sans faire la moindre allusion au rôle qu'il y avait joué ni au choix qu'il avait fait pour elle, et il se demanda si c'était le fruit d'une indifférence de sa part ou d'une rancœur que le temps n'avait pas apaisée.

Il se rendit jusqu'à la vasque, regarda son visage dans le miroir fendu qui pendait à un clou et ne reconnut pas les traits de l'homme qui avait hanté sa lecture. Peut-être était-ce la raison qui avait motivé Hanna à le gommer de son passé. Drôle de chose que les souvenirs, se dit-il en se passant le visage à l'eau glacée. Certaines personnes s'en nourrissent comme si leur existence était retenue par un fil qui les tient éloignées de la mort ; d'autres les effacent pour éclaircir le temps qu'il leur reste.

Il se prépara un petit déjeuner. Un café et des œufs mélangés à une tranche de lard qui crépitèrent dans le creuset en fonte posé sur le réchaud. Elle avait dû laisser un indice, une réponse à la question que sa disparition soulevait, une piste. Sans cela, elle aurait brûlé ces pages ou les aurait emportées avec elle.

Il déposa son assiette dans la vasque et retourna s'asseoir à la table.

Une autre idée du bonheur

– Bon Dieu, Hanna, tu ne pouvais pas ignorer la vérité à ce point, jura-t-il en se frottant les joues pour lutter contre le sommeil.

Il fixa la pendule du regard, se leva et ouvrit l'armoire pour préparer son bagage. Il y glissa trois chemises, des sous-vêtements, une veste en laine et un pull-over. Il récupéra l'enveloppe qui contenait toutes ses économies, la rangea dans la poche de son manteau, décrocha son chapeau et son holster de la patère, vérifia que le cran de sûreté du revolver était engagé et fourra celui-ci au fond du sac. Puis il s'agenouilla devant le réchaud, étouffa les braises dans le foyer, vérifia les crochets des volets, éteignit la lumière et ouvrit la porte de sa maison.

Le soleil de ce matin de fin d'hiver était encore bas dans le ciel. Devant lui, le chemin filait vers la grande route. Une fois arrivé au croisement, il lui faudrait marcher six miles jusqu'au calvaire où s'arrêtait l'autobus. Pas le temps de traîner, le vent qui soufflait ralentirait ses pas. Il aurait pour mérite de détourner son odeur des loups. Il aurait presque souhaité que la meute le flaire pour vider son chargeur, et s'en voulut aussitôt d'avoir dirigé contre eux sa colère. Les loups et lui avaient fini par faire bon ménage. Quand il partait chasser, ils le suivaient à distance. Quand il avait tué sa proie, ils attendaient qu'il l'ait dépecée pour venir se repaître de la chair qu'il leur laissait sur la carcasse. Quand il coupait du bois, ils l'observaient du haut de la colline, jusqu'à ce que d'un mouvement de tête il leur fasse signe qu'il allait rentrer chez lui et que son arme était chargée. Les loups semblaient avoir compris la règle, aucun ne s'était jamais approché et Thomas Bradley n'avait jamais eu besoin de faire feu sur l'un d'eux.

Il était midi quand il arriva au calvaire, sa maison avait disparu depuis longtemps de la ligne d'horizon. La terre s'étendait, plate, à perte de vue.

L'autocar approchait. Trop loin pour qu'on entende le grondement du moteur, mais on apercevait la poussière soulevée par ses roues. Cette expédition serait peut-être sa plus grosse erreur depuis trente ans. Comment ne pas y songer en prenant le risque de confronter un souvenir qui avait accompagné sa vie à une réalité qui risquait de l'annihiler ?

Tom leva le bras pour se signaler au chauffeur, et alors que les portes de l'autocar s'ouvraient, il sourit, se moquant de lui-même, reconnaissant enfin que durant toutes ces années, sous l'apparence de celui qui n'avait peur de rien, se cachait un homme vulnérable devant une femme.

– Mais quelle femme ! lança-t-il au chauffeur qui lui rendait la monnaie du billet qu'il lui avait tendu.

Vingt dollars pour payer son passage, première étape du plus beau des voyages qu'il ait rêvé faire. Il irait jusqu'au bout, la seule chose qui puisse l'en empêcher serait de mourir en route, mais tant qu'il aurait encore un souffle de vie, il la chercherait.

Une autre idée du bonheur

Tom Bradley avait longtemps espéré que ce moment arriverait. S'il était honnête avec lui-même, il aurait reconnu l'avoir guetté. Et quand la veille un jeune flic, comme il en avait tant formé au cours de sa carrière, était venu frapper à sa porte pour lui porter une enveloppe contenant un manuscrit ainsi qu'un mot de son ami le juge Clayton, il avait su que cette existence à laquelle il avait peu à peu renoncé n'en avait pas fini avec lui.

En allant prendre place au fond de l'autocar, Tom Bradley plissa les yeux et partit dans un grand éclat de rire. Ce n'était pas la fin, mais le début d'une grande aventure.

1.

En rencontrant Milly on l'imaginerait un peu rock'n'roll. C'est son allure à la Patti Smith dans sa jeunesse qui suscite cette première impression, mais c'est un genre qu'elle se donne. La vie de Milly n'a rien de rock'n'roll. Quand elle est seule, ce qui est souvent le cas, elle écoute de la musique classique à tue-tête, parce que seuls Bach, Grieg et Glenn Gould réussissent à étouffer l'écho de sa solitude.

*

Milly Greenberg avait quitté Santa Fe après avoir obtenu une bourse d'études de l'université de Philadelphie. Deux mille deux cents miles et six États séparaient sa ville natale de celle où elle vivait maintenant, distance qu'elle avait souhaité établir entre sa vie de jeune fille et sa vie de femme. Et pourtant, Milly s'était presque autant ennuyée à suivre des cours de droit en Pennsylvanie que durant son enfance au Nouveau-Mexique. Les trois choses qui l'avaient poussée à poursuivre ses études étaient la vie qui s'offrait à elle sur le campus, qu'elle s'y était fait un véritable ami, et qu'en dépit de son caractère pas toujours facile ses professeurs l'avaient estimée. Milly ne s'était jamais intégrée à ces groupes de jeunes filles qui minaudaient du matin au soir, se remaquillant à chaque intercours, suivant pour toute actualité celles des personnalités en vogue, jugeant leurs frasques et leurs déboires plus passionnants que le sort du monde. Elle n'avait pas plus fréquenté les garçons transpirant leur trop-plein de testo-stérone sur des terrains de sport, avec leurs carrures exagérées, leurs têtes casquées et joues fardées aux couleurs de l'équipe universitaire de football américain. Milly avait été une étudiante invisible et studieuse, ce qui, considérant le fait que le droit l'en-nuyait à mourir, démontrait sa détermination à faire quelque chose de sa vie. Quoi, elle n'en savait tou-jours rien, mais un destin l'attendait, un destin qui se révélerait bien un jour.

À la fin de son deuxième cycle d'études, l'uni-versité avait refusé de reconduire sa bourse mais lui avait proposé un marché que Mme Berlington avait qualifié d'« échange de bons procédés », à savoir col-laborer au service juridique en qualité de stagiaire assistante (le service juridique se composant uni-quement de Mme Berlington) en contrepartie d'un défraiement de cinq dollars l'heure, d'une assurance maladie et d'un logement de fonction. Milly avait

accepté sur-le-champ. Pas pour l'intérêt du poste, ni
pour le salaire bien entendu, mais pour continuer
à fréquenter le campus. Elle y avait désormais ses
repères et ses habitudes.

Aujourd'hui encore, Milly aimait prendre son
petit déjeuner au Tuttleman Café, traverser la grande
pelouse à 8 h 53, passer devant la bibliothèque Gutman
à 8 h 55 avant d'entrer dans le bâtiment administratif où sa journée de travail commençait à 8 h 57.
À 11 h 50, elle commandait depuis son ordinateur
un sandwich au pastrami pour Mme Berlington. À
12 h 10, elle retraversait la pelouse jusqu'au café du
Kambar Campus Center, récupérait le sandwich de
Mme Berlington ainsi qu'une salade printanière
pour elle, et revenait en empruntant l'allée péri-
phérique, ce qui lui permettait de repasser devant
la bibliothèque. Elle prenait son repas assise face à
son employeur et regagnait son poste de travail à
12 h 30. À 15 h 55 elle remisait dans le tiroir de
son bureau le bloc comportant les notes dictées par
Mme Berlington, bloc sur lequel elle posait le cadre
photo en métal argenté où sa grand-mère lui souriait, donnait un tour de clé au tiroir avant de partir
à 16 heures.

Dernière traversée du campus de la journée,
cette fois en direction du parking où Milly reprenait
possession de la seule chose qui attestait qu'elle
n'était pas une employée si conventionnelle que

cela : une Oldsmobile décapotable 1950, propriété de sa grand-mère qui la lui avait offerte quelques années avant qu'elle quitte Santa Fe. Cette voiture, qu'elle entretenait avec la méticulosité d'un collectionneur, devait aujourd'hui coter dans les quatre-vingt mille dollars. Le cabriolet, sorti des usines Oldsmobile trois décennies avant qu'elle-même ne sorte du ventre de sa mère, représentait en cas de coup dur une véritable assurance-vie. Une vie qui à l'aube de ses trente et un ans lui convenait parfaitement.

À 16 h 06 Milly s'installait au volant, tournait le bouton du poste radio et libérait sa chevelure, avant de mettre le contact et d'écouter le grondement du V8 ajouter quelques basses à une fugue de Bach, une symphonie de Mendelssohn ou autre partition de musique classique.

À compter de ce moment, Milly devenait quand même un peu rock'n'roll. Cheveux au vent, par toute température sauf quand il pleuvait, elle roulait jusqu'à la station-service 7-Eleven, où elle étanchait sa soif d'un Coca vendu deux dollars soixante-dix cents et abreuvait sa voiture de deux gallons d'essence pour sept dollars trente. Chaque soir, en regardant défiler les chiffres au cadran de la pompe, elle comptait les minutes passées à recopier les rapports de Mme Berlington. Dix dollars dépensés en cinq minutes, soit trente mille signes tapés sur son clavier durant la matinée. Le reste de son salaire lui servait à payer son repas du soir – le sandwich de Mme Berlington étant pris en charge par le service juridique, Milly s'était arrangée très vite avec l'employé du Kambar Café pour que le prix du pastrami augmente du montant d'une salade printanière –, à s'acheter quelques vêtements, enrichir sa collection de disques, s'offrir une place de cinéma le samedi et, surtout, entretenir son Oldsmobile.

L'employé du Kambar Café s'appelait Jo Malone. Un tel nom ne s'inventait pas. Son véritable prénom était Jonathan, mais « Jonathan Malone » ne sonnait pas aussi bien, avait estimé Milly dont l'oreille musicale était infaillible. Jo, qui avait hérité grâce à elle d'un nom digne d'un personnage de film de gangsters, était un jeune homme à la silhouette élégante que la nature avait doté d'un talent de poète. Ne réussissait-il pas le difficile tour de passe-passe de composer chaque jour pour Milly, et en toute saison, une merveilleuse salade de printemps ?

Jonathan Malone était éperdu d'amour pour une certaine Betty Cornell qui n'aurait jamais posé son regard sur un employé de cafétéria, quand bien même ce dernier eût dévoré toute l'œuvre de Corso, Ferlinghetti, Ginsberg, Burroughs et Kerouac, et Jo connaissait leur prose presque par cœur. Jo Malone s'efforçait de mettre un peu de poésie dans des sandwichs et salades à cinq dollars cinquante, dans l'espoir de poursuivre un jour ses études et d'enseigner le monde merveilleux des mots à des jeunes filles qui avaient pour modèles Britney Spears, Paris Hilton et des mannequins anorexiques. Milly lui avait souvent dit qu'il avait l'âme d'un évangélisateur qui aurait embrassé la littérature pour religion.

En quittant la station-service, Milly s'engageait sur la Highway 76 où elle poussait une pointe de vitesse jusqu'à la sortie suivante qu'elle empruntait pour rentrer chez elle.

Milly habitait une petite maison en bois sur Flamingo Road, juste derrière le réservoir d'eau de sa banlieue. C'était un quartier sans prétention, mais auquel on pouvait trouver un certain charme. La ville s'arrêtait à Flamingo Road, où la forêt reprenait ses droits.

Le soir, Milly bouquinait, sauf les vendredis où Jo venait dîner avec elle. Ils regardaient un épisode d'une série télévisée qu'ils aimaient tous deux : une avocate, épouse d'un futur sénateur, voyait sa vie basculer quand la liaison de son mari avec une call-girl était révélée par la presse.

À la fin de l'épisode, Jo lui lisait à voix haute les poèmes qu'il avait écrits durant la semaine. Milly l'écoutait attentivement puis l'obligeait à une seconde lecture, accompagnée cette fois d'un morceau de musique qu'elle avait choisi en fonction des textes de Jo.

La musique était le trait d'union qui les liait depuis leur première rencontre, elle en fut même à l'origine.

*

Jo, pour arrondir ses fins de mois, jouait de l'orgue à l'église. La vacation musicale étant payée trente-cinq dollars au forfait, il raffolait des enterrements.

Les mariages durent un temps fou, les invités tardent à s'installer, la mariée se fait attendre, les vœux s'éternisent et il faut continuer de jouer jusqu'à ce que les époux et leurs invités aient quitté le parvis. Les obsèques ont pour avantage que les morts sont d'une ponctualité sans faille. De surcroît, le curé ayant une sainte horreur des cercueils, il sautait allégrement des passages entiers de son bréviaire pour exécuter la messe en trente-cinq minutes chrono.

Un dollar la minute, c'était un job en or et Jo, qui n'était pas le seul musicien auquel le curé faisait appel pour accompagner ses offices, ne manquait jamais de parcourir la rubrique nécrologique publiée dans le journal du dimanche, pour être le premier à s'inscrire sur l'agenda de la semaine.

Un mercredi matin d'obsèques, alors qu'il entamait une fugue de Bach, Jo avait aperçu une jeune femme entrer dans l'église. La cérémonie parvenait à son terme, les paroissiens commençaient à se lever pour aller rendre un dernier hommage à Mme Ginguelbar, épicière de son vivant, tuée bêtement par une pile de cageots de pastèques haute de deux fois sa taille, qui lui avait dégringolé sur le thorax. La pauvre Mme Ginguelbar n'était pas décédée sur le coup, son agonie avait dû être horriblement longue puisqu'elle était restée toute une nuit à suffoquer sous un amas de cucurbitacées qui avaient eu raison de son dernier souffle.

L'arrivée de Milly en jean, tee-shirt échancré et cheveux lâchés avait attiré l'attention de Jonathan, tant elle détonnait avec l'assemblée. L'organiste a le privilège depuis sa position de voir dans le moindre détail tout ce qui se passe dans l'église.

Aujourd'hui encore, lorsque Milly avait un coup de cafard, Jo lui remontait le moral en lui racontant quelques anecdotes croustillantes dont il avait été témoin. Mains joueuses qui soulevaient une jupe ou caressaient un pantalon, voisins bavards qui chuchotaient sans prêter la moindre attention à la cérémonie, têtes qui dodelinaient avant de piquer du nez, autres têtes qui se tournaient pour lorgner une femme, le contraire se produisant aussi et plus fréquemment qu'on ne le pense, fous rires enfin, quand M. le curé, qui avait un cheveu prononcé sur la langue, appelait notre *Cheigneur* tout *puichant* et *cha michéricorde.* Même les bibles qui cachaient un téléphone portable ou un livre n'échappaient pas à Jo.

Ce mercredi-là, les portes à peine refermées, Jo avait quitté son orgue pour dévaler l'escalier en colimaçon qui aboutissait près du confessionnal. La jeune femme était restée seule sur un banc alors que le cortège accompagnait déjà Mme Ginguelbar au cimetière qui jouxtait la sacristie.

Il s'était assis près d'elle, et avait fini par rompre le silence en lui demandant si elle était une proche de la défunte. Milly avait avoué ne pas la connaître et, avant que Jo ne l'interroge sur la raison de sa présence, elle lui avait confié qu'il avait un joli doigté, qu'elle aimait sa sensibilité et sa façon d'interpréter Bach. Cette minute-là avait marqué la fin de deux solitudes. Celle de Jo, qui n'avait jamais entendu de si belles choses sur sa façon de jouer, et celle de Milly, qui n'avait jamais eu envie de devenir l'amie de qui que ce soit depuis son arrivée à Philadelphie.

Jo l'avait prise par la main pour l'entraîner vers l'escalier en colimaçon. Milly s'était émerveillée en découvrant la vue de la nef depuis la mezzanine. Jo l'avait invitée à s'adosser aux tuyaux d'orgue qui grimpaient le long du mur, s'était installé à son clavier et avait interprété une toccata en *ré* mineur.

Milly avait eu l'impression que la musique lui traversait le corps, pénétrait son cœur, que le tempo battait jusque dans ses veines. Cette sensation d'être parcourue par les notes relevait du divin. Hélas, ce concert privé avait été interrompu par l'arrivée du curé. S'étonnant de ne pas trouver son église silencieuse, il était monté à son tour. En découvrant Milly dos collé aux tubulures, bouche ouverte et exaltée, il avait affiché la tête d'un exorciste face au démon. Jo s'était arrêté de jouer et, quand le curé lui avait demandé qui était cette jeune femme à ses côtés, il avait bafouillé au point que ses explications avaient paru inintelligibles.

Milly avait tendu la main au curé pour le saluer, et prétendu, avec un aplomb qui avait sidéré Jo, qu'elle était sa sœur. Le curé, sourcillant, avait posé les trente-cinq dollars de Jo sur un banc et les avait priés de quitter les lieux.

Une fois sur le parvis, Jo, qui se prénommait encore Jonathan, avait invité Milly à déjeuner.

Dix ans plus tard, il leur arrivait encore d'aller déposer un bouquet de tulipes sur la tombe de Mme Ginguelbar, au jour anniversaire de leur rencontre.

*

Milly avait connu une grande aventure qui l'avait rapprochée de Jo. Elle était liée à son travail.

Le serveur informatique du campus avait été piraté. Le directeur de l'université avait suspecté une anomalie alors que les étudiants avaient abordé leurs examens semestriels avec une décontraction inhabituelle. Plus inhabituel encore, les professeurs avaient été incapables de noter une copie en dessous de quatre-vingts points sur cent. Il s'avéra très vite que quelqu'un avait eu accès aux sujets.

Le service juridique de l'université n'avait traité jusque-là que des affaires banales, vérifications de polices d'assurance, demandes de certificats divers, rédactions de notes administratives en tout genre (le directeur étant friand de notes réglementant le comportement des étudiants sur le campus, afin surtout d'établir ce qui leur était interdit de faire). Aussi, lorsqu'il avait fait une entrée fracassante dans le bureau du service juridique pour annoncer que l'université s'apprêtait, pour la première fois de son histoire, à déposer plainte, au pénal de surcroît, la tension artérielle de Mme Berlington avait atteint des niveaux paroxystiques, dépassant même la moyenne des notes obtenues par les étudiants à leurs partiels.

Rédiger la plainte n'avait pris qu'une demi-journée à Mme Berlington, et autant à Milly pour la retranscrire. Elles eussent toutes deux préféré – surtout Mme Berlington – que ce travail les occupe un peu plus longtemps, un temps que justifiait pleinement la gravité des faits aux yeux du directeur. Elles avaient décidé, d'un accord tacite, d'attendre quelques jours avant de l'informer que leur mission était accompli et le service juridique prêt à faire feu de tout bois contre les pirates sans foi ni loi qui avaient attaqué le système.

Au cours de cette semaine si particulière, chaque fois que Milly avait croisé le directeur dans un couloir, elle avait affiché la mine affligée d'une employée qui compatissait pleinement à la situation dramatique que traversait l'université, ce qui avait fini par lui valoir, en retour, l'esquisse d'un sourire, sourire contrit mais sourire quand même. Alléluia !

Et alors que Mme Berlington retournait en secret à ses tâches courantes, Milly, qui s'ennuyait de plus en plus, avait décidé de mener sa propre enquête.

Jo Malone était poète, et, en devenir, le professeur que tout étudiant rêverait d'avoir au moins une fois au cours de ses études ; mais il était aussi très habile devant plusieurs sortes de claviers : ceux des orgues, pianos ou clavecins, et ceux des ordinateurs. Si quelqu'un dans l'entourage de Milly, qui ne comptait pour être honnête que Mme Berlington, M. le directeur de l'université, Mme Hackermann sa voisine sur Flamingo Road, et Jo, pouvait l'aider à trouver l'identité de celui ou celle qui avait volé les sujets d'examens, c'était bien Jo, son seul et véritable ami.

Le mardi qui avait suivi la découverte du forfait, Milly et Jo s'étaient aventurés dans une expédition nocturne, un peu illégale certes, mais menée dans le cadre d'une enquête qui, si elle aboutissait, bénéficierait à l'université.

Milly était revenue garer son Oldsmobile sur le parking du campus à 20 h 30, heure à laquelle Jo finissait son service. Il l'avait rejointe, et elle l'avait autorisé à fumer une cigarette dans sa voiture, capote fermée, mais vitre ouverte. Ils avaient attendu une demi-heure dans le plus grand silence avant d'emprunter l'allée longeant la bibliothèque, la moins éclairée de toutes. Grâce à son badge magnétique, ils n'avaient eu aucune difficulté à entrer dans le bâtiment administratif où se trouvait la salle informatique. Jo avait choisi d'agir sur place. Si la police prenait la plainte au sérieux et diligentait sa propre enquête, toute tentative d'accès au serveur depuis l'extérieur serait facile à tracer. Pas question donc de procéder depuis son ordinateur personnel, ni même depuis l'un des cybercafés de la ville qui, pour des raisons de sécurité nationale, étaient désormais tous équipés de caméras de surveillance.

Jo, dont la sagacité épatait toujours Milly, avait suspecté le hacker d'avoir tenu le même raisonnement. Dans ce genre de cyberattaque, le meilleur moyen de ne pas se faire prendre étant de se brancher directement sur la bête dont on veut pomper le sang, un peu à la manière des tiques, qui comme on le sait, préfèrent les chiens aux disques durs des ordinateurs.

Parcourir le couloir du rez-de-chaussée dans le noir leur avait fichu une trouille bleue. Il leur avait fallu avancer sans bruit et opérer entre 21 heures et 21 h 30, demi-heure pendant laquelle les agents de nettoyage se trouvaient dans les étages.

Jo, une lampe torche coincée entre les dents, avait ouvert la porte de la baie informatique, repéré l'endroit adéquat pour se connecter à l'ordinateur et commencé à pianoter sur le clavier. Il avait interrogé la mémoire du serveur, identifié le jour et l'heure de l'effraction, et trouvé la preuve irréfutable que quelqu'un s'était bien introduit dans les locaux. Le hacker avait dû être dérangé et ne devait pas en mener large depuis, car il avait laissé son mouchard sur place. Les sujets d'examens avaient transité du serveur vers une clé USB pourvue d'un émetteur Bluetooth. Jo avait raillé l'incompétence des informaticiens de la fac qui ne l'avaient pas découverte avant lui.

— Ils étaient au moins deux. L'un ici, et l'autre à l'extérieur probablement tapi sous une fenêtre, ce genre de truc ne porte pas très loin, avait-il chuchoté en prélevant l'objet du délit.

Milly en avait déduit que le pirate y avait forcément laissé ses empreintes ; Jo n'aurait qu'à pénétrer le serveur de la police pour retrouver son identité. Il l'avait regardée, non sans étonnement, lui avait souri, attendri qu'elle l'ait cru capable d'une telle prouesse. Avec un plan plus simple en tête, il avait glissé le mouchard dans sa poche, consulté sa montre et indiqué à son amie qu'il fallait quitter les lieux.

Sur le chemin du retour, ils avaient dû s'engouffrer brusquement dans la pièce où travaillait Milly et se cacher sous le bureau de Mme Berlington. L'un des techniciens du service d'entretien avait modifié sa routine et passait le linoléum du couloir à la polisseuse, les empêchant de quitter les lieux. Les deux amis, accroupis, avaient retenu leur souffle. Mais la tâche était devenue presque impossible quand Milly avait extirpé de son dos un objet qui lui rentrait dans les reins, et découvert qu'il s'agissait d'une charentaise. L'image de Mme Berlington avec son air sentencieux et sa mine grave, charentaises aux pieds, avait déclenché chez Milly un fou rire que Jo avait eu toutes les peines du monde à étouffer de la main. Ce fut la seule fois qu'il y eut un trouble entre eux. Leur amitié n'en avait jamais connu auparavant et n'en connut jamais depuis. Mais Jo avait senti la langue de sa meilleure amie parcourir la paume de sa main, le long de sa ligne de vie. Ils avaient échangé un regard étonné dans la pénombre, recroquevillés sous le bureau de Mme Berlington, jusqu'à ce que Milly lui dise qu'elle n'entendait plus aucun bruit dans le couloir et qu'ils pouvaient s'enfuir.

De retour chez Milly, Jo avait inséré le mouchard dans son ordinateur et l'avait torturé à grands coups d'algorithmes, jusqu'à ce qu'il finisse par lui livrer le mot de passe de son propriétaire. Il avait alors annoncé fièrement à Milly qu'il aurait tôt fait de découvrir l'identité des coupables.

Le lendemain, installé derrière son comptoir et muni de son sésame, Jo avait initié une procédure de connexion à distance depuis son téléphone portable chaque fois qu'un étudiant entrait dans le café du Kambar Campus Center. Comme la grande majorité d'entre eux s'y rendait au moins une fois par jour, il ne lui avait pas fallu longtemps pour établir que Frank Rockley était l'un des deux hackers. Jo avait affiché un sourire en coin en savourant cette découverte. Frank Rockley était capitaine de l'équipe de baseball de l'université et il était curieux de savoir ce que ferait le directeur en apprenant le nom du coupable à trois mois du championnat interuniversitaire qui comptait plus que tout pour la renommée et les finances de l'établissement.

Il s'était étonné que cette révélation ne procure aucune joie à Milly. Il s'était attendu à une franche rigolade, mais elle avait eu l'air triste en l'écoutant et il n'avait pu s'empêcher de lui demander pourquoi.

Milly lui avait alors confié un secret qui lui pesait. Elle, qui n'avait que mépris pour ces garçons shootés au sport qu'elle qualifiait, injustement le plus souvent, de brutes ignares, avait développé des sentiments à l'égard de Frank Rockley.

– Ce sont ses yeux, avait-elle avoué sur un banc où ils avaient pris place. Il y a quelque chose dans son regard, le reflet d'une enfance triste. J'ai appris, avait-elle ajouté, que c'est son père qui le pousse à l'excellence, alors que lui voudrait rejoindre une ONG et partir découvrir le monde.

– Et comment sais-tu cela ? lui avait demandé Jo en repensant à l'émoi qu'il avait connu la veille sous le bureau de Mme Berlington, se félicitant de n'en avoir rien dit.

– Un soir où j'entrais dans ma voiture, il s'est approché et m'a dit qu'il la trouvait élégante. C'est ce mot dans sa bouche qui m'a mis la puce à l'oreille. « Élégant », c'est un joli mot, n'est-ce pas ? Nous avons discuté, je crois que ce soir-là il en avait gros sur le cœur. La semaine suivante, je l'ai recroisé au secrétariat, on s'est souri. Nous avons pris un café...

– Pas dans le mien, interrompit Jo.

– Non, répondit Milly, c'était un matin, nous sommes allés au Tuttleman, bref, il m'a raconté son histoire et je me suis aperçue...

– Qu'il te plaisait ?

– Quelque chose dans le genre, oui.

– Tu lui en as parlé ?

Milly donna un coup d'épaule à Jo.

– Ce n'était que passager, pas de quoi en faire une histoire.

Jo lui avait demandé si elle comptait le dénoncer et Milly lui avait rappelé qu'elle n'était pas flic et que lui non plus. Et puis ils auraient tous deux bien des difficultés à expliquer au directeur comment ils avaient débusqué son pirate.

– Tu veux savoir qui était son complice ?

– Tu le connais ?

– Je *la* connais, précisa Jo.

– Ah ! souffla Milly en se levant.

– Si cela ne t'intéresse pas plus que cela, alors pourquoi avons-nous entrepris cette expédition ?

Pour toute réponse, elle avait remercié Jo d'un baiser sur la joue, lui avait assuré qu'elle avait passé une soirée épatante, que leur escapade nocturne resterait l'un de ses meilleurs souvenirs. Puis, comme si de rien n'était, elle lui avait donné rendez-vous le lendemain pour aller au cinéma, intention inutile puisqu'ils se retrouvaient tous les samedis devant le multiplex sur West Ridge Pike.

En regardant Milly s'éloigner, Jo avait repensé au jour où il l'avait vue pour la première fois à l'église.

L'amitié qui se tissait depuis dix ans entre Jo et Milly se nourrissait de confidences, de séances de cinéma le samedi après-midi, de longues conversations sur le muret qui borde le réservoir, mais aussi de silences. En hiver, à l'arrivée des premiers flocons, ils grimpaient sur le toit de la maison de Milly pour regarder la neige blanchir la futaie d'épicéas et de pins argentés. Ils fumaient quelques cigarettes et restaient là, à bavarder jusqu'à ce que le froid les oblige à rentrer.

*

Milly n'avait pas dénoncé Frank Rockley, pas plus que sa complice, bien qu'elle y eût songé en découvrant leur flirt : elle les avait vus au cinéma s'embrasser si goulûment qu'on aurait cru qu'ils se léchaient le visage. Milly en avait déduit que Stephanie Hopkins, pour être capable d'ouvrir si grand la bouche, avait dû être une grenouille dans une vie antérieure. D'une nature optimiste, elle avait trouvé réconfortant que Frank semblât gêné d'être surpris ainsi ; un garçon n'affiche d'embarras en pareille circonstance que si ses sentiments sont confus. Une fois que Frank aurait fait le tour de la poitrine et des bajoues de sa grenouille, leur histoire ne serait plus qu'un souvenir.

Il avait fallu deux mois à Frank pour achever son périple. Hopkins faisait tout de même un 90 C.

Un matin, Milly l'avait croisé assis à une table du Tuttleman, plongé dans la lecture d'un manuel de droit. Elle s'était approchée l'air taquin, avait posé sur la table le mouchard que Jo avait accepté de lui confier et s'était éloignée sans se retourner, comptant mentalement le temps qu'il faudrait à Frank pour lui courir après et la rattraper. Il n'en avait rien fait, ce n'était pas un hasard s'il était capitaine d'équipe, et cela avait renforcé les sentiments que Milly nourrissait à son égard. Elle lui avait rendu la monnaie de sa pièce dix jours plus tard, quand il lui avait proposé en la recroisant de l'emmener dîner un soir.

Elle lui avait répondu qu'elle y réfléchirait.

Le manège aurait pu se prolonger, mais Jo était intervenu pour lui faire la morale. S'il avait eu la chance que Betty Cornell s'intéresse à lui, il n'aurait pas pris le risque de se livrer à des jeux d'adolescents. Milly avait reconnu qu'il n'avait pas tort et le samedi suivant elle avait passé la soirée et la nuit en compagnie de Frank.

*

Les saisons filent à toute vitesse, même dans la banlieue de Philadelphie. Frank n'est plus capitaine d'équipe ; à la fin de ses études, il est entré dans le cabinet d'avocats de son père, dont les bureaux se trouvent en centre-ville. Milly et lui sont toujours en couple. Ils n'en sont pas encore au point de s'installer ensemble, mais c'est un sujet qu'ils abordent, comme l'idée de se marier un jour. Frank travaille beaucoup et, pour décompresser, il joue chaque samedi au baseball. Milly en profite pour aller au cinéma avec Jo. Après la séance, ils déambulent dans les allées du centre commercial, partageant de longues conversations. Lorsqu'elle s'achète des vêtements, elle lui offre parfois un tee-shirt ou une chemise, et lui l'invite à dîner.

Puis quand vient l'hiver ils grimpent sur le toit de la maison de Milly et regardent côte à côte la neige tomber.

La plupart du temps, Milly est heureuse de sa vie. Même si celle-ci est un peu routinière, entre son travail sur le campus où Mme Berlington lui confie désormais la libre rédaction des rapports qu'elle lui dictait avant, les cinq nuits par semaine où Frank vient dormir chez elle et ses samedis avec Jo, elle lui convient parfaitement.

Certains soirs, Frank trouve à Milly le regard absent, alors il lui reparle de ses rêves, de son envie de s'affranchir de son père, de s'engager dans une ONG et de partir en voyage avec elle, et ces soirs-là Milly repense à ce destin auquel elle a toujours cru, se demandant parfois s'il viendra vraiment frapper à sa porte.

Une autre idée du bonheur

*

Au premier jour du printemps, alors que Milly entre à 16 h 06 dans son Oldsmobile garée sur le parking, elle ne peut se douter que bientôt il va se présenter à elle.

2.

Elle se l'était juré, cette nuit serait la dernière qu'elle passerait ici, et tandis qu'elle revisitait une ultime fois son plan, elle se demanda comment la vie serait au-dehors. Tant de choses lui avaient échappé. La télévision et les journaux assuraient un semblant de lien avec les temps modernes, mais elle les délaissait depuis longtemps, se réfugiant dans la lecture des livres qu'elle empruntait à la bibliothèque. Elle savait ignorer tout ou presque du monde qu'elle s'apprêtait à rejoindre.

Elle referma son cahier et essaya de se remémorer le jour où elle en avait rédigé les premières lignes. C'était au lendemain d'un réveillon, il y a neuf ou dix ans peut-être, comment se le rappeler ? À force de répéter les mêmes choses, les mêmes gestes, de subir une routine invariable, tout finit par se confondre. Son existence s'était améliorée après son transfert et ce repas de Noël avait presque pris un petit air de fête. On avait servi un gâteau légèrement alcoolisé au rhum, une pâtisserie qui portait un drôle de nom, semblable à un borborygme, mais elle avait oublié lequel. Elle aurait dû dater les pages, sa mémoire foutait le camp, même si elle s'exerçait à la mettre à l'épreuve chaque soir en s'endormant.

Elle regarda par la fenêtre grillagée le halo orangé des réverbères qui éclairaient la cour et s'imagina incarner l'un de ces personnages de fiction qui surgissent du passé pour renaître dans un présent qu'ils ont du mal à concevoir. L'idée l'amusa et elle en rit toute seule.

Elle rangea le cahier sous son matelas, fit sa toilette et alla se coucher en compagnie d'un roman commencé la veille, attendant que l'ordre soit donné d'éteindre la lumière. Elle qui dans sa jeunesse s'enorgueillissait de la richesse de son vocabulaire était désormais confrontée à tant de mots dont le sens lui échappait. Que pouvait signifier « twitter », sinon imiter le pépiement d'un moineau ? Et pourquoi l'héroïne d'un roman irait-elle faire l'oiseau à la sortie d'un restaurant pour raconter son dîner en compagnie d'un politicien qui s'était comporté en mufle ? Cela n'avait pas de sens. Et aller publier une photo du goujat sur Facebook – probablement un nouveau magazine –, à peine rentrée chez elle, n'avait là aussi ni queue ni tête.

Une autre idée du bonheur

Lorsque le dortoir fut plongé dans la pénombre, elle garda les yeux ouverts, compta les secondes – elle ne se trompait jamais – et s'arrêta à dix mille huit cents. On éteignait les feux à 21 heures, il était donc minuit, heure du changement de service. Elle récupéra sous son lit le sac de linge sale dans lequel elle avait caché ses affaires, hésita à emporter le roman, et se leva en silence. Elle avança jusqu'à la porte, tourna la poignée juste assez pour faire reculer le pêne hors de la gâche, la poussa lentement et s'engagea dans le couloir. Il lui fallait parcourir cinquante pas avant d'atteindre le recoin où se trouvait la fontaine à eau.

Elle s'y faufila, retint son souffle au moment où passa la surveillante qui finissait sa ronde, et reprit son chemin.

L'infirmière de garde allait se coucher dès l'extinction des feux. Depuis qu'elle s'était trouvée incapable de rouvrir son local une nuit où une détenue s'était tailladé les poignets, elle ne le fermait plus à clé. La clé, c'était Agatha qui la lui avait subtilisée, elle était douée pour ce genre de choses. Quand une patiente hurle de douleur à vous vriller les tympans, une bonne infirmière ne fait plus attention à son trousseau. Agatha savait simuler toutes sortes de maux pour passer du temps à l'infirmerie, elle savait aussi faire semblant d'avaler les cachets qu'on lui donnait.

Elle entra dans la pièce, referma la porte derrière elle et se coucha à même le sol. La loupiote de l'armoire vitrée à médicaments éclairait suffisamment pour projeter son ombre sous la porte. Elle rampa jusqu'à la grille d'aération, elle n'était plus fixée depuis qu'Agatha en avait ôté les vis une à une au cours de six visites consécutives. L'infirmière la laissait toujours se reposer seule après lui avoir donné un calmant. Elle se glissa dans le conduit de ventilation qui traversait le mur pour déboucher sur le local technique où les hommes de ménage entreposaient leur matériel. Elle s'était si souvent amusée avec l'infirmière à épier leurs conversations. C'est elle qui lui avait expliqué par où transitait le son.

Une fois dans le local, elle se débarrassa de son pyjama, enfila ses vêtements, grimpa dans le container où l'on déversait papiers, cartons, bouteilles en plastique et autres déchets secs dont elle se recouvrit. Puis elle continua de compter les secondes jusqu'à minuit et demi.

Lorsque la porte du local s'ouvrit, son cœur s'emballa. Les roues du container où elle s'était cachée couinaient sur le linoléum du couloir. L'homme de maintenance qui le poussait s'arrêta pour se moucher et se remit en route. Agatha entendit la clé tourner dans la serrure de la porte qui donnait sur la cour. Le manutentionnaire se moucha à nouveau, souleva le couvercle pour se débarrasser de son Kleenex et conduisit le container jusqu'au quai de chargement. Puis ce fut le silence.

Mille huit cents secondes plus tard, elle entendit le moteur d'un camion, le son strident de son alarme de recul, et le bruit des vérins qui se déployaient vers le container pour le soulever de terre.

Agatha avait imaginé cent fois ce moment, certainement le plus dangereux. Elle se recroquevilla, couvrit sa tête avec ses bras et détendit ses muscles. Elle avait pratiqué des acrobaties plus dangereuses, mais son corps aujourd'hui était moins tonique, ses articulations moins souples. Les charnières du couvercle commencèrent à claquer, elle se sentit glisser et ne chercha pas à lutter, conservant toutes ses forces pour la suite des événements. L'inclinaison devenait de plus en plus prononcée quand soudain, au milieu d'un fatras de papiers, cartons et bouteilles, elle se trouva projetée dans la gueule béante de la benne à ordures.

La mâchoire du compacteur se rabattit pour entraîner les déchets vers le ventre de la benne, Agatha tendit les bras, prit appui sur ses jambes et se retint au rebord de la trémie tandis que le container redescendait sur le quai. La bête semblait repue, la mâchoire recula, offrant à Agatha l'occasion de se tapir sous les cartons qui avaient échappé au carnage.

43

Le camion s'ébranla enfin, ses vitesses craquaient, il ralentit pendant que la grille de la cour coulissait sur son rail et s'élança sur la route.

Aucune voiture ne les suivait puisque aucun faisceau de phares n'illuminait sa cachette. Agatha releva la tête et regarda l'asphalte défiler derrière elle. De part et d'autre de la route, de grands pins argentés s'élevaient dans le ciel. L'air était doux, et elle sut que jamais elle n'oublierait cette nuit, empreinte d'un parfum de liberté.

Le camion traversa la forêt, un village, puis un autre, avant de pénétrer dans la banlieue. Elle hésita à en descendre lorsqu'il marqua l'arrêt à un premier feu rouge à l'entrée de la ville. Le carrefour était désert, mais trop éclairé à son goût. Le troisième arrêt lui convint, il faisait sombre et il n'y avait personne aux alentours. Elle sauta de la benne, en restant dans son axe, de façon à ce que le conducteur ne puisse la voir dans son rétroviseur. Quand le camion redémarra, elle se mit en marche, calmement, comme quelqu'un qui traverse la chaussée. Si le chauffeur l'apercevait, il ne croirait voir qu'un piéton dans la nuit.

Une fois sur le trottoir, elle continua d'avancer, tête baissée. Le camion disparut et elle se retint de pousser un cri de joie, il était encore trop tôt pour crier victoire. Elle marcha deux heures durant, sans s'arrêter une seule fois. Ses jambes la faisaient souffrir, ses tympans bourdonnaient, ses poumons lui brûlaient la poitrine, sa tête et ses épaules étaient lourdes. Plus elle avançait, plus la douleur gagnait son corps et elle commença à penser qu'elle n'y arriverait pas.

À bout de souffle, elle releva la tête. Elle qui ne croyait plus en Dieu depuis longtemps se mit à l'implorer. Trente ans de pénitence ne lui avaient pas suffi, que voulait-il de plus ? Qu'avait-elle fait de si terrible pour mériter la peine qu'on lui avait infligée ?

– Tu pouvais tout me prendre, et tu l'as fait, mais pas ma dignité, je n'y renoncerai pas ! jura-t-elle en levant le poing.

Un panneau publicitaire en haut d'un mât signalait un centre commercial à quelques rues de là. Elle l'atteindrait, résolue à user tout ce qui lui restait de force.

Elle traversa l'immense parking désert, se sentit prise d'un étourdissement et dut se retenir au capot d'une voiture pour ne pas trébucher.

Elle repéra enfin une cabine téléphonique. Depuis qu'elle marchait, elle avait fini par se demander s'il en existait encore sur terre. Elle fouilla le fond de sa poche, trouva l'argent qu'elle avait volé à l'infirmière, quelques dollars et une dizaine de pièces entourées de papier pour ne pas faire de bruit, en glissa deux dans la fente de l'appareil et composa un numéro.

– C'est moi, souffla-t-elle, il faut que tu viennes me chercher.

– Tu as réussi ?

– Tu crois que je t'appellerais à cette heure-ci, si ce n'était pas le cas ?

– Où es-tu ?

– Je n'en ai pas la moindre idée, un centre commercial, le Newton Square Shopping Center. Je suis devant un restaurant chinois sur Alpha Drive. Dépêche-toi, je t'en supplie.

L'homme auquel elle s'adressait pianota sur son ordinateur l'adresse que venait de lui communiquer Agatha.

– J'arrive dans dix minutes, un quart d'heure tout au plus, une Chevy Volt, ne bouge pas de là, et attends-moi.

Il raccrocha, et Agatha en reposant le combiné soupira en s'exclamant :

– Mais bon sang, qu'est-ce que c'est qu'une Chevy Volt ?

*

Elle n'avait pas prononcé un mot depuis qu'elle était montée à bord de la voiture ; elle s'était contentée d'ouvrir la vitre et observait le paysage.

– Tu ne devrais pas faire ça, il y a des caméras, on pourrait te reconnaître, s'inquiéta le conducteur.

– Quelles caméras ? Nous sommes en Amérique ou dans le monde d'Orwell ?

– Les deux, ma chérie, répondit le conducteur.

– Ne m'appelle pas ainsi, je n'aime pas ça.

– Maintenant que tu es libre, tu préfères que je t'appelle Hanna ?

– Ne m'emmerde pas, Max, je suis libre et fatiguée.

– Alors remonte cette vitre si tu veux le rester !

– Ils ne s'apercevront de rien avant 6 heures du matin. Et je ne pense pas qu'ils lanceront toutes les polices à mes trousses, je ne représente plus d'intérêt pour personne.

– Si c'était le cas, je ne traverserais pas la ville en pleine nuit, lâcha Max.

Agatha se tourna vers lui et l'observa.

– Tu as vieilli, lui dit-elle.

– Depuis ma dernière visite ?

– Non, depuis la dernière fois que nous nous sommes retrouvés tous les deux à fuir en voiture. Mais la dernière fois, on entendait le moteur et tu conduisais plus vite.

– À l'époque, il n'y avait pas de radar, et elle roulait à l'essence, celle-ci est électrique.

– Les bagnoles sont électriques maintenant ? Bon sang, que ça va être difficile de s'adapter. Où m'emmènes-tu ?

– Pas chez moi, c'est trop risqué, je suis le premier qu'ils viendront interroger, à cause des visites.

– Je croyais que tu te présentais sous un faux nom ?

– Oui, mais il y avait aussi des caméras au parloir, ils feront le rapprochement très vite.

Agatha soupira.

– Les temps ont changé, Hanna, je n'y suis pour rien.

– Si, nous y sommes tous pour quelque chose puisque nous avons échoué. Je préfère que tu m'appelles Agatha, Hanna n'est plus de ce monde, pas de celui-ci en tous les cas.

– Nous avons tous vieilli, comme tu le disais. Je possède un chalet près de Valley Forge, nous y serons bientôt.

La route s'enfonçait dans un sous-bois. Après quelques miles, la voiture emprunta un chemin forestier à la fin duquel elle s'immobilisa. Max sortit le premier, fit le tour de la Chevy, ouvrit la portière d'Agatha et l'aida à descendre. Il alluma une lampe torche et la soutint par le bras.

– Ce n'est pas loin, une trentaine de mètres à peine. Tu seras bien ici, et lorsque tu auras repris des forces, dans quelques jours, nous aviserons.

Le faisceau de sa lampe éclaira la façade d'un chalet en rondins de bois. Max prit les clés dans sa poche et invita Agatha à entrer. Il appuya sur l'interrupteur, illuminant un lustre qui pendait au bout d'une chaîne accrochée au plafond. La hauteur de la pièce était impressionnante. Deux fauteuils Chesterfield sur un tapis épais se faisaient face de part et d'autre d'une cheminée monumentale. À l'opposé se trouvaient une table de salle à manger en merisier entourée de huit chaises du même bois, un bureau en acajou et un fauteuil en cuir recouvert d'un plaid. Un escalier grimpait le long du mur jusqu'à une mezzanine.

– Les chambres sont là-haut, dit Max en se rendant à la cuisine.

Agatha le suivit.

– C'est drôlement beau chez toi, souffla-t-elle.

– Ça a du charme, répondit Max en lui servant un verre de vin.

– C'est cossu, ça a dû te coûter bonbon, une histoire pareille.

– J'ai acheté ce chalet pour trois fois rien ; le retaper, je ne dis pas.

– Tu as gagné tant d'argent que ça pendant que je croupissais en cellule ?

– Je m'en suis sorti ; tu voulais quoi, que je vive sous les ponts ?

– Je ne voulais rien, Max. Je suis heureuse que tu aies pu passer au travers des mailles du filet. Merci pour le vin, je le boirai plus tard, je voudrais aller me rafraîchir.

– La salle de bains est à l'étage, indiqua Max en désignant l'une des deux portes que l'on apercevait derrière le garde-corps de la mezzanine.

Agatha monta l'escalier, regardant les photos qui décoraient le mur. Elle s'arrêta devant celle où Max posait le visage collé à celui d'une jeune femme.

– Quel âge a ta fille ? demanda Agatha.

– Trente ans, marmonna Max. La porte à gauche est celle de la chambre, à droite celle de la salle de bains.

– Il n'y a qu'une seule chambre ?

– Le lit est confortable, tu y dormiras comme un ange.

– Et toi, tu vas retrouver ta fille ?

– Tu as faim ? s'enquit Max en levant la tête.

– Je suis affamée, répondit Agatha avant de disparaître dans la salle de bains.

Cela faisait si longtemps qu'elle n'avait pas vu de baignoire qu'elle s'en approcha avec la circonspection d'un antiquaire qui vient de dénicher une précieuse relique. Elle s'assit sur le rebord, ferma la bonde et caressa la robinetterie avant de l'actionner, émerveillée par la clarté de l'eau qui s'en écoulait.

Elle repéra un carafon de sels de bain posé sur l'étagère d'une niche maçonnée dans le mur, souleva le bouchon pour en humer le contenu et le déversa presque entièrement. Le parfum de pêche l'émut aux larmes.

Au cours des vingt premières années de sa captivité, il lui avait fallu se résoudre à tant de sacrifices pour obtenir un morceau de savon rien qu'à elle, sans compter les fois où elle avait dû se battre pour qu'on ne le lui vole pas. Agatha contempla le reflet de son visage ondulant sur l'eau entre les parois d'émail et en effleura la surface pour l'effacer.

Elle se déshabilla et s'observa, nue dans le miroir en pied auquel elle faisait face. Sa peau était encore ferme, ses seins forts et ronds, ses hanches solides, sa toison noire, et lorsqu'elle se retourna pour examiner ses fesses, fière d'avoir su entretenir ce corps durant toutes ces années, elle sourit en pensant que quelques hommes pourraient encore y succomber.

Le bain était trop chaud, mais elle s'y plongea jusqu'au cou. Elle avait oublié à quel point cette sensation de flottement était délicieuse ; si délicieuse qu'elle se fit la promesse qu'à compter de ce jour elle se baignerait autant de fois qu'elle en aurait envie. Elle avait payé sa dette, bien plus cher qu'elle n'aurait dû. Plus personne ne lui interdirait quoi que ce soit et nul règlement ne l'obligerait à faire ce qu'elle ne voulait pas.

Une petite voix dans sa tête la rappela à la raison : si elle avait pris de tels risques et attendu tout ce temps, c'était au nom d'une promesse plus importante que de se prélasser dans un bain. Et cette promesse, elle la tiendrait quoi qu'il lui en coûte.

Elle chassa la torpeur qui la gagnait, se frictionna de la tête aux pieds, sortit de la baignoire et se drapa dans un peignoir dont le moelleux la stupéfia.

Elle arrangea ses cheveux, attrapa une boîte de blush trouvée au-dessus du lavabo, s'en passa sur les joues et la remit en place. Elle vida l'eau du bain, et redescendit dans le salon d'où montait une odeur de sucre et de crêpes.

Max avait dressé un couvert sur la table et servit une assiette de pancakes nappés de sirop d'érable.

Il tira une chaise, invita Agatha à s'y asseoir, et prit place en face d'elle, la regardant fixement.

— Toi, tu n'as pas vieilli, dit-il en lui prenant la main.

Agatha attaqua la pile de pancakes avec le tranchant de sa fourchette.

— Si tu veux qu'on couche ensemble, je n'ai rien contre, mais épargne-moi tes compliments idiots. Dans le temps, tu savais être plus direct.

— Nous étions plus libres de nos corps qu'aujourd'hui.

— Pourquoi, pour le cul aussi, les choses ont changé ?

— Oh oui, soupira Max, le puritanisme est revenu en force, et puis le sida est passé par là. Jeremy, Celia, Francis et Bernie en sont morts, et j'en oublie sûrement.

— Qui est encore vivant ? demanda Agatha.

— Toi, moi, Lucy, Brian, Raoul, Vera, Quint, Dunkins, je ne sais pas si tu te souviens de lui, David, Bill, une petite dizaine d'entre nous.

— Que sont-ils devenus ?

– Des universitaires, des écrivains, des journalistes, des bourgeois pour la plupart.

– Comme toi ?

– Moi, je ne fais pas semblant.

– Avec une baraque pareille, ça serait difficile.

– David est toujours en prison, Quint élève des chevaux en Arkansas.

– Quint, éleveur ? Là, tu m'en bouches un coin.

– C'est celui d'entre nous qui s'est le mieux débrouillé, il est devenu riche comme Crésus. Son haras s'étend sur des centaines d'hectares.

– Parle-moi de David.

– Il ne sortira jamais, il a pris soixante-quinze ans... Pourquoi t'être évadée, il te restait peu de temps à tirer ?

– Soixante mois derrière des barreaux, ce n'est pas peu, crois-moi. Je n'en pouvais plus, et puis je te l'ai déjà dit, j'ai certaines choses à accomplir avant qu'il ne soit trop tard.

– Ça ne pouvait pas attendre cinq ans ?

Agatha sauça son assiette du pouce et le lécha.

– Tu as ce que je t'avais demandé ?

– Oui, mais pas ici, je suis parti précipitamment pour venir te chercher. Tu avais une voix d'outre-tombe. Je te l'apporterai demain, enfin tout à l'heure, ainsi que du ravitaillement. En attendant, tu trouveras des œufs, du pain, et du lait dans le réfrigérateur. N'utilise pas le téléphone, et ne m'appelle sous aucun prétexte, c'est plus prudent. De toute façon, je serai probablement de retour avant ton réveil.

Max se leva, se pencha vers Agatha et l'embrassa sur les lèvres, avant de se retirer.

Dès qu'il fut parti, elle fit le tour de la pièce, fouilla les tiroirs du bureau, n'ayant aucune idée de ce qu'elle y cherchait, et elle se rendit compte qu'il lui faudrait aussi apprendre à se débarrasser de ce genre de manie.

Elle ressortit sur le perron. Le ciel avait pris la couleur de l'aube. Si ce n'était déjà fait, on s'apercevrait très bientôt de sa disparition. Elle fut parcourue d'un frisson et rentra se coucher.

*

Elle avait dormi profondément. Elle s'étira, sortit du lit et enfila le peignoir de bain avant de descendre dans la pièce principale.

Le jour passait au travers des persiennes. Agatha regarda autour d'elle. Aucune photo parmi celles accrochées aux murs, aucun objet sur le bureau, pas la moindre breloque sur le buffet pour témoigner du passé qu'elle et ses amis avaient partagé. Elle haussa les épaules et se rendit dans la cuisine.

Elle prit un paquet de pain en tranches et un pot de confiture dans le réfrigérateur, ouvrit les placards un à un à la recherche de quoi se faire un café et finit par trouver un bocal rempli de capsules en aluminium. Elle en examina une et déchira l'opercule du bout de l'ongle.

« Quelle drôle d'idée d'enfermer du café là-dedans », se dit-elle.

Ne trouvant ni filtre ni cafetière, elle versa la poudre dans une tasse et fit chauffer de l'eau.

Elle emporta son petit déjeuner et s'installa à la grande table du salon.

Il lui sembla que le jour déclinait déjà. Prise d'un doute, elle retourna dans la cuisine. La montre de la vieille gazinière affichait 17 heures et elle s'inquiéta que Max ne soit pas revenu.

Un bruit de pas sur le chemin l'inquiéta plus encore, ce n'était pas lui qui s'approchait de la maison. Max boitait depuis qu'un coup de matraque lui avait pulvérisé un genou. La démarche de celui qui grimpait au perron était bien trop agile pour que ce fût la sienne.

Agatha se leva d'un bond et se précipita derrière la porte. Elle retint son souffle et s'élança sur l'intrus. La jeune femme qui venait d'entrer, un panier en osier à son bras, se retrouva plaquée au sol. Elle poussa un hurlement, se retourna et découvrit son assaillant.

– Agatha ?

– Qui êtes-vous ? demanda-t-elle.

– Helen. Dire que Max vous trouvait fatiguée.

– Je l'étais hier.

Agatha reconnut le visage souriant au côté de Max sur la photo au mur de l'escalier.

– Vous êtes sa fille.

– Non, sa femme !

– C'est rassurant, dit Agatha en l'aidant à se relever, certaines choses n'ont pas changé dans ce drôle de monde.

– Il n'a pas pu venir, reprit Helen en ramassant son panier. Une voiture de flics rôdait devant la maison ce matin. Il a eu peur qu'on le suive.

– Parce qu'ils ne connaissent pas l'existence de ce chalet ?

– Il est à mon nom, il appartenait à mon père.

– Quel frimeur !

– Max ? Qu'est-ce qu'il vous a dit ?

– Rien, répondit Agatha, je suis désolée de vous avoir bousculée... de vieilles habitudes.

– Je sais...

– Non, vous ne savez rien du tout, interrompit Agatha. Si les flics étaient chez vous ce matin, je ne leur donne pas deux jours pour dénicher cet endroit.

– Max pense la même chose, c'est à cause de cela qu'il m'a envoyée vous chercher.

– Je ne suis pas surprise, il préfère diriger les opérations plutôt que de se trouver en première ligne. Je ne le blâme pas, ça lui a plutôt réussi.

– Ne le jugez pas, il a eu son lot de souffrances, c'est un homme courageux.

– Si nous avions le temps, je vous raconterais ce qu'est la souffrance. Qu'est-ce qu'il y a dans ce panier ?

– Tout ce que vous aviez réclamé à Max. Je vais nous servir un café, et nous partirons, dit Helen en se rendant à la cuisine.

– Il est dégueulasse, votre café, et puis je n'ai pas trouvé de filtre, pas de cafetière non plus.

Helen prit une capsule dans le bocal, l'inséra dans l'appareil émaillé posé sur le comptoir, glissa une tasse sous le bec verseur et appuya sur un bouton. Le café s'écoula sous le regard d'Agatha qui fit comme si tout cela était parfaitement naturel.

– Vous avez couché ensemble ? questionna Helen en lui tendant la tasse.

– C'est pour le moins direct ! Pourquoi me demandez-vous ça ?

– Parce que vous êtes nue dans mon peignoir de bain.

– Il est très doux, je n'en ai jamais porté de pareil. Non, je n'ai pas couché avec votre mari.

– Nous ne sommes que fiancés.

– Ne te fais pas de souci, ma cocotte, tu nous as regardées toutes les deux ? Tu as au moins vingt ans de moins que moi.

– Vous êtes une très belle femme, et puis il venait souvent vous rendre visite.

– Une fois par an, ce n'est pas souvent, mais il était le seul à le faire.

– Il vous a beaucoup aimée.

– À l'époque, tout le monde aimait tout le monde. Sois tranquille, il n'y a jamais rien eu de sérieux entre nous, seulement de la camaraderie.

– Cela vous dérangerait d'aller vous habiller ? Je préfère qu'on ne traîne pas.

Agatha se pencha sur le panier. Elle y vit deux enveloppes. L'une contenait deux liasses de billets de cent dollars qu'elle compta – dix mille en tout –, l'autre, plus grande que la première, des documents qu'elle parcourut avant de les remettre en place.

Puis elle avança vers l'escalier.

– Ouvrez l'armoire de la chambre et servez-vous, lui dit Helen, nous devons faire la même taille. Sur l'étagère vous trouverez un sac de voyage, prenez tout ce dont vous aurez besoin, la lingerie est dans la commode. Quelle est votre pointure ?

– 39.

– Comme moi. Les chaussures sont également dans l'armoire.

Agatha grimpa les marches et s'arrêta en chemin pour observer Helen.

– Pourquoi fais-tu cela ?

– Parce que j'ai plus d'affaires que je ne peux en porter. Et cela me donnera une bonne raison d'en racheter des neuves.

– Ce n'est pas la question que je te posais.

Qu'est-ce que tu fais là à courir des risques pour une inconnue ?

– Vous ne m'êtes pas inconnue. Max m'a tant parlé de vous que vous faites partie de ma vie, bien plus que vous ne l'imaginez.

– Ne joue pas les idiotes, si je me fais prendre en ta compagnie tu seras complice d'une évasion.

– Alors, dépêchez-vous, nous parlerons en route.

*

Agatha redescendit quelques instants plus tard, un bagage à la main.

– Je n'ai pris que le strict nécessaire, dit-elle à Helen.

Elle s'approcha du panier, rangea l'enveloppe qui contenait les dollars dans une poche de la parka qu'elle avait empruntée et l'autre dans son sac.

– Je suis prête.

En sortant sur le perron, Agatha regarda la fiancée de Max refermer la porte à clé.

– Qu'est-ce qu'il y a ? demanda-t-elle.

– Rien, vous avez une belle vie tous les deux.

– Nous avons aussi nos problèmes, répondit Helen en la précédant sur le chemin.

Arrivées à la voiture, elle fit signe à Agatha de prendre le volant.

– Tu es folle, je n'ai pas conduit depuis trente ans.

– C'est comme la natation, ça ne s'oublie pas.

Agatha s'installa sur le siège conducteur et tendit la main vers sa voisine.

– La clé ?

– Elle est dans la boîte à gants.

– Eh bien, donne-la-moi si tu veux que je démarre.

– Pas besoin, elle est électronique, il suffit d'appuyer sur ce bouton.

Le tableau de bord s'illumina, on entendit un léger souffle qui provenait du capot.

Agatha observa l'écran sur lequel des diagrammes en couleurs affichaient l'autonomie des batteries.

– On dirait un vaisseau spatial, c'est grotesque ! Ce genre d'engin se conduit toujours avec un volant ? Et puis si on se fait contrôler, je n'ai pas de papiers, ce serait dommage de se faire piquer pour une connerie pareille.

– Cessez de râler et roulez, il fait presque nuit, nous ne serons pas contrôlées si vous ne dépassez pas la vitesse autorisée.

La voiture remonta le chemin forestier et arriva au carrefour qui rejoignait la route.

– À droite, dit Helen.

– Quels problèmes ? demanda Agatha.

– De quoi parlez-vous ?

— Tout à l'heure sur le perron, tu as dit : « nous avons nos problèmes ».

— Ça ne vous regarde pas.

— Dans peu de temps, tu me déposeras au bord d'une route et tu ne me reverras plus, alors si tu as envie de vider ton sac auprès de quelqu'un qui peut t'écouter sans te juger, c'est le moment ou jamais.

Helen hésita et soupira longuement.

— Vous me jurez que vous n'avez pas couché ensemble ?

— Mais c'est fini, oui ! Tu me prends pour qui ? C'est vexant à la fin.

— Vous sortez de prison. Je sais, vous allez me dire que la libido est comme l'appétit, moins on mange et moins on a faim.

— Non, je ne t'aurais pas dit une ânerie pareille. Ça va si mal avec Max ?

— C'est parfois compliqué, vous n'êtes pas des gens ordinaires.

— Tu te trompes, nous étions tout ce qu'il y a de plus ordinaire, des fils et filles de fermiers, d'ouvriers, de commerçants, des étudiants. Oh, il y avait bien quelques gosses de riches parmi nous, même la fille d'un sénateur, paix à son âme. C'est ce que nous avons vécu qui sortait de l'ordinaire, mais nous étions surtout plus fous les uns que les autres. J'ai cru comprendre qu'ils sont, pour la plupart, rentrés dans le rang, enfin, ceux qui s'en sont tirés, comme Max.

Helen ouvrit la boîte à gants et en sortit un revolver qu'elle posa sur les genoux d'Agatha.

– À chacun sa définition de l'ordinaire. Il m'a prié de vous remettre ceci.

– Range ça où tu l'as trouvé, ordonna Agatha.

– Comment vous êtes-vous rencontrés, tous les deux ? interrogea Helen en reprenant l'arme.

– J'allais te demander la même chose, répondit Agatha. Nous nous sommes croisés pour la première fois au cours d'une manifestation qui avait dégénéré. Max avait reçu un coup de matraque qui lui avait explosé la jambe ; il pissait le sang, le flic s'apprêtait à le frapper de nouveau, et si je ne m'étais pas inter-posée, je pense que Max y serait passé. J'ai décoché un coup de pied au policier, suffisamment fort pour lui faire perdre l'équilibre. Ensuite j'ai entraîné Max vers une ruelle. Une vraie connerie, parce que la ruelle en question était une impasse. Si le flic nous avait suivis, on était bons tous les deux. Ce jour-là, nous avons eu de la chance. Nous sommes restés cachés derrière des poubelles. Moi, j'appuyais sur la plaie pour empêcher Max de se vider de son sang, et lui, pour jouer au dur, n'arrêtait pas de me dire des âneries, assez drôles d'ailleurs. C'est comme ça que nous avons sympathisé. Quand les choses se sont calmées, je l'ai emmené se faire soigner. Voilà, tu sais tout.

– Il n'a jamais voulu me dire pourquoi vous aviez été condamnée.

– Alors, changeons de sujet. À toi, maintenant.

– J'avais besoin d'un avocat, des amis m'avaient recommandé Max, ses honoraires n'étaient pas exorbitants et on le disait compétent dans son domaine.

– Quel domaine ?

– Les affaires civiles, contrats de mariage, divorces, successions.

– Et en ce qui te concernait ?

– J'allais me marier.

– Et tu as fini dans son lit ? C'est fortiche.

– La vie est pleine de surprises. Quand je suis entrée dans son bureau, nos regards se sont croisés, il y a eu comme un flottement dans l'air. En repartant, je ne savais plus du tout où j'en étais.

– À la rédaction de ton contrat de mariage ! Tu parles d'un trouble.

– De mon côté, oui, concéda Helen.

– Pas du sien ?

– Les hommes sont parfois longs à la détente. Il a fallu que je lui fasse reprendre dix fois sa copie avant qu'il me demande si j'étais vraiment disposée à me marier. Je lui ai répondu que tout dépendait avec qui. Là, il a enfin compris.

– Je te l'ai dit, Max n'est pas la témérité incarnée, mais il a d'autres qualités.

– Avec vous, c'était différent ?

– Mais qui t'a mis cette idée en tête ? Je te le redis, nous étions juste des amis.

Helen fouilla dans son sac et sortit un Polaroid qu'elle posa en évidence sur le tableau de bord. Max et Agatha s'embrassaient, allongés torse nu sur une pelouse.

– Des amis très proches ! siffla Helen.

Agatha jeta un coup d'œil furtif à la photo avant de porter de nouveau son regard sur la route.

– C'est Vera qui a pris cette photo, elle me rappelle des jours heureux. Toute la bande avait passé l'après-midi dans Central Park à refaire le monde. On avait pas mal fumé aussi, et qu'est-ce qu'on avait ri. Où as-tu trouvé ça ?

– Dans les affaires de Max, il en avait toute une collection.

– Il aurait dû les brûler.

– Je l'ai fait pour lui, il en a été fou de rage et ne m'a plus adressé la parole pendant deux semaines.

– Ton mariage avorté, c'était il y a longtemps ?

– À la fin de l'été, Max et moi fêterons nos dix ans.

– Il t'a cueillie sur l'arbre, tu avais quel âge ?

– À peu près le même que vous sur cette photo, vingt-deux ans.

– Mais lui bien plus à ce moment-là, et c'est probablement ce qui t'a séduite. Tu me crains à ce point ?

– Qu'est-ce que vous voulez dire ?

– Max est au courant que nous sommes toutes les deux dans cette voiture ?

– Évidemment.

– Mais ta générosité et ton empressement à m'aider dans ma fuite ne sont pas étrangers au fait que tu craignais ma présence ici.

— Peut-être, répondit Helen.

— Tu lui as interdit de venir, n'est-ce pas ?

— On n'interdit rien à Max, je le lui ai demandé et il a accepté.

— Donc, il n'y avait pas de voiture de flics devant chez vous ce matin.

— Non, avoua Helen.

— Eh bien, tu vois, c'est la première chose que tu dis depuis tout à l'heure qui me concerne, le reste ne regarde que vous. Je vais te donner un conseil, bien que tu ne m'aies rien demandé. Essaye de l'aimer au lieu de laisser ta jalousie le détester. Personne n'appartient à personne. Rends-le heureux et tu le garderas. Maintenant, dépose-moi n'importe où en ville et file le rejoindre.

— C'est vous qui allez me déposer quelque part, je vous confie la voiture, ce sont ses instructions.

— C'est son argent ou le tien dans cette enveloppe ?

— Le sien.

— Alors d'accord.

— Nous croiserons bientôt un centre commercial, vous m'y laisserez sur le parking et je rentrerai en taxi. Quant à vous, Max a programmé sur le GPS les coordonnées d'un motel en dehors de la ville, vous pourrez y passer la nuit.

— Et tu peux me dire ce qu'est un GPS ?

Helen lâcha un rire.

— Je vais vous montrer.

Dix minutes plus tard, Agatha s'arrêta à l'endroit que lui avait indiqué sa passagère. Helen descendit de la voiture et se pencha à la portière.

– Je me suis souvent demandé si j'aurais aimé faire partie de votre bande, je n'ai jamais trouvé la réponse. Voilà mon numéro de portable, c'est une ligne sans abonnement, elle est anonyme. Si vous avez besoin de quoi que ce soit, n'hésitez pas. Je vous souhaite bonne chance.

Agatha n'avait aucune idée de ce qu'était une ligne sans abonnement, mais elle prit le papier que lui tendait Helen.

– Merci à vous deux. Dis à Max que je n'oublierai pas et que nous sommes quittes. Demain, je te téléphonerai pour te dire où récupérer la voiture, après, tu n'entendras plus parler de moi.

*

Agatha reprit la route. Quelques miles plus loin, elle se rangea sur le bas-côté, vida le barillet du revolver, n'y laissant qu'une balle, et jeta les autres par la vitre avant de redémarrer. Chaque fois que la voix du navigateur lui indiquait la direction à suivre, elle sursautait et lui lançait une volée d'injures, mais quand elle arriva devant le motel, elle ne put s'empêcher de la remercier, comme elle l'aurait fait en s'adressant à quelqu'un.

Elle régla sa chambre en espèces ; une chambre impersonnelle à souhait, mais propre. Il y avait une baignoire dans la salle de bains, si basse qu'il lui faudrait se plaquer au fond pour que l'eau recouvre son corps.

Elle se changea, enfila le pull-over emprunté à Helen et ressortit pour aller dîner. Elle n'avait dans le ventre qu'un petit déjeuner avalé en milieu d'après-midi et il lui fallait reprendre des forces. Elle traversa la route pour rejoindre le restaurant, sur le trottoir d'en face.

Elle supposa qu'un avis de recherche avait été lancé. Sa tête figurerait le lendemain en première page des journaux, peut-être l'avait-on déjà montrée à la télévision. Un peu fébrile à cette idée, elle entra dans la salle où régnait une odeur de graillon.

Personne ne lui prêta attention. Les assiettes débordaient de nourriture. Elle prit place dans un box et fit signe à la serveuse qui lui apporta le menu.

Elle rêvait d'un bon repas et s'en offrit un gargantuesque, allant jusqu'à commander une seconde part de gâteau au chocolat.

— Vous ne manquez pas d'appétit, releva la serveuse en lui servant un café.

— Vous savez où je pourrais acheter une carte de la région ?

— Vous arrivez d'où ?

— De la côte Ouest, mentit Agatha, même si ce n'était, à trente années près, qu'un demi-mensonge.

– Vous devriez pouvoir trouver ça à la station-service, elle se trouve un peu plus bas sur l'avenue. Vous dormez au Flamingo, n'est-ce pas ?

– Le Flamingo ?

– Le motel juste en face, on l'appelle comme ça à cause de sa façade rose, répliqua la serveuse.

– Alors, je suppose que c'est bien celui-là. Comment le saviez-vous ?

– Nous avons une clientèle d'habitués, des gens qui travaillent ou vivent dans le coin, les nouvelles têtes sont souvent des voyageurs qui s'arrêtent pour la nuit, au Flamingo. Qu'est-ce qui vous amène chez nous ?

– Rien, je ne suis que de passage.

– Alors, il ne me reste plus qu'à vous souhaiter une bonne soirée, dit la serveuse en posant l'addition sur la table.

Agatha prit le bonbon à la menthe offert dans la coupelle, le fourra dans la poche de sa parka et en sortit la grande enveloppe qu'elle avait emportée avant de quitter sa chambre. Elle lut attentivement le rapport dactylographié par Max et examina les photos qu'il avait jointes. Si sa carrière d'avocat devait un jour battre de l'aile, le métier de détective lui tendait les bras. Elle replia les feuillets, régla la note et regagna le motel.

Une fois au lit, elle alluma le poste de télévision et changea de chaîne jusqu'à ce qu'elle tombe sur l'édition des nouvelles du soir qu'elle regarda jusqu'à la fin.

Le commentateur n'avait pas fait état de son évasion, et cela l'inquiéta. Elle ne voyait qu'une seule raison pour que sa fugue soit tenue secrète : ce n'était pas la police qui était à ses trousses, mais le Bureau fédéral d'investigation. Un codétenu lui avait raconté que lorsque le FBI mettait quelqu'un au trou, le prisonnier lui appartenait jusqu'à la fin de sa peine, quelle qu'en soit la durée. Tant pis, se dit-elle, elle leur avait déjà mené la vie dure, elle se sentait prête à recommencer. Cette fois, il n'y aurait pas de reddition.

Elle éteignit le poste, regretta de ne pas s'être acheté un livre et appuya sur l'interrupteur de la lampe de chevet.

3.

Tom Bradley descendit éreinté de l'autocar, il en avait changé quatre fois au cours d'un voyage qui avait duré presque deux jours. Le premier l'avait conduit d'Ironwood à Saint Ignace dans le Michigan où il était arrivé la veille au soir. Il avait embarqué dans un Greyhound et traversé la nuit jusqu'à Bay City, réussissant à dormir un peu durant les six heures du trajet. À l'aube, il en avait emprunté un autre en direction de Detroit, dernière correspondance avant de parvenir en début d'après-midi à Pittsburgh. Il aurait volontiers fait halte dans un bar pour se désaltérer, mais le temps pressait.

Il consulta la carte des transports publics affichée sur le quai de la gare routière. Une ligne interurbaine s'arrêtait à environ deux miles de sa destination. Il regarda sa montre et estima qu'il y serait avant la tombée du jour.

Il arriva ainsi, son bagage à la main devant un pavillon bourgeois, bordé d'un carré de pelouse et clôturé de haies de chèvrefeuille parfaitement taillées.

Il grimpa les trois marches du perron et cogna au heurtoir.

– Je t'attendais plus tôt ! dit le juge Clayton en lui ouvrant la porte.

– Je n'habite pas à côté et je n'ai plus de voiture depuis longtemps, répliqua Tom.

– Tu n'es tout de même pas venu à pied ?

– Presque, j'ai pris le bus.

– Depuis le nord du Wisconsin ? Tu sais que l'avion existe ?

– Je n'aime pas m'éloigner du plancher des vaches. Tu m'invites à entrer ou nous continuons cette conversation dehors ?

– Commence par aller prendre une douche, ordonna le juge. La salle de bains se trouve à l'étage, tu sens le vieux bouc et tu fais peine à voir, je t'attendrai au salon.

Tom s'exécuta et redescendit un quart d'heure plus tard, vêtu de propre. Le juge Clayton l'attendait installé dans un canapé, il leur avait servi du thé et des gâteaux secs.

– Je suppose que le courrier que je t'ai fait porter n'est pas étranger à ta visite, dit-il, le conviant à s'asseoir en face de lui.

– Je l'ai reçu avant-hier, j'ai pris la route le lendemain. .

– Quelle idée d'aller t'enterrer si loin, tu n'aspires pas à une vie un peu plus confortable ?

– Celle que je mène me convient, répondit Tom, je suis libre là-bas.

– Au milieu des loups ?

– Chacun son territoire, nous nous respectons. Ce sont des animaux d'une rare intelligence, parfois plus grande que celle des humains. Il n'y pas d'assassins chez eux, ils ne tuent que pour se nourrir.

– Tu étais l'un des meilleurs limiers que j'ai connus, tu méritais une autre retraite.

– Qu'est-ce que tu en sais ? Ton idée du bonheur était de passer tes vieux jours dans ce pavillon ? Viens donc me voir l'hiver prochain, tu retrouveras un peu de ta jeunesse. Je sentais peut-être le bouc en arrivant, mais chez toi tout respire le vieux et le renfermé. Quel est ton horizon lorsque tu ouvres tes fenêtres au matin ? Un carré de pelouse et une haie taillée ? Moi j'ai la forêt pour domaine, les saisons pour calendrier et le soleil pour montre.

– Tu vis en ermite et ce n'est pas bien de vieillir seul. Et puis nous ne nous sommes pas réunis pour reprendre nos engueulades, mais pour parler de ta protégée.

Tom saisit sa tasse de thé et se leva. Il marcha jusqu'à la fenêtre, tournant le dos au juge.

– Quand s'est-elle évadée ?

– Il y a soixante-douze heures. Dès que je l'ai appris, je t'ai fait porter les documents que t'ont remis tes anciens collègues.

– Pourquoi a-t-elle fait ça ? Et surtout, pourquoi maintenant ? dit Tom.

– Par défi, ça lui ressemblerait. Ce qui est vraiment stupide de sa part. Il ne lui restait plus que cinq ans à tirer ; avec une remise de fin de peine, elle pouvait même espérer sortir dans deux, soupira le juge.

– Peut-être qu'à force d'avoir trop attendu, elle n'espérait plus rien. Combien de ces remises de peine lui a-t-on refusées ? Combien de fois a-t-elle cru à une libération conditionnelle ? s'emporta Tom.

– Je te rappelle avoir été, il y a dix ans, à l'origine de son transfert dans un centre correctionnel où sa captivité fut allégée. Plus de cellule, elle était libre de ses mouvements. Bien m'en a pris !

– Libre de circuler entre des murs et une parcelle de champ, tu parles d'une liberté ! Quelle vie, bon sang !

– C'est elle qui l'a choisie.

– De quel choix parles-tu ! s'exclama Tom.

– Tu le sais aussi bien que moi, ce qui me fait craindre d'ailleurs qu'elle ait une idée en tête. C'est pour cela que je t'ai prévenu. J'ai usé de tout mon pouvoir pour que son évasion soit tenue secrète, mais je n'ai obtenu qu'un petit délai.

74

– Combien de temps ? demanda Tom.

– Cinq jours, c'est tout ce que j'ai pu faire. Passé ce délai, ils se lanceront à ses trousses.

– Elle ne se rendra pas, pas une seconde fois.

– J'en suis bien convaincu, c'est aussi pour cette raison que je t'ai fait chercher dans ta tanière.

– Dis plutôt que tu ne veux pas qu'un carnage vienne ternir tes états de service à quelques mois de ta retraite, et encore moins que l'on rouvre son dossier. Tu aurais trop à perdre. C'est pour cela que tu m'as fait sortir de ma tanière, comme tu le dis.

– Tous les risques que j'ai pris, c'était par amitié pour toi. Maintenant, tu es prévenu et libre de faire ce que bon te semble.

Tom dévisagea le juge

– J'ai besoin de repos pour y voir clair.

– Mais tu penses réussir, n'est-ce pas ?

– Dans les papiers que tu m'as fait porter se trouvait un cahier qu'elle avait abandonné sous son matelas. Il doit contenir une piste, des indices. Je ne les ai pas encore repérés, mais je suis sûr qu'ils y sont.

– Qu'elle aurait laissés derrière elle ? Permets-moi d'en douter, sauf si c'était pour nous induire en erreur.

– Mon flair me dit le contraire.

Le juge entraîna Tom vers son bureau, s'installa à son fauteuil, ouvrit un tiroir et lui tendit deux feuillets.

– Voici le mandat qui te donne l'autorité d'agir, l'autre document est pour l'USMS[1], ils me l'ont adressé ce matin. Signe-le et tu seras réintégré dans tes fonctions.

Tom parcourut le premier document et attrapa le stylo que lui tendait le juge.

– Ils n'ont pas fait le lien ?

– Non, j'ai simplement dit avoir besoin de tes services.

– Et ils n'ont pas tiqué ?

– Je ne voudrais pas être blessant, Tom, mais personne ne se souvient de toi. J'ai demandé ce papier et ils me l'ont envoyé, c'est tout.

– C'est probablement une belle connerie, grommela Tom en apposant sa signature, mais je te promets que cette fois, c'est bien la dernière du genre.

Le marshal s'empara du mandat, le rangea dans sa poche et suggéra au juge de l'emmener dîner.

Clayton était un homme d'habitudes. Une file de clients attendant leur table occupait l'entrée du restaurant, mais on les plaça dès leur arrivée.

---

1. Dépendant du département de la Justice, le United States Marshals Service est une agence fédérale. Les marshals protègent les tribunaux fédéraux, asurent la recherche des fugitifs et le transport des prisonniers dépendant de cette justice, ainsi que la sécurité des témoins ; ils ont également en charge les actifs saisis lors du démantèlement d'activités illégales.

Ils passèrent commande et reprirent leur conversation quand le serveur s'éloigna.

– Par où comptes-tu commencer ? s'enquit le juge Clayton.

– Elle n'a pas de papiers, tout du moins pas encore, pas de carte de crédit, et encore moins d'argent. Combien de temps peut-elle tenir livrée à elle-même dans la nature ? Nous ne sommes plus dans les années 1970.

– De l'argent, elle en avait peut-être caché quelque part.

– Souviens-toi des circonstances de son incarcération, soyons sérieux ! Elle n'a aucune chance et, comme elle est tout sauf stupide, elle le savait avant de s'évader.

– Tu suggères qu'elle aurait bénéficié d'une complicité extérieure ?

– Une ou plusieurs, mais sans aide, elle n'ira nulle part.

– Tu penses à quelqu'un en particulier ?

– Pas encore, il faut que je me procure la liste de ses anciens amis, ceux qui sont en vie et en liberté.

– Tu pourras l'obtenir facilement auprès de tes supérieurs.

– Je travaille seul et ne rends de comptes à personne. Dans cinq jours je restitue mon insigne, c'est ma dernière traque. Et puis si je demandais cette liste au bureau des marshals, je leur mettrais tout de suite la puce à l'oreille. Tôt ou tard, quelqu'un chercherait la raison de ma réintégration soudaine et si ce quelqu'un finissait par se souvenir de moi, bien que tu m'aies si délicatement assuré du contraire, il pourrait faire le lien entre...

— C'est bon, j'ai compris, interrompit Clayton.

— Il me la faut demain, en fin de matinée au plus tard.

Tom proposa alors au juge d'écourter leur soirée, il avait besoin d'une vraie nuit de sommeil et devait encore se trouver un hôtel. Le juge Clayton lui offrit la chambre que son fils n'occupait plus depuis longtemps.

Le trajet du retour se fit dans le plus grand silence.

*

Le lendemain matin, quand le juge Clayton descendit dans son salon, Tom Bradley était déjà parti.

*

Agatha avait consacré sa matinée à étudier le rapport de Max avant de se plonger dans la lecture approfondie du manuel d'utilisation du GPS qu'elle avait découvert dans la boîte à gants. En maîtriser le fonctionnement avait pris la tournure d'un défi. En milieu d'après-midi, elle réussit, non sans mal, à dompter cette voix qui lui parlait dans l'habitacle sans qu'elle lui ait rien demandé. Elle hésita en entrant les coordonnées de sa destination, chercha où insérer la clé de contact, pestant encore, et finit par appuyer sur le bouton du démarreur.

Elle aurait pu s'inquiéter de voir le témoin de charge des batteries dans le rouge, mais elle n'avait qu'une quinzaine de miles à parcourir et supposa que même dans une voiture électrique la jauge du réservoir devait avoir une marge de sécurité.

Elle emprunta l'autoroute en respectant les limitations de vitesse, se retrouva sur la 76 en direction de Philadelphie, mais alors qu'elle arrivait presque à bon port, les cadrans du tableau de bord diminuèrent d'intensité et se mirent à clignoter. La voix du navigateur accusait un sérieux coup de fatigue, répétant que la destination se trouvait sur la droite avec l'apathie d'un 45-tours qui tournerait en 33, et puis soudain le sifflement du moteur s'interrompit.

Agatha enclencha le point mort pour avancer en roues libres et réussit à gagner la bretelle de sortie. La station-service qu'elle visait apparaissait en bas de la pente, de l'autre côté du carrefour. Elle en appela à sa bonne étoile, évoquant toutes ces années où elle l'avait délaissée, quand le feu de croisement passa au rouge. Franchir l'intersection en fermant les yeux, sans pouvoir user du klaxon, aphone, ou se ranger sur le bas-côté, l'alternative était fâcheuse. Agatha opta pour la prudence.

Tomber en panne si près du but relevait d'un coup du sort ou d'un heureux hasard, mais Agatha avait assez flirté avec le danger pour ne pas s'en étonner plus que cela.

Par précaution, au cas où la suite des événements ne se déroulerait pas comme elle l'avait prévue, elle irait à pied chercher de quoi faire redémarrer la voiture. Et se disant cela, elle se demanda sincèrement à quoi pouvait ressembler un jerrican d'électricité et comment on en faisait le plein ?

En attendant, il n'était pas question qu'une patrouille de police s'intéresse à son cas. Elle poussa la voiture jusqu'au trottoir.

Le pompiste lui expliqua que les stations d'essence ne vendant par définition que de l'essence, les voitures électriques se rechargeaient chez soi. Il y avait bien quelques bornes en ville, mais il ignorait où elles se trouvaient. À défaut, il pouvait toujours appeler un dépanneur. Agatha leva les yeux au ciel et fit demi-tour.

Elle traversa la chaussée, reprit place derrière son volant, et attendit.

Dans l'impossibilité d'abaisser la vitre, elle ouvrit sa portière pour demander l'heure à un passant et se remit à compter les secondes. Si les indications de Max s'avéraient exactes, il s'en écoulerait environ six cents avant qu'elle n'exécute la première partie de son plan. Un plan qu'elle avait imaginé et repensé chaque soir en s'endormant, chaque matin en s'éveillant et ce, depuis cinq ans.

4.

Milly donna un tour de clé à son tiroir, salua Mme Berlington et quitta son bureau. Elle avait encore pris du retard sur son horaire habituel, mais le projet d'extension d'un bâtiment de l'université générait une paperasserie dont elle ne voyait plus le bout. Depuis le début du mois, elle travaillait sans répit et avait déjà dû renoncer par deux fois à sa séance de cinéma hebdomadaire pour satisfaire aux exigences de sa supérieure hiérarchique. Son seul moment de détente, quand elle emprunterait l'autoroute à bord de son Oldsmobile, se présenterait bientôt et ne durerait qu'un court instant.

En traversant la pelouse du campus, elle regretta de ne pas avoir pris le parapluie que Mme Berlington lui avait offert à Noël. Bien que le printemps fût arrivé, le ciel était gris et son crachin tenace.

Milly monta à bord de sa voiture, elle pensa faire une surprise à Frank en allant le chercher à son bureau, et se ravisa en songeant qu'il faudrait l'y reconduire le lendemain matin. Dès qu'elle serait rentrée chez elle, elle commanderait à dîner dans leur restaurant chinois préféré, qui livrait à domicile. Elle prit la direction de la station-service, se rangea le long de la pompe à essence, versa deux gallons dans le réservoir et se dirigea vers la supérette pour s'acheter une canette de soda.

Quelques instants plus tard, en s'installant à son volant, elle poussa un grand cri. Dans son rétroviseur venait d'apparaître le visage d'une femme qui la regardait, un grand sourire aux lèvres.

— Démarre et roule ! ordonna Agatha.

— Pardon ?

En se retournant, Milly découvrit que sa passagère clandestine tenait une arme à la main.

— Ce n'est pas la meilleure entrée en matière, mais fais ce que je te dis et tout se passera bien.

— Si c'est ma voiture que vous voulez, il faudra me tirer dessus.

Agatha ricana.

— Ton auto est très belle, elle me rappelle de jolis souvenirs. Je t'étonnerais sûrement si je te disais que quand j'étais gamine, je m'asseyais souvent à bord d'une Oldsmobile identique à celle-ci. Elles étaient très en vogue à l'époque. Maintenant, roule !

Milly aurait pu tenter de la désarmer, ou d'ouvrir la portière pour appeler à l'aide, mais un coup de feu pouvait partir très vite.

— Rouler pour aller où ? dit-elle en essayant de retrouver son calme.

– Vers l'ouest.

– Qu'est-ce que vous me voulez ?

– Rien de personnel, ma voiture est tombée en panne et je dois absolument me rendre quelque part.

– Ce n'était pas la peine de me menacer, il suffisait de le demander poliment.

– Eh bien, je te demande poliment d'enclencher une vitesse et d'avancer.

– C'est vaste, l'ouest, répliqua Milly en tournant la clé de contact.

– Tu as raison, pourquoi se priver d'être poli quand on le peut. S'il te plaît, conduis-moi à San Francisco, reprit Agatha.

– En Californie ?

– Je n'en connais pas d'autres.

– Vous n'êtes pas sérieuse ?

– Je tiens un revolver, à toi de voir.

– Mais San Francisco est au moins à trois mille miles, nous en avons pour...

– Deux mille huit cent quatre-vingts miles par l'autoroute, mais nous ne prendrons pas l'autoroute, j'ai tout mon temps, et je n'aime pas rouler vite.

Milly quitta la station et s'engagea sur la Highway 76, espérant qu'elle finirait par raisonner sa passagère. Sans son revolver, elle l'aurait presque trouvée sympathique ; il émanait de cette femme une forme d'ardeur, de la bravoure, et Milly était sensible à ce genre de choses.

– À supposer que nous roulions du matin au soir, reprit-elle, il nous faudrait quatre à cinq jours, c'est de la folie douce.

– Mais c'est bien parfois la folie douce. Quand il n'y en a plus du tout, tu ne peux pas savoir comme on s'emmerde. Je miserais plutôt sur cinq jours, ce serait épuisant pour toi de conduire sans relâche et puis, tant qu'à faire, j'aimerais profiter du paysage.

– Je ne peux pas m'absenter si longtemps, je vais perdre mon travail.

– Il est bien, ce travail ? questionna Agatha.

– En ce moment, les dossiers s'empilent, mais sinon c'est une routine confortable.

La laisser parler, pensait Milly, rentrer dans son jeu, ne pas la brusquer ni trop en faire pour l'amadouer afin qu'elle ne se doute de rien.

– Tu as plus ou moins trente ans, n'est-ce pas ? demanda Agatha.

– Plus ou moins.

– Et à ton âge, tu te satisfais d'une routine confortable ?

– J'ai un boulot, par les temps qui courent c'est déjà beaucoup.

– Je comprends, dit Agatha en hochant de la tête, eh bien, tu diras à ton patron que tu es grippée. On ne vire pas les gens parce qu'il sont malades.

– Si, pour les remplacer par des gens en bonne santé. Mme Berlington ne ferait pas ça, mais elle me réclamera un certificat médical.

– Je t'en rédigerai un.

– Vous êtes médecin ? demanda Milly.

– Non, mais Mme Berlington n'est pas obligée de le savoir.

– Frank va s'inquiéter, je ne peux pas disparaître comme ça.

– Tu es mariée ?

– Pas encore. Mais dans une heure ou deux il viendra chez moi et si je ne lui donne pas signe de vie, il appellera la police.

– Alors, n'allons pas inquiéter Frank inutilement. Est-ce qu'il connaît Mme Berlingot ?

– Il l'a connue à l'époque où il était étudiant, mais ça ne date pas d'hier.

– Tu as un de ces téléphones de poche ?

– Un portable ?

– Voilà, un portable ! Appelle-le, dis-lui que tu ne pourras pas le voir ce soir. À cause de ces dossiers qui s'empilent, tu préfères rester au bureau.

– Et demain ?

– Demain, nous aviserons.

Milly sortit son portable de la poche de son jean et supplia le ciel pour que Frank décroche. Pendant que la sonnerie retentissait, elle cherchait quels mots prononcer pour lui faire comprendre que quelque chose clochait.

Agatha lui ôta le téléphone et mit la main sur le combiné.

– Mon chéri, je vais devoir travailler tard, nous nous verrons demain, bonne nuit mon poussin, mon canard, ou ce que tu voudras, mais rien de plus que ces mots-là, c'est bien clair ?

Milly lui lança un regard incendiaire et reprit l'appareil juste à temps pour entendre le bip de la boîte vocale. Elle laissa, à peu de choses près, le message que lui avait dicté Agatha.

– C'est bien que tu l'appelles par son prénom, dit Agatha en lui confisquant l'appareil, j'ai horreur des diminutifs. Je me souviens avoir quitté un homme qui avait pourtant beaucoup de qualités, parce qu'il m'appelait « ma puce ». Est-ce que j'ai une tête de puce ? Non ? Bon alors !

– Et ce soir, nous allons jusqu'où ? murmura Milly désemparée, sentant que la première manche était perdue.

– Le plus loin possible de Philadelphie. Nous nous arrêterons quand tu seras fatiguée, répondit Agatha.

*

Tom, muni de son mandat, s'était présenté au commissariat central juste avant midi. Depuis le bureau d'un inspecteur, il avait appelé son ami le juge qui lui avait aussitôt faxé la liste demandée la veille.

Il l'étudia attentivement et obtint de son collègue l'autorisation de faire quelques recherches sur son ordinateur.

Des dix personnes qui figuraient sur la télécopie, une seule résidait dans la région de Philadelphie. Tom se fit prêter une voiture banalisée, l'inspecteur l'accompagna jusqu'au parking.

– Vous n'allez pas trop loin ? s'inquiéta-t-il en lui remettant les clés.

– Je ne pense pas, répondit Bradley.

– Ne lui faites pas franchir les frontières de l'État, c'est tout ce que je vous demande.

Tom en fit la promesse. Dès que le détective fut reparti vers son commissariat, il ouvrit son bagage, posa un sandwich et une carte routière sur le siège passager et démarra.

Les appels du central aux voitures de patrouille grésillaient dans la radio de bord. Tom l'éteignit et s'élança sur la route, mordant son sandwich à pleines dents.

Il arriva à Philadelphie cinq heures plus tard. Sa visite était destinée à un certain Robert Grafton, cinquantenaire au casier bien rempli. La dernière fois qu'il s'était fait remarquer remontait à quelques mois. Interpellé à la suite d'une rixe dans un bar, il avait passé vingt-quatre heures en cellule de dégrisement avant d'échapper in extremis à son incarcération grâce au paiement d'une caution de cinq mille dollars exigée par le procureur pour couvrir les dégâts causés.

Le dernier domicile connu de Grafton se trouvait dans un immeuble miteux de la périphérie de Philadelphie. Tom se rangea le long du trottoir et s'approcha de deux garçons adossés à un mur, sans doute les guetteurs d'un îlot où, du soir au matin, drogue et argent passaient de main en main.

Il sortit un billet de vingt dollars, le déchira dans la longueur, en tendit une moitié et leur promit l'autre à condition qu'à son retour sa voiture soit dans le même état que lorsqu'il l'avait garée.

Il s'engouffra dans le hall, son revolver dans le dos, passé sous la ceinture.

La cage d'escalier empestait l'urine, les murs décrépis étaient barrés de graffitis, mais sur les boîtes aux lettres branlantes on pouvait encore lire le nom des occupants et le numéro de leur logement. Tom, en montant les marches, se demanda comment le locataire d'un pareil taudis avait pu trouver autant d'argent pour payer sa caution judiciaire.

Il grimpa jusqu'aux combles et s'enfonça dans un couloir lugubre.

La porte de l'appartement 5D était entrebâillée, il la poussa du pied, main sur la crosse. Grafton dormait, avachi dans un fauteuil, portant sur sa chemise et son jean troué toute son infortune. Tom s'approcha et lui tapa sur l'épaule en lui pointant le canon de son revolver sous le nez.

L'homme sursauta. Se protégeant le visage de ses bras, les yeux implorant l'indulgence. De ce regard paumé à l'aspect de cette chambre, meublée d'un fauteuil usé, d'un guéridon et d'un matelas posé à même le sol, tout chez lui respirait la tristesse et l'abandon de soi.

– J'ai deux questions à te poser, dit Tom, bien que je pense connaître la réponse à la première. Tu n'es pas du genre agressif quand tu es à jeun ?

Grafton fit non de la tête. Tom baissa son arme.

– La seconde est encore plus simple.

Il tira de sa poche une photo d'Agatha.

– Tu la reconnais ?

– Non, jamais vue.

De toute sa carrière, Bradley n'avait jamais frappé un homme à terre ou enchaîné. La violence n'était pas son truc et son interlocuteur, bien qu'il ne l'ait pas menotté, n'avait aucune vaillance à lui opposer.

Il l'aida à se redresser et lui tendit la paire de lunettes aperçue sur le guéridon près d'un cadavre de bouteille de bière. La monture avait dû être maintes fois rafistolée, à en juger par l'épaisseur du scotch qui retenait les verres.

– Regarde attentivement, reprit Tom, et réponds-moi.

– Oui, grommela Grafton, en ajustant ses lunettes, je la reconnais, mais c'était il y a un bail. D'après ce que je sais, elle est en taule.

– Tu n'es pas allé lui rendre visite ?

– On n'était pas amis, on se croisait parfois à des réunions, mais c'est tout, je l'ai jamais vue sur le terrain.

– Tu lui en connaissais, des amis qui vivraient dans le coin ?

– J'ai coupé les ponts avec ce monde-là, avec le monde tout court d'ailleurs. Maintenant vous allez me laisser tranquille ?

Grafton semblait sincère. Tom alla jeter un œil à la fenêtre, les deux garçons faisaient toujours le guet et il fut soulagé de constater que sa voiture reposait encore sur ses quatre roues. C'était bien là sa seule satisfaction du moment, il avait suivi le mauvais cheval et perdu un temps précieux.

Il s'apprêtait à partir quand il se retourna vers Grafton.

– Qui a payé ta caution ?

– Mon cousin, c'est pas la première fois, mais il a juré que c'était la dernière. Remarquez, ça aussi c'est pas la première fois.

– Qu'est-ce qu'il fait dans la vie ce cousin pour avoir les moyens d'être si généreux ?

– Ça le regarde, fichez-moi la paix !

Tom remercia Grafton et s'en alla.

De retour dans la rue, il paya ses guetteurs et s'installa au volant.

Il récupéra dans son sac le dossier de Grafton, le relut en détail, avec l'espoir soudain de n'avoir peut-être pas fait un si mauvais choix en prenant la route de Philadelphie.

*

– Pourquoi San Francisco ? demanda Milly

– Je suis attendue à dîner chez des amis, répondit Agatha.

– Ils sont patients ! L'avion aurait été plus rapide.

Agatha lui montra son revolver.

– Il paraît que de nos jours, c'est devenu difficile de monter à bord. avec ça.

Une voiture de la Highway Patrol les doubla, le policier se maintint à leur hauteur et les regarda d'un air réprobateur. Agatha jeta un œil au cadran de vitesse et ordonna à Milly de ralentir immédiatement. Elle fit un grand sourire au policier qui les salua d'un signe de la tête et poursuivit sa route.

– Je me doute bien que depuis que je me suis invitée dans ta voiture tu gamberges et cherches tous les moyens possibles pour m'en faire descendre. Je ne te blâme pas, je ferais pareil à ta place. Tu te demandes même de temps à autre si j'aurais vraiment le cran de te tirer dessus. Je vais être franche, je n'en sais rien. Mais ce dont je suis certaine, c'est que je n'hésiterais pas à vider mon chargeur sur ton beau tableau de bord, tes portières et ton plancher. Tu as une idée du genre de dégâts que fait un revolver comme ça ? Eh bien, je vais te le dire, ça fait des trous si gros que tu n'aurais plus besoin de décapoter pour avoir les cheveux au vent. Ça ne doit pas se dénicher facilement un intérieur complet d'Oldsmobile, je doute même que ça se trouve encore. Et quand ce n'est plus d'origine, ça perd tout son charme. Alors, oublie toute initiative hasardeuse. Dis-toi qu'on va faire une virée sympathique et que dans cinq jours tu rejoindras ton Frank, Mme Berlingot et ta routine confortable. Et ne t'inquiète pas pour ton budget, c'est moi qui paierai l'essence. Nous sommes d'accord ?

Milly détacha ses cheveux et regarda Agatha.

– D'accord, je vous donne cinq jours, mais à une seule condition.

– Je n'ai pas l'impression que tu sois en mesure de m'imposer des conditions, mais je t'écoute quand même.

– Vous me dites toute la vérité, ce que vous faites là, et pourquoi vous voulez vous rendre à San Francisco avec ce revolver. Parce que si c'est pour aller buter quelqu'un, vous avez intérêt à me convaincre que c'est le pire des salauds, si vous voulez que je vous conduise jusqu'à lui.

Agatha la regarda, interloquée.

– Je crois qu'on va bien s'entendre, toi et moi ! dit-elle dans un grand éclat de rire.

*

Tom traversa un quartier résidentiel. Le long des rues, bordées de cerisiers en fleur et de jardins nourris, s'élevaient d'élégantes maisons à deux ou trois étages.

Il se rangea sur Merwood Lane et attendit tous feux éteints.

Alors que le soir avançait, il eut une pensée pour ses loups. Profitaient-ils de son absence pour rôder près de son cabanon ?

– Cinq ans, tu ne pouvais pas patienter ? Pourquoi maintenant ? Et qu'est-ce que tu cherches ? grommela-t-il.

Un rideau se souleva derrière l'une des fenêtres qu'il surveillait et il ressentit une appréhension en croyant apercevoir une ombre familière. Il avait foncé sans réfléchir, poussé par le devoir, mais était-il prêt à croiser son regard, à entendre sa voix ? Et que ferait-il si elle se cachait là ?

Vers 22 heures, l'une des deux portes du garage qui jouxtait la demeure s'ouvrit. Un homme apparut, un sac-poubelle à la main qu'il alla jeter dans un container au fond du jardin. Tom s'approcha de lui. L'homme perçut sa présence et se retourna.

– Je peux faire quelque chose pour vous ? lui demanda-t-il.

– Je l'espère, répondit Tom en présentant son insigne. J'ai deux questions à vous poser.

– Il est un peu tard, vous ne trouvez pas ?

– Je peux revenir demain avec un mandat, si vous préférez.

– Un mandat de quoi ?

– De perquisitionner votre domicile, votre bureau, éplucher vos comptes en banque.

– Et pour quelles raisons obtiendrez-vous un tel mandat ?

– Complicité d'évasion d'un prisonnier fédéral, monsieur Pyzer, ou dois-je vous appeler Reiner puisque c'était votre nom de famille avant que vous n'en changiez ? Je suis marshal, vous avocat, vous savez que les juges sont bien disposés à notre égard.

– Je ne suis pas pénaliste et je ne vois pas à quoi vous faites allusion.

Tom lui montra la photo d'Agatha, Max l'examina sans sourciller.

– Elle s'est évadée ?

– J'espère que vous êtes plus convaincant lorsque vous plaidez.

– Comme vous le voyez, je me débrouille plutôt pas mal, répliqua Max.

– Justement, vous avez une belle vie, que vous partagez avec une belle femme, ce serait stupide de vous retrouver derrière des barreaux pour avoir menti à un officier fédéral.

Max fusilla Tom d'un regard qui en disait long sur ce qu'il pensait de lui.

– Revenez demain avec votre mandat, je n'ai rien à cacher, vous ne m'intimidez pas.

Il laissa Tom en plan et s'éloigna.

– Vous êtes allé la voir combien de fois en prison ? cria Tom dans son dos.

Max s'arrêta et se retourna.

– Réfléchissez bien à votre réponse, demain j'aurai en main la liste des visites qu'elle a reçues.

– Vous ne m'y trouverez pas, j'ai changé de vie en même temps que de nom, tout cela appartient au passé.

– Les enregistrements vidéo du parloir prouveront peut-être le contraire, lâcha Tom. Je connais votre passé commun, ne me donnez pas l'envie d'aller fouiller trop loin. Il n'y a pas de prescription en ce qui vous concerne.

– Pourquoi est-ce que votre visage me dit quelque chose ? questionna Max en faisant un pas vers Tom.

– Parce que je ressemble à monsieur Tout-le-Monde, c'est le drame de ma vie, beaucoup de gens croient me connaître alors que je ne connais personne.

– Vous voulez la vérité ? reprit Max. J'ignorais totalement qu'elle s'était fait la belle. L'expression que j'ai empruntée quand vous me l'avez appris était destinée à masquer ma joie. C'est la meilleure nouvelle que j'ai entendue depuis longtemps ! Si je savais quoi que ce soit à son sujet, je ne vous en dirais rien. Oui, je suis allé la voir et qu'est-ce que ça prouve ? J'espère de tout mon cœur qu'elle vous filera entre les pattes. Vous vouliez que je sois honnête, je l'ai été on ne peut plus, maintenant fichez le camp de ma pelouse, allez où bon vous semble, moi, je vais me coucher, ma femme m'attend en effet. Bonne nuit, officier.

Max s'éloigna, la porte du garage se referma derrière lui.

Tom remonta à bord de son véhicule, tracassé. Il avait perçu un indice dont la nature lui échappait encore.

Il s'offrit un dîner dans un restaurant de bord de route, passa une heure dans sa voiture à compulser, sur le terminal informatique, les données concernant Max contenues dans les fichiers fédéraux. Ne trouvant rien de concluant, il inclina le dossier du fauteuil et chercha le sommeil.

Vers 2 heures du matin, réveillé par le passage d'un camion, il ouvrit grand les yeux et le détail qui lui avait échappé jusque-là lui apparut enfin.

Il reprit le volant et alla finir sa nuit sur Merwood Lane.

*

Elles enchaînaient les miles et ne se parlaient presque pas, chacune semblant perdue dans ses pensées. De temps à autre, Agatha se contentait d'indiquer à Milly l'itinéraire.

– J'ai faim, dit Milly, et je ne suis pas la seule.

Agatha jeta un œil à la jauge.

– Nous avons encore le temps.

– L'aiguille n'est pas très fiable, et puis quand le réservoir se vide, les gaz d'essence fatiguent le métal. Je refais le plein chaque jour pour éviter ça.

– Je n'avais jamais entendu quelqu'un de ton âge s'inquiéter de fatiguer du métal. Trouvons une station-service.

Quand elles croisèrent la première, Agatha la regarda passer en s'étonnant que Milly ne s'y arrête. Dix miles plus loin, elle fit halte à une station 7-Eleven.

Pendant que Milly s'affairait à la pompe, Agatha emporta la clé de contact et alla régler le plein dans la supérette.

Elle revint avec un grand sac en papier dans les bras. Milly l'attendait au volant.

– Ce n'était pas la peine.

– Je croyais que tu étais affamée ?

– Je parlais de confisquer la clé, répondit-elle en agitant un trousseau où se trouvait un double. Je vous ai dit que je vous accompagnerais, j'ai tenu ma promesse, à vous de tenir la vôtre.

– Je ne t'ai rien promis, et puis c'est une longue histoire.

– Nous avons quelques jours devant nous, les conversations sur le temps qu'il fait n'ont pas grand intérêt. J'ai bien compris que vous aviez un itiné-raire précis.

– Je ne t'ai pas menti en te parlant de mes amis, sauf qu'ils ne vivent pas tous à San Francisco, et que je ne sais plus vraiment s'ils sont toujours mes amis, mais je voudrais leur rendre visite.

– Avec un revolver ? demanda Milly.

Agatha prit l'arme et la rangea dans la boîte à gants.

– Voilà, tu vois, je te fais confiance, enfin, j'essaye.

– Vous ne pouviez pas vous louer une voiture ?

– Je n'ai pas renouvelé mon permis depuis longtemps. Tu poses trop de questions. Roule, et trouve-nous un endroit plus agréable pour manger ces sandwichs. Tu aimes la dinde, j'espère ?

Au paysage suburbain succéda une campagne où n'apparaissaient plus que quelques hameaux. L'Oldsmobile grimpa à une colline. Arrivée au sommet, Milly bifurqua sur une route secondaire et s'arrêta le long d'une voie de chemin de fer désaffectée. Elle coupa le moteur, sortit de la voiture et suivit les rails jusqu'à un vieux pont qui surplombait la vallée.

Agatha emporta le sac et la rejoignit. Milly s'était assise à un endroit où le garde-corps avait disparu. Jambes ballantes dans le vide, elle prit le sandwich que lui tendait Agatha et l'attaqua avec appétit.

– Demain, il faudra que je téléphone à Frank, et à Mme Berlington pour m'excuser, dit-elle la bouche pleine.

– Qu'est-ce que tu comptes leur dire ? interrogea Agatha.

– Je ne sais pas encore. Que j'ai dû retourner chez moi.

– Où est-ce, chez toi ?

– Santa Fe, Nouveau-Mexique.

– Ils te demanderont pourquoi.

– Frank, j'en doute, ce n'est pas le genre à poser des questions.

– Pourquoi cela ? Il ne s'intéresse pas à toi ?

– Bien sûr que si, protesta Milly. C'est de ma faute, je n'aime pas beaucoup parler, et surtout pas de moi. Et puis, il me fait confiance. Il s'inquiétera un peu, me dira d'être prudente sur la route et de rentrer vite.

– Et Mme Berlingot ?

– Mme Berlington ! corrigea Milly en s'amusant à faire rouler le *r*. Je lui expliquerai que j'avais une affaire urgente à régler suite au décès de ma mère. Elle est morte il y a cinq ans, mais Mme Berlington n'en sait rien.

– J'en suis désolée, répondit Agatha.

– Moi aussi, soupira Milly. Ma mère était un peu rock'n'roll, la vie n'a pas toujours été facile pour nous, mais on ne s'ennuyait jamais ensemble. C'était quelqu'un de joyeux.

– Tant mieux pour elle, répliqua Agatha.

– Vous avez des enfants ? demanda Milly.

– Non, pas eu le temps.

– Vous étiez si occupée que cela ?

– On peut dire ça, oui. Et toi, tu as envie d'en avoir ?

– Pour l'instant, j'ai surtout envie de manger ce sandwich en admirant la vue.

– Il fait sombre, dit Agatha, on ne voit pas grand-chose.

– Si, au loin, on aperçoit les lumières d'un village, et juste en dessous, le lit d'une rivière. Avec la fonte des neiges, elle gonflera bientôt. J'aime bien les anciennes voies de chemin de fer, ajouta-t-elle en caressant le rail rouillé sur lequel elle s'était assise. En fait, je ne sais pas pourquoi, mais j'aime tout ce qui est ancien.

– J'avais cru le deviner avec ta voiture.

– Les vieilles choses ont une histoire, soupira Milly.

– Tu ne dis pas ça pour moi, j'espère ?

– Mais non, vous n'êtes pas vieille, maman avait à peu près votre âge.

– Ne te sens pas obligée d'être aimable, rétorqua Agatha d'un ton sec qui étonna Milly

– Je ne me forçais pas. Alors taisons-nous, puisque vous n'avez pas envie de faire la conversation.

Elles restèrent côte à côte, silencieuses, le regard perdu au loin.

– Je ne voulais pas être brusque, reprit Agatha en jetant l'emballage de son sandwich dans le vide.

– Vous n'avez aucun respect pour la nature ? demanda Milly.

– Si ça m'arrive, mais pas ce soir. Il est tard, allons nous coucher.

– Nous trouverons sûrement un endroit où dormir dans la vallée.

– Cette nuit, nous ferons chambre commune dans ta belle voiture. J'en ai plein les bottes de rouler et puis, comme j'apprécie la nature plus que tu ne le crois, dormir à la belle étoile me conviendra parfaitement.

Agatha se leva et repartit vers l'Oldsmobile. Milly resta seule un moment à regarder fixement le vide sous ses pieds. Elle jeta un caillou dans le ravin, comptant les secondes qui s'écouleraient avant que se fasse entendre le son de l'impact.

Quand elle regagna la voiture, Agatha avait la tête posée contre la vitre et semblait déjà dormir.

Milly avança la main vers la boîte à gants.

– N'y pense même pas, murmura Agatha.

Mais Milly n'obéit pas.

– Qu'est-ce que tu cherches ?

– Le paquet de cigarettes de Jo, il en laisse toujours un ici.

– Qui est Jo ?

– Ça aussi, c'est une longue histoire, répondit Milly.

Elle mit le contact et appuya sur le bouton de la capote qui s'ouvrit en grinçant.

– Vous vouliez dormir à la belle étoile, voilà tout un ciel étoilé, rien que pour vous, dit-elle en allumant sa cigarette.

Agatha inclina le dossier du fauteuil, passa les bras derrière sa nuque, et contempla le spectacle qui s'offrait à elle.

– Tu ne peux imaginer le nombre de nuits que j'ai passées à rêver de voir ça.

– Combien ?

– Dix mille neuf cent cinquante trois.

Milly, qui avait toujours su apprivoiser les chiffres, fit un calcul mental.

– Où étiez-vous tout ce temps ?

– Nous parlerons demain, maintenant tais-toi et laisse-moi admirer le ciel.

5.

Tom s'éveilla avec le jour. Il rêvait d'un café et regarda sa montre en espérant qu'il n'aurait pas longtemps à attendre.

Vers 8 heures, un taxi vint se garer sur Merwood Lane, Helen sortit de la maison et prit place à bord.

Un peu plus tard, ce fut la porte du garage qui s'ouvrit. En voyant Max s'éloigner à bord d'une berline, Tom ne put s'empêcher de sourire, ravi que son sens de l'observation n'ait pas failli.

La veille, alors que Max lui tournait le dos pour rentrer chez lui, il lui avait bien semblé voir que l'une des deux places du garage était inoccupée.

Dans une banlieue résidentielle où ne passe aucun bus et sans commerces à moins de cinq miles, posséder une voiture est une nécessité. Celle d'Helen pouvait être en réparation, mais Tom ne croyait pas aux coïncidences.

Une vérification dans le fichier des immatriculations lui confirma que Max Pyzer possédait bien deux véhicules.

Tom aurait pu contacter le central avec la radio de bord, mais respectueux des usages, il fit appel à l'inspecteur pour lancer un avis de recherche, lui précisant qu'il ne fallait sous aucun prétexte stopper la Chevy noire ou interpeller son occupant.

Dès qu'il eut raccroché, il tourna le bouton de la radio et guetta la diffusion du message.

*

Moins de deux heures s'écoulèrent avant qu'une patrouille repère la Chevy, garée sur un trottoir en contrebas du Highway 76. Tom s'y rendit sans délai.

La fouille du véhicule ne lui apprit rien qu'il ne supposait déjà. Il n'avait pas de temps à perdre, ni besoin de la police scientifique pour lui confirmer qu'Agatha s'était trouvée derrière ce volant. Il pouvait sentir sa présence, comme si son fantôme était assis sur le fauteuil.

Raconter à Max qu'on avait retrouvé la Chevy et qu'un relevé d'empreintes était en cours le rendrait peut-être plus disert, mais Tom n'en était pas convaincu. Il avait la désagréable impression de tourner en rond, ce qu'il faisait effectivement en balayant le périmètre du regard.

Qu'était-elle venue faire ici ? On ne trouvait aux alentours qu'une station-service et quelques commerces. Il les visita un à un, présentant la photo d'Agatha et obtenant à chaque fois une fin de non-recevoir. Coiffeur, épicier, teinturier ou fripier n'avaient aucun souvenir de cette femme, et le pompiste fut tout aussi formel.

Tom cherchait à comprendre pourquoi Agatha avait abandonné son unique moyen de fuir, de surcroît en un lieu qui n'était pas desservi par les transports publics. Par acquit de conscience, il appela la compagnie de radio-taxis couvrant le quartier et se fit confirmer qu'aucune passagère n'avait été prise en charge récemment, à cette adresse ou dans ses environs. Puis il entra dans la station-service pour chercher le café qu'il n'avait toujours pas bu et en profita pour s'offrir un muffin. Au moment de payer, son regard se posa sur les trois moniteurs vidéo situés derrière le caissier. Sur l'un d'eux, on pouvait voir la zone autour de la caisse, sur l'autre la porte d'entrée de la supérette, le troisième dévoilait un angle élargi du périmètre de la station, on apercevait même au loin la Chevy garée sur le trottoir.

– Ces caméras enregistrent ? demanda Tom à l'employé en lui montrant son insigne de marshal.

– Oui, on change les bandes à la fin de chaque service, on les garde vingt-quatre heures avant de les réutiliser. Après trois vols à main armée l'an dernier, l'assurance a exigé qu'on mette en place un matériel de surveillance.

– J'ai besoin de visionner les cassettes, ordonna Tom.

L'employé le conduisit vers un petit local fermé à clé.

– C'est pour empêcher les braqueurs de partir avec, dit-il, fier de l'ingéniosité du système censé assurer sa protection.

Il installa Tom sur un tabouret face aux moniteurs et lui remit les bandes.

Tom commença par visionner en vitesse accélérée les enregistrements de la caméra filmant l'extérieur et surveilla l'horaire qui défilait au bas de l'écran.

Son cœur tambourina quand il vit entrer dans le champ une voiture noire qu'une silhouette poussait depuis la bretelle de sortie vers le trottoir. Et il se mit à battre plus fort encore quand cette silhouette apparut plus distinctement alors qu'elle marchait vers la station-service. Elle disparut de l'écran dès qu'elle passa sous l'auvent.

– Cette femme, dit Tom au pompiste, vous vous souvenez d'elle ?

– Franchement on ne voit pas grand-chose, c'est pas de la haute définition. Mais avec le matériel moderne que vous avez dans la police vous pourrez améliorer la netteté, non ?

Tom lui repassa la séquence.

– Peut-être bien ! s'exclama le pompiste. Je crois que c'est elle qui est venue me demander de l'aide, pendant que je servais un client. Sa voiture était en panne, elle voulait que je lui remplisse un jerrican d'électricité. J'ai cru qu'elle se foutait de moi, mais non, elle était tout ce qu'il y a de plus sérieux. Je vous jure, il y a des gens, on se demande s'ils n'ont pas débarqué de la lune le matin même.

– Vous n'êtes pas loin du compte. Et ensuite, qu'est-ce qu'elle a fait ?

– Aucune idée, répondit le pompiste. Je lui ai proposé d'appeler un dépanneur, elle a refusé et elle est repartie.

Ce qu'attestaient les images qui défilaient devant Tom. Mais pourquoi Agatha restait-elle dans la voiture ? se demanda-t-il.

Il continua de faire avancer l'enregistrement et écarquilla les yeux en la voyant ressortir deux heures plus tard, revenir vers la station et disparaître à nouveau sous l'auvent pour ne jamais réapparaître.

Il sortit la cassette du magnétoscope et lui substitua l'enregistrement effectué dans la supérette, qu'il fit défiler jusqu'au même horaire, priant pour qu'Agatha soit entrée.

Sans vouloir se l'avouer, il espérait plus que tout reconnaître ses traits, revoir son visage.

Hélas, la seule personne présente à l'image était une femme bien plus jeune et plus grande qu'Agatha. On la voyait, une canette de soda à la main, payer le pompiste et s'en aller.

– C'est une habituée. Une drôle de cliente, elle vient chaque soir, à peu près à la même heure, mettre deux gallons dans sa voiture, un Coca dans son gosier et bonsoir monsieur.

– Elle est repartie seule ?

– Dites, c'est vous le flic, pas moi. Elle l'était quand je l'ai saluée, après, je n'ai pas fait attention.

Tom appuya sur le bouton du magnétoscope. Il visionna trois fois la séquence, changea encore de cassette et réitéra l'exercice en étudiant les images prises à l'extérieur. Entre le moment où la jeune femme était sortie de la supérette et celui où sa voiture réapparaissait dans le champ, sept minutes s'étaient écoulées. La conductrice avait pu passer un appel, se remaquiller dans le rétroviseur, peut-être les deux. À moins, pensa-t-il, que quelque chose d'autre se soit produit.

L'immatriculation était illisible, mais le modèle de la voiture assez rare pour que Tom espère retrouver rapidement sa propriétaire.

– Est-ce qu'elle a utilisé une carte de crédit pour vous payer ? demanda Tom.

– Pour deux gallons d'essence et un Coca ? Du cash, rigola le pompiste, et jamais de pourboire, elle fait le plein toute seule.

Tom lui restitua les bandes et s'en alla.

Il n'y avait aucune Oldsmobile rouge répertoriée au fichier du département des Véhicules de

Pennsylvanie et il lui était difficile d'élargir ses recherches à d'autres États du pays sans faire appel au bureau des marshals. Tom préférait renoncer à prendre ce risque. Sur les dernières images de l'enregistrement, la voiture s'éloignait vers le Highway 76.

*

Lorsque Milly ouvrit les yeux, Agatha la regardait fixement. Elle s'étira et bâilla longuement.

— Vous m'observez depuis longtemps ?

— Tu semblais si paisible dans ton sommeil.

— C'est étrange, parce que je rêvais que je m'étais fait enlever par une inconnue, répondit Milly du tac au tac.

— Je ne t'ai pas enlevée, je t'ai demandé un service.

— En me braquant avec un revolver, appelez cela comme vous voulez.

— Tu aurais accepté, sinon ?

— Pour le savoir, il aurait fallu me le demander. Et si maintenant je refusais d'aller plus loin, si, parce que je suis bonne poire, je me contentais de vous déposer à la première gare ? Il n'y a pas de portique de sécurité pour monter dans un train, vous pourriez vous installer avec votre joujou dans votre sac.

— Et si je t'emmenais prendre un bon petit déjeuner avant que nous décidions de notre avenir commun ?

Milly ne répondit rien et fit démarrer le moteur.

Le vieux pont de chemin de fer disparut bientôt.

– La route 30 n'aura jamais connu la gloire de la route 66, et c'est injuste car elle fut la première à traverser le pays, dit Agatha, cherchant à rompre le silence.

Un buggy tiré par un cheval au trot arrivait en face d'elles.

– Nous voilà rendues en territoire amish, ajouta Agatha.

Mais Milly restait silencieuse. Elles traversèrent un village rural, et Milly eut l'impression d'avoir franchi les lisières d'un temps revenu trois siècles en arrière. Dans un champ, un fermier labourait à l'attelage, aucun poteau électrique n'apparaissait aux abords des maisons, aucune antenne sur les toits. Le linge qui pendait aux cordes ne coloriait en rien ce paysage terne et les tenues des villageois laissaient imaginer que la population entière portait le deuil.

– Comment peut-on vivre ainsi à notre époque ? soupira Milly.

– En refusant de se conformer au monde qui nous entoure, c'est la première de leurs règles. J'ai connu un sentiment semblable, pas de cette manière, mais à vingt ans je partageais un idéal qui n'était pas si éloigné du leur. Chez les amish, chacun travaille et mange à sa faim, leur mode de vie est simple, mais il les protège de l'injustice. Ce sont des gens aussi austères que généreux.

– Peut-être, mais ça ne doit pas être très marrant chez eux le samedi soir.

– Qu'est-ce que tu en sais, rétorqua Agatha, ils t'ont déjà invitée à leur table ?

Milly doubla la calèche et accéléra. Le virage suivant la ramena dans son siècle. Près des échoppes où l'on vendait les produits de l'artisanat amish se trouvaient des commerces modernes et plusieurs restaurants. Agatha demanda à Milly de se garer sur le parking d'un *diner*[1].

La salle était bondée, éclatante de vie. Keesha Lyndon, la serveuse dont le nom était brodé sur son tablier rose, leur indiqua le seul box libre.

Agatha ignora le menu et commanda pour deux, des œufs brouillés, accompagnés d'une galette de pommes de terre et de pain toasté, ne laissant à Milly que le choix d'un café ou d'un thé. Milly opta pour le café et regarda malicieusement les hommes installés au comptoir.

– Je suis certaine qu'un de ces types se ferait une joie de vous déposer à la gare, et qui sait si l'un d'entre eux n'aurait pas suffisamment de temps à lui pour vous conduire jusqu'à San Francisco.

---

1. Les *diners* sont des restaurants typiques du nord-est des États-Unis, installés à l'origine dans des wagons ou roulottes. On y sert un vaste choix de mets, 24 heures sur 24. Devenus après la Seconde Guerre mondiale le lieu de prédilection de la restauration familiale, les *diners* ont été consacrés par le cinéma des années 1950 et 1960.

Agatha posa sa main sur celle de Milly et la regarda droit dans les yeux.

– Dis-moi que tu t'es ennuyée une seconde avec moi, ou que tu avais déjà traversé un village aussi surprenant que celui-ci à bord de ta belle voiture ?

– Il y a quelques années, j'ai parcouru le pays de Santa Fe jusqu'à Philadelphie.

– Par l'autoroute !

Milly baissa les yeux.

– Tu as déjà eu l'occasion d'accomplir quelque chose d'important, quelque chose qui te coûte, une action qui t'oblige à donner de ta personne, à partager ce dont tu as le plus besoin ? Ce voyage est l'aboutissement de ma vie, je l'ai rêvé chaque nuit depuis tant d'années. Je te propose que nous le fassions ensemble, je t'offre de rencontrer des gens que tu ne connaîtras jamais sans cela, des gens qui changeront peut-être ta destinée. Tu n'as jamais cru au destin ?

Cette phrase fit mouche. Le destin, Milly l'avait guetté si longtemps, qu'elle avait fini par douter en avoir un, et à travers les mots qu'Agatha venait de prononcer, elle entendit un vent de liberté souffler à ses oreilles.

– Donnant, donnant, dit-elle. Vous me révélez d'abord la vérité. Pourquoi ce revolver ? Pourquoi ce voyage est-il si important pour vous ? Et je prendrai ma décision ensuite.

– Donnant, donnant, répliqua Agatha. Tu prends ta décision d'abord et je te dis la vérité.

Milly la dévisagea et acquiesça d'un signe de la tête.

– Dès que nous serons reparties, je te raconterai, enchaîna Agatha alors que la serveuse apportait leurs petits déjeuners.

– Vous êtes venues visiter le pays amish ? demanda Keesha en posant les assiettes sur la table.

– Oui, répondit Milly, laconique.

Keesha avait des cheveux teints, d'un roux presque orangé, et un maquillage tout aussi prononcé.

– C'est chez nous en Pennsylvanie que les premiers se sont installés. La plupart sont arrivés d'Alsace au XVIIIᵉ siècle. C'est pour cela qu'ils parlent allemand entre eux, et ils sont si nombreux qu'on s'y est mis nous aussi, sinon on ne pourrait pas communiquer.

Elle lança un regard éperdu d'amour à son mari affairé derrière le comptoir et raconta qu'ils s'étaient embrassés pour la première fois à l'école. Leurs parents respectifs étaient fermiers, et quand ils étaient jeunes, il leur arrivait, à la tombée du soir, de parcourir sept miles à pied pour se retrouver. À force de travail, ils avaient réussi à mettre assez d'argent de côté pour acheter ce restaurant, il leur faudrait encore vingt ans pour rembourser leurs dettes, mais le Lyndon Diner était toute leur vie.

– C'est délicieux, commenta Agatha, la bouche pleine.

– Vous venez d'où ?

– De Philadelphie, répondit Milly.

– C'est votre voiture dehors ? questionna Keesha en faisant un clin d'œil à Agatha.

– La mienne, corrigea Milly.

– Vous devez en faire tomber des garçons avec un engin pareil ! Le moins qu'on puisse dire, c'est qu'elle ne passe pas inaperçue.

Keesha posa l'addition et s'en alla converser avec d'autres clients.

Milly s'essuya la bouche, jeta sa serviette sur la table et se leva.

– Finissez tranquillement. Je vais acheter le journal et vous attendre dans mon carrosse de pute, dit-elle en s'éloignant de fort mauvaise humeur.

Agatha paya la note. La dernière chose qu'elle souhaitait était que Milly découvre son identité en première page d'un quotidien.

Elle se précipita dehors et la vit entrer dans le bazar voisin.

Elle la rejoignit et s'approcha d'elle.

– Susceptible ? dit-elle d'un ton détaché en examinant une breloque.

– Vous avez vu comment m'a traitée cette conne ?

– Très susceptible ! Je ne crois pas qu'elle pensait à mal en disant cela, je suppose même que, dans sa bouche, c'était un compliment.

– Quel compliment ? J'ai séduit Frank avec ma belle carrosserie ou il a été plus aguiché par ma voiture que par moi ? dit Milly en imitant le timbre perché de la voix de la serveuse.

– C'est elle ou toi qui pose cette question ? Ce qui est certain, c'est que ce n'est pas ton style vestimentaire qui l'a fait succomber.

– Qu'est-ce que ça veut dire ? Réfléchissez bien à ce que vous allez répondre, nous sommes encore loin de la Californie.

– Qu'avec ton jean usé et ton pull informe, tu ne fais aucun effort pour te mettre en valeur.

– Eh bien, au moins cela contraste avec ma voiture !

Milly renonça à acheter le journal et tourna les talons. Elle se rendit à la caisse, prit deux barres chocolatées, un paquet de chips, paya et sortit du magasin.

Agatha ne put s'empêcher de sourire. Elle la rejoignit dans l'Oldsmobile dont le moteur tournait déjà.

– Prends la direction de Gettysburg, dit-elle en allumant le poste de radio que Milly coupa aussitôt.

– Je vous écoute ! répondit-elle en s'élançant sur la route.

Agatha soupira.

– Par où veux-tu que je commence ?

– Par le début, nous avons le temps.

– J'ai quitté le pays il y a trente ans, je n'étais pas revenue depuis.

– C'est pour cela que vous n'avez pas renouvelé votre permis de conduire ?

– Oui.

– Dans quel coin du monde viviez-vous ?

– Une île isolée de tout.

– Au milieu de quel océan ?

– Tu vas m'interrompre toutes les deux secondes ? Et regarde la route s'il te plaît !

Milly doubla une calèche conduite par un jeune amish. Elle lui fit un signe de la main auquel il répondit d'un sourire, en ajustant son chapeau.

– Beau garçon ! siffla Agatha.

– Continuez ! Pourquoi étiez-vous partie si loin ?

– J'ai cru que je réussirais à les oublier. Je m'en suis convaincue pendant des années, mais je me trompais. Lorsqu'on rompt les amarres et que l'on tourne le dos à ce qu'on a été, c'est soi-même qu'on oublie. Et toi, tu retournes de temps à autre à Santa Fe ?

– Non, assura Milly, sauf une fois, pour l'enterrement de ma mère.

– Pourquoi ?

– Trop de souvenirs et pas seulement des bons.

– Ton enfance n'a pas été heureuse ?

– Joyeuse oui, heureuse je n'en sais rien. Je rêvais d'une autre vie, d'être née dans une grande ville, d'avoir connu mon père, de fréquenter des gens cultivés. J'aimais l'école et je détestais les vacances. L'été était pour moi synonyme d'ennui. Je sais, vous devez penser que j'ai un grain. Et encore, quand je vous aurai dit que petite fille, je rêvais de me marier avec un professeur...

– ... un toubib ?

– Non, rigola Milly, je ne supporte pas la vue du sang, et puis avec maman j'ai eu mon compte de maladies.

– Ta mère est morte d'une maladie ?

– Elle s'est tuée dans un accident, mais elle était hypocondriaque, elle avait toujours un pet de travers. Avec ce que nous coûtaient son gourou et ses médecines douces, j'aurais pu aller étudier à Harvard ! J'étais folle amoureuse de mon professeur d'anglais. M. Richard était l'homme le plus patient que je connaisse. J'avais dix ans, lui quarante ; consciente qu'entre nous se dressait un sérieux obstacle, je m'étais fait le serment d'épouser un jour un homme comme lui.

– Frank est enseignant ?

– Avocat.

– Ah ! s'exclama Agatha.

– Mandela et Gandhi étaient avocats.

– Je ne portais aucun jugement, j'en ai connu un formidable.

– Dans quelles circonstances ? demanda Milly.

– Tu le rencontreras un jour, bredouilla Agatha, et maintenant, je ne sais plus où j'en étais.

– Sur votre île au milieu d'un océan inconnu. Qu'est-ce qui vous a décidée à rentrer ?

– Les amis que nous allons rencontrer.

Agatha abaissa le pare-soleil et se regarda dans le miroir de courtoisie.

– Tout à l'heure, je te faisais la leçon, mais je pourrais tout autant me l'appliquer. Tu sais où j'aimerais que nous nous arrêtions ? Dans un drugstore. Je pourrai acheter de quoi me maquiller, je ne l'ai plus fait depuis très longtemps, sauf avant-hier, mais ce n'était qu'un peu de blush.

– C'est parce que nous arrivons bientôt chez l'un de vos amis, que vous voulez vous refaire une beauté ?

– Non, pas encore, mais on ne s'arrange pas seulement pour les autres.

– S'il n'y avait pas de produits de maquillage sur votre île, alors j'aurais pu y vivre. Je n'en mets jamais.

– Tu devrais.

– Frank m'aime telle que je suis.

– Attends quelques années et tu comprendras...

Agatha s'interrompit au milieu de sa phrase, bouche ouverte et regard fixe, alors qu'apparaissait en haut d'un mât sur le bord de la route un grand panneau publicitaire qui indiquait la proximité du Centre national de Noël, une sorte de grand magasin d'antiquités dédié à cette célébration.

– Vous avez vu la Vierge Marie ? demanda Milly.

– Je veux aller le visiter, souffla Agatha d'une voix tremblante.

– Nous sommes au mois de mars, Noël est dans neuf mois !

– Le prochain oui, mais les trente derniers ?

L'expression d'Agatha avait changé en un instant. Milly eut l'impression de voir sur le siège de sa passagère l'ombre de la petite fille qu'Agatha avait été. Ses traits s'étaient tant adoucis que Milly en fut déconcertée.

Sans que les mots soient nécessaires, il lui semblait comprendre ce qu'elle essayait de lui dire. Cette femme, pour des raisons dont elle ignorait tout, avait renoncé aux choses qui remplissent une vie.

Des Noëls, Milly aussi en avait manqué quelques-uns, non que sa mère les ait oubliés, mais à dire vrai, certaines années elles étaient si fauchées qu'il était préférable de jouer la comédie et de prétendre que ce soir-là était semblable aux autres. « L'an prochain, nous ferons une grande fête et je t'offrirai un cadeau », lui disait-elle.

Le regard de Milly voguait entre la route et le visage d'Agatha ; elle se souvint de celui de sa mère, si talentueuse et brave.

Au repas de Noël, quand il n'y avait ni famille ni paquets enrubannés, Milly la prenait dans ses bras et lui jurait qu'avoir une maman comme elle était bien suffisant. Sa mère lui répondait qu'elle était tout son monde et que peu importait que passent les hivers tant qu'elles étaient ensemble – même si, en vérité, le seul présent qui manquait à Milly était l'amour d'un père.

Elle actionna son clignotant et bifurqua sur le chemin qui filait vers cette promesse de retrouver les Noëls perdus. Agatha semblait heureuse.

Elles se garèrent sur le parking et entrèrent dans cet étrange magasin installé dans une grange.

Le long d'un parcours délimité par des barrières enguirlandées se mêlaient tables, armoires et rayonnages emplis à foison de jouets anciens. Des boules de toutes les couleurs, des bonshommes de neige, des pères Noël usés, des soldats de bois en tunique rouge et toque noire, de vieux tambours et mirlitons, des poupées par dizaines. Milly s'arrêta devant un manège de fête foraine miniature. Un wagonnet grimpait à une montagne russe. Arrivé au sommet, il dévalait la pente, empruntait un virage et filait en ligne droite avant de s'arrêter devant une minuscule guérite où quatre figurines en plomb attendaient leur tour. Sous le rail, un crochet agrippait le wagonnet pour l'entraîner à nouveau dans un cliquetis régulier.

Pendant que Milly admirait l'automate, Agatha s'approcha d'une petite voiture en métal des années 1950. Avec sa carrosserie toute cabossée et sa peinture écaillée par endroits, l'objet n'avait pas belle allure, mais c'était un jouet heureux, l'un de ceux qui semblent vous sourire.

Elle l'emporta vers la caisse, et le glissa en chemin dans sa poche. Elle s'arrêta devant un carrousel, donna un tour de clé et regarda s'animer les petits chevaux de bois.

– J'ai possédé ce jouet quand j'étais enfant, je m'en souviens, c'est à peine croyable, dit-elle émerveillée à Milly qui venait vers elle, une boîte à la main. Qu'as-tu acheté ?

– Une très jolie maquette, c'est une reproduction du bureau de Dickens.

– Tu avais beaucoup de jouets quand tu étais gosse ? demanda Agatha en continuant d'admirer le carrousel.

– J'étais fille unique, répondit Milly, maman n'avait que moi à gâter.

– C'est pour toi ce cadeau ?

– Non, pour Jo, je ne sais jamais quoi lui offrir à Noël, il sera ravi. Finalement c'était une bonne idée de faire ce détour.

– Moi aussi, je suis ravie, s'exclama Agatha, je pourrais rester des heures ici, mais nous avons de la route à faire.

Elles sortirent toutes les deux de la grange et marchèrent jusqu'à la voiture. Milly rangea sa boîte dans le coffre et s'installa au volant. Agatha referma la portière et abaissa la vitre.

– Qui est ce Jo ? s'enquit-elle alors qu'elles reprenaient la route.

– Mon meilleur ami.

6.

Tom roulait à vive allure. Une heure plus tôt, dérogeant à la règle de courtoisie qu'il s'était imposée, il avait lancé un appel depuis la radio de bord, espérant qu'une patrouille aurait remarqué une Oldsmobile 1950 rouge circulant dans la région. Un policier, féru de voitures anciennes, en avait aperçu une sur la route 30, à l'entrée de York.

Avec un peu de chance, Agatha se trouvait encore là-bas.

En longeant des sous-bois sur sa route, Tom eut une envie furieuse de filer vers le nord, d'oublier sa promesse de ne pas franchir les frontières de l'État et de rentrer chez lui. D'habitude, à cette heure-ci, il profitait de l'un des meilleurs moments de sa journée. Il s'installait sur son patio et observait la plaine se déployer dans le silence des montagnes avoisinantes.

– Merde, grommela-t-il, tu dois avoir un peu plus de courage que cela ! Il faut qu'elle t'entende, même si elle refuse de te pardonner. Trouve au moins la force d'affronter son regard ! C'est bien pour ça que tu as pris la route, non ?

Un coup de fil de l'inspecteur de police le ramena à la réalité. Ses batteries rechargées, la voiture électrique avait livré une information intéressante. Les dernières coordonnées entrées dans le GPS étaient précisément celles de l'endroit où on l'avait retrouvée.

Cette nouvelle laissa Tom songeur. Pourquoi Agatha était-elle venue rôder autour de cette station-service ? Et il finit par se demander si elle n'avait pas fait exprès de relever la tête en s'approchant de la caméra, avant de renoncer à approfondir cette théorie qui n'avait aucun sens.

À York, il interrogerait les commerçants, la police locale et se ferait fort d'obtenir un témoignage qui le conduirait vers elle ; il jeta un œil à sa montre et estima qu'il arriverait dans une heure.

*

— Ce soir, je veux dormir dans un lit, et seule, annonça Milly.

— Eh bien moi j'aimerais prendre un bain et me coucher en bonne compagnie. J'aurais peut-être dû être plus insistante avec le caissier du magasin de Noël, ce n'était pas un perdreau de l'année mais il était séduisant.

— Vous êtes sérieuse ?

– Je n'en ai pas l'air ? répondit Agatha.

Un panneau routier indiquait Gettysburg, vingt-cinq miles.

– Je n'ai toujours rien compris à votre histoire. Ni aux raisons de votre départ, ni à celles de votre retour. Ce n'était tout de même pas à cause de vos amis que vous étiez allée vivre si loin. Et puis pourquoi ce mystère, elle était où cette île ? Vous avez fui quelque chose ?

– Pas quelque chose, mais quelqu'un. À vingt ans, l'amour peut vous conduire à faire des choses absurdes.

– Plus à cinquante ?

Agatha rit de bon cœur.

– J'espère bien que si, mais je suis rentrée depuis deux jours seulement, laisse-moi le temps.

– Cet amour, qui était-ce ?

– Un homme d'une beauté rare. D'ailleurs ce n'est pas le bon mot, disons qu'il avait de l'allure, de l'élégance dans chacun de ses gestes, il était l'incarnation de la masculinité et le contraire d'un machiste. Eux, ils doutent de leur virilité, c'est pour cela qu'ils roulent des mécaniques. Lui, sa prestance était si naturelle qu'il n'avait besoin d'endosser aucun rôle.

– C'était votre fiancé ?

– Par moments, quand j'entends ton vocabulaire, je me demande laquelle de nous deux a trente ans et l'autre plus de cinquante. J'étais raide dingue de lui et j'ai cru que c'était réciproque.

– Et ça ne l'était pas ?

– Je ne l'ai jamais vraiment su, c'était compliqué.

– Que faisait-il dans la vie ?

– Ce que nous faisions tous, il étudiait.

– Quoi ?

– À vrai dire, je ne sais plus. Lorsque nous nous sommes rencontrés, nous n'allions en cours que pour manifester et nous avions d'autres sujets de conversation que nos cursus universitaires.

– Vous manifestiez contre quoi ?

– Pour que la guerre au Vietnam cesse, pour que le gouvernement mette un terme à cette boucherie, pour un monde nouveau où auraient régné humanité et justice sociale. Hélas, notre révolte s'est transformée en utopie, et comme j'étais très jeune à l'époque, trop jeune, j'ai rejoint le mouvement au moment où le rêve commençait à prendre fin. Mais nos idées étaient magnifiques. Nous étions hors la loi, libres et euphoriques, dit Agatha le regard perdu dans le vague, c'était notre adage. Nous appartenions à une mouvance qui s'appelait les Étudiants pour une Société Démocratique[1], des centaines de milliers de jeunes en faisaient partie et croyaient à l'imminence d'une révolution.

– Vous étiez une hippie ? demanda Milly d'un ton goguenard.

– Plutôt une beatnik, puisque nous nous réclamions de la Beat Generation. La littérature et le jazz

---

1. Students for a Democratic Society.

étaient au cœur de nos vies, le sexe et la drogue aussi, c'est ce qui a tout foutu en l'air. Mais tu ne dois rien connaître de cette époque.

– Jo serait fou de jalousie s'il savait que je suis en compagnie de quelqu'un comme vous, lâcha Milly soudain tout excitée.

– Et pourquoi cela ? questionna Agatha, amusée.

– « J'ai vu les plus grands esprits de ma génération détruits par la folie, affamés hystériques nus, se traînant dans les rues nègres à l'aube, à la recherche d'une furieuse piqûre... », se mit à déclamer Milly sur un ton enflammé. *Howl* est son poème fétiche, il m'en a fait la lecture des dizaines de fois, Ginsberg et Kerouac ses dieux, il pourrait vous réciter *Sur la route* ou *Le Festin nu* de Burroughs par cœur.

– J'ignorais qu'ils avaient encore des admirateurs, c'est rassurant de savoir que certains jeunes ne se contentent pas d'une routine confortable. Je l'aime beaucoup, ce Jo.

Milly encaissa le coup sans répondre.

– Qui aurait pu imaginer qu'un poème serait l'étincelle qui enflammerait l'Amérique ? reprit Agatha. Qui aurait pu deviner la force cataclysmique de ce texte, que quelques phrases interdites feraient exploser le conformisme qui muselait les âmes. Son cri nous a tous atteints, d'une façon ou d'une autre. Et puis, il y eut ce procès, à San Francisco. Imagine qu'en 1957, deux flics en civil de la brigade des mineurs entrent dans une librairie, achètent un exemplaire de *Howl* et arrêtent Ferlinghetti, le libraire, sous prétexte qu'il fait commerce de livres obscènes. De nos jours, une telle chose paraîtrait inconcevable, tout du moins ici, mais à l'époque ! Le procès prit une ampleur nationale, on y vit défiler aux côtés de la défense les plus éminents critiques littéraires, et dans les rangs du procureur les plus fervents partisans du puritanisme. Ces abrutis étaient allés jusqu'à faire le décompte des grossièretés que contenait le poème. Quelle rigolade, jamais dans l'histoire de la justice le mot « fuck » n'aura été autant prononcé dans l'enceinte d'un tribunal. Heureusement, le juge conclut que le poème avait une importance sociale et débouta les attaquants. Les censeurs et partisans de l'ordre moral étaient effondrés. Ginsberg devint une star et fit de la Beat Generation une contre-culture incontournable. Ta mère ne t'a jamais parlé de cette époque ? C'était pourtant sa jeunesse, à elle aussi.

– Si, elle me disait que la Beat Generation n'existait pas, qu'elle n'avait été composée que d'une bande de gosses, des écrivains naïfs qui rêvaient d'être publiés.

– À chacun son point de vue, rétorqua sèchement Agatha. En ce qui me concerne, ce poème aura décidé de ma vie. Si je ne l'avais pas lu, elle aurait certainement été très différente.

– De quelle façon ?

– Nous n'étions pas très riches, et mes années d'études étaient comptées par l'argent qui manquait, mais j'aurais pu devenir secrétaire, ou documenta-liste peut-être, j'aimais tant lire.

— Mais alors qu'avez-vous fait durant toutes ces années ?

Agatha regarda par la vitre et inspira profondé-ment.

— J'ai voyagé, murmura-t-elle.

Puis elle resta silencieuse jusqu'à Gettysburg, le regard perdu sur l'asphalte qu'avalait l'Oldsmobile au son rond du moteur.

— La drogue, vous y avez goûté ?

— J'ai essayé pas mal de trucs peu recomman-dables, mais j'avais la chance d'avoir les pieds sur terre et je n'aimais pas cette sensation d'être sous influence. Et puis j'ai vu tant de copains et copines faire des voyages dont ils ne revenaient pas que j'ai vite arrêté. Le sexe, en revanche, j'aurais peut-être dû m'en donner un peu plus à cœur joie. Ces saletés de drogues ont eu raison de la promesse d'un monde nouveau, et de la plus belle des révolutions étudiantes.

— Vos amis y ont participé ?

— Oui, et il n'en reste qu'une petite dizaine.

— Que sont devenus les autres ?

— La plupart sont morts tués par le LSD, l'alcool et la misère, d'autres ont été assassinés.

— Par qui ?

— Par la police et le FBI sur instruction du gou-vernement.

— Mais pourquoi ? demanda Milly incrédule.

– Parce que nous leur avions fichu une trouille bleue ; quatre étudiants sur dix pensaient qu'une révolution était inévitable et nécessaire. Nous bâtissions des communautés de travailleurs, organisions des collectifs féministes, nous donnions corps aux premières communautés gay et lesbiennes, mais le pire était que nous nous attaquions à l'ordre dicté par les classes dirigeantes, un défi qui leur était intolérable. Quand nous arriverons à Gettysburg, nous traverserons les champs de bataille sur lesquels s'est joué le sort de la guerre civile. À la fin des années 1960 comme au début des années 1970, le pays faillit en connaître une autre et la répression fut sanglante.

– Ils ont tué des étudiants pacifistes ?

– Par dizaines, mais nous n'étions pas que des pacifistes, certains s'étaient engagés dans la lutte armée. Les combats de rue, actions de sabotage ou attentats à la bombe s'enchaînaient et se comptaient, eux, par centaines.

– Vous en avez commis ?

– Quelques-uns, soupira Agatha.

– Vous avez du sang sur les mains ?

– Non, mais j'en ai eu sur le visage quand nous prenions des coups de matraque.

Agatha se pencha vers Milly, écarta deux mèches de cheveux et lui montra une longue cicatrice, non sans un certain élan de fierté.

La voiture s'écarta de la route et les roues mordirent le bas-côté, Milly serra le volant et en reprit le contrôle.

– Je t'ai dit de regarder devant toi ! cria Agatha avec une mauvaise foi qui dépassait l'entendement. Tiens, la mémoire me revient, c'était sur le campus que je l'ai rencontré, il se promenait toujours avec sa caméra Super 8 à la main et passait son temps à filmer. Il étudiait le journalisme et voulait en faire son métier, à moins que ce ne soit le cinéma, je ne sais plus très bien.

– Votre histoire a duré longtemps ? demanda Milly.

– Prends la direction de Hagerstown, nous devrions bientôt entrer en Virginie.

Milly s'étonna de l'air qu'avait affiché Agatha en disant cela ; comme si elle était soulagée de franchir les frontières de l'État.

– Nous sommes restés complices durant deux ans, ajouta-t-elle. Ta mère n'avait peut-être pas tort en disant que nous étions naïfs, car je n'ai jamais cessé de penser à lui.

– Qu'est-ce que vous entendez par « complices » ?

Cette question, d'apparence anodine, raviva la mémoire d'Agatha, faisant resurgir des souvenirs enfouis, pareils à ces cauchemars qu'on oublie au réveil.

Elle entendit hurler les étudiants tandis que les matraques fondaient sur eux dans un brouillard lacrymogène, revit couler les larmes sur les joues de ses amis, revécut ces matins de janvier, de février et de mars, où la neige noircissait sous les pas de longs cortèges funèbres. Le regard éthéré des parents écrasés sous le poids du chagrin et de la culpabilité, incapables de s'expliquer la nature du combat qu'avaient mené leurs gosses, leur dissidence, au lieu de réserver leur colère à ceux qui les avaient assassinés.

Certains de ses amis n'avaient plus revu leur famille, ni ne leur avaient parlé au téléphone pendant dix ans, tout comme elle n'avait plus jamais revu sa mère. Ses copains et elle étaient entrés en clandestinité, laissant à leurs proches, dans l'ombre de leur adolescence, une question irrésolue. Pourquoi avoir choisi l'obscurité au pays des libertés ?

– Parce que ces libertés étaient prisonnières des murs que leur génération avait laissé dresser, se mit à murmurer Agatha, les lèvres tremblantes. Des murs entre lesquels les minorités n'avaient que peu de droits, les murs de nos prisons pleines à craquer de gens de couleur, les murs de nos collèges et universités formant les étudiants modèles dont la société industrielle avait besoin, les murs du monde du travail qui se nourrissait de ces jeunes faciles à contrôler et qui se contentaient de peu de choses. Nos parents n'avaient pas eu le courage de remettre ce monde en question, son homophobie, son sexisme, eux qui avaient érigé en société idéale leurs banlieues confortables, leurs voitures dispendieuses, leurs postes de télé aseptisés, nos mères qui se gavaient de Valium en regardant partir au petit matin leurs maris dans leur complet gris, et nos pères qui s'enivraient au whisky en rentrant le soir.

– Agatha ? intervint Milly, inquiète. De quoi parlez-vous ?

Agatha secoua la tête, cherchant à recouvrer un semblant de contenance.

– Il était différent, dit-elle, à voix basse.

– Différent de qui ?

– De tous les autres, mais c'est toujours ainsi quand on aime. Je suppose que toi aussi tu dois trouver Frank différent, n'est-ce pas ?

– Oui, répondit Milly.

– Et en quoi l'est-il ? demanda Agatha d'un ton posé.

– Il est sécurisant, profondément gentil...

– Tu me donnes envie de te secouer comme un prunier pour te sortir de ta foutue routine ! On ne partage pas sa vie avec quelqu'un parce qu'il est gentil, mais parce qu'il vous fait vibrer, rire, parce qu'il vous emporte sans vous retenir, parce qu'il vous manque même quand il est dans la pièce à côté, parce que ses silences vous parlent autant que ses conversations, parce qu'il aime vos défauts autant que vos qualités, parce que lorsque le soir en s'endormant on a peur de la mort, la seule chose qui vous apaise est d'imaginer son regard, la chaleur de ses mains. Voilà pourquoi on construit sa vie avec quelqu'un, et si ce quelqu'un est gentil, alors tant mieux, c'est un plus, mais seulement un plus !

– Bravo pour la leçon, elle était épatante, en attendant, je suis en couple depuis trois ans, et vous, toute seule. Et merci beaucoup, je vais suivre vos conseils à la lettre, si je peux vous ressembler à votre âge, je serais la plus heureuse des femmes.

Cette fois, ce fut Agatha qui encaissa le coup sans mouffeter.

La voiture entra en Virginie et fila en direction de Harrisonburg. Ni l'une ni l'autre ne dirent mot pendant les trente miles suivants, seule la musique classique que diffusait le poste de radio occupait le silence.

Sur le bord de la route, un panneau publicitaire faisait la réclame d'un restaurant, on pouvait lire : « Chez Ryan, prix unique. Mangez autant que vous le pourrez. Repas gratuit pour celui qui établira un nouveau record. »

— Je me demande si un jour quelqu'un les a pris au pied de la lettre, ricana Agatha.

— Chiche ? proposa Milly goguenarde.

— Mets ton clignotant et allons-y, ils vont voir de quel bois je me chauffe ! À ton avis, quel est le record à battre ?

— Nous allons le savoir, dit-elle en se garant sur le parking.

*

Une heure et demie plus tard, Agatha ressortit triomphante. Elle avait avalé, sous les yeux médusés de l'assistance, une pièce de viande dont le poids dépassait les trois livres. Milly, qui s'était investie du rôle de coach, était restée à ses côtés, l'éventant avec une serviette, lui essuyant les lèvres, remplissant son verre d'eau à petites doses, pour aider la nourriture à passer. Elle faillit jeter l'éponge quand le visage de son poulain vira au blanc soufré, mais Agatha lui lança un regard incendiaire, et, après un petit moment de récupération, reprit le combat. Milly appela la salle à la rescousse, l'invitant à soutenir une prétendante dont le courage forçait l'admiration. Et les clients se piquèrent au jeu, criant à tue-tête, applaudissant chaque fois qu'elle déglutissait, exigeant qu'elle ait droit à de courtes pauses. Lorsque Agatha eut enfin raison de la dernière bouchée, ils la soulevèrent sur sa chaise et lui firent faire le tour de la salle sous des hourras et des hurlements dont ceux de Milly furent de loin les plus vaillants.

Agatha se laissa prendre en photo à côté du patron, son trophée en mains – une plaque dorée estampillée au nom du restaurant –, accepta un digestif plus que mérité et salua les spectateurs, telle une actrice sur la scène quand tombe le rideau, avant de s'en aller.

– Je ne suis pas certaine de pouvoir dîner ce soir, dit-elle titubante sur le parking.

Milly l'aida à s'asseoir dans la voiture, rangea le trophée dans le coffre et s'installa derrière le volant.

– On a bien rigolé, non ?

– Oui, répondit Milly, vous êtes folle à lier, mais je dois reconnaître qu'on s'est bien amusées. Où est-ce que vous avez appris à manger comme ça ?

– Je ne suis pas en état de te faire la conversation, et puis c'est mon tour de poser des questions. Parle-moi de ce Jo qui connaît *Howl* par cœur.

– C'est mon meilleur ami, ce qui n'est pas bien difficile puisque c'est le seul que j'aie.

– Je penserais plutôt le contraire. S'il est ton seul ami, ce ne devait pas être si facile de le devenir.

– Oui, peut-être...

– Et lui, qu'est-ce qu'il a de différent ?

Une brume légère se levait sur les terres de la vallée de Shenandoah, masquant par endroits les contours de la route. Milly se concentra sur sa conduite.

– Je ne sais pas, avec lui tout n'est que contradictions. Quand il joue de la musique ou me récite ses poésies, je me sens une autre, comme si je regagnais mon port d'attache, un lieu à la fois paisible et plein de vie, où tout est inconnu et pourtant familier. Quand nous allons ensemble au cinéma, nous pouvons discuter pendant des heures du sens d'une scène ou du jeu d'un acteur, et nous ne sommes jamais d'accord, pareil avec les livres. Et si nous parlons de politique, alors le jour n'a plus de fin. J'ai l'impression qu'il est le frère que je n'ai pas eu et je crois qu'il partage ce sentiment. Notre rencontre fut celle de deux vrais solitaires.

– Et tu es certaine qu'entre vous, ce n'est que de la fraternité ?

– Bien sûr que oui ! s'exclama Milly dans un éclat de rire.

– Jamais connu la moindre ambiguïté ou le moindre désir ?

– Jamais !

– Alors, si tu le dis ! Regarde, dit Agatha en pointant une pancarte du doigt. Les grottes de Luray, j'ai toujours rêvé de les visiter, allons-y ! supplia-t-elle.

– Si nous nous arrêtons tout le temps, nous n'arriverons jamais à destination, protesta Milly.

– On finit toujours par arriver quelque part, argua Agatha.

Elle sortit un papier de sa poche et fit semblant de le lire comme si elle tenait un guide touristique en main.

– Les grottes de Luray comptent parmi les plus belles du pays et sont les plus grandes de l'Est américain... ce serait dommage de passer à côté. Et puis il paraît qu'à l'intérieur la résonance est telle que l'on peut entendre jusqu'à douze échos de sa propre voix ricocher entre les parois, c'est rigolo, non ?

– D'accord, concéda Milly, mais ce sera la dernière visite de la journée, après, il faudra trouver un hôtel, je suis fatiguée, je me sens sale et ma voiture aussi a besoin de repos.

– Promis, dit Agatha en rangeant son papier.

*

Agatha alla acheter deux billets à l'entrée de la grotte. On pouvait y descendre librement ou suivre une visite guidée qui avait lieu toutes les demi-heures. La prochaine commençait dix minutes plus tard et Agatha choisit d'attendre.

Milly en profita pour se mettre à l'écart. Elle avait besoin d'entendre la voix de Frank.

Son portable était sur messagerie. Elle essaya de le joindre à son bureau, et apprit qu'il était en réunion chez un client important. Elle laissa un message à la réceptionniste et promit de le rappeler le soir même.

Agatha lui fit de grands signes, la visite débutait. Milly la rejoignit et se mêla aux touristes qui entraient dans la caverne.

Leur guide semblait faire partie des lieux. Il était vêtu d'un pantalon kaki et d'une chemise élimée, une barbe d'ermite lui couvrait la moitié du torse et sa peau était presque aussi fripée que les parois de la grotte. Il entraîna le cortège de visiteurs d'une voix gutturale, les enjoignant à lever la tête pour admirer les formations de couleur blanche, rouge, jaune et noire. La grotte s'enfonçait à huit cent quatre-vingt-six pieds au-dessous du niveau de la mer, dit-il, fier comme s'il en était responsable. Des stalactites immenses formaient des cascades pierreuses plongeant du sommet des voûtes, tandis que de gigantesques stalagmites s'élevaient du sol, filant tels des feux d'artifice à leur rencontre. Autour des nombreux bassins, des colonnes striées étincelantes offraient un spectacle merveilleux, mais aucune de ces beautés n'intéressa Milly autant que l'orgue d'un genre particulier installé dans l'une des cavernes. Actionnés par un organiste, ses marteaux frappaient des stalactites de tailles différentes, produisant des sons semblables à ceux des cloches d'une église. Milly s'approcha de la paroi pour y coller son dos. Étrangement, elle ne se sentit pas parcourue par les notes, mais par un sentiment de tristesse.

Dix minutes plus tard, le guide invita le petit groupe à se diriger vers la sortie.

Agatha, qui avait pris la tête de la marche, ne l'avait pas quitté des yeux, semblant boire chacune de ses paroles.

– Je voudrais rester un peu, chuchota-t-elle à Milly, tu peux m'attendre à l'extérieur si tu veux.

Cela arrangea Milly qui ressentait soudain l'envie urgente de regagner l'air libre.

Elle quitta la grotte et pressa le pas en direction de sa voiture.

*

Jo se trouvait à son poste au café du Kambar Campus Center, et l'appel de Milly éclaira sa journée.

– Où es-tu ? demanda-t-il. J'étais inquiet, je suis passé à ton bureau et Mme Berlington m'a expliqué que tu étais partie quelques jours à cause du décès de ta mère.

Le cœur de Milly battit plus fort.

– Tu ne lui as rien dit, j'espère ?

– Tu me prends pour qui ?

– Je n'aime pas mentir, murmura Milly, mais je devais m'en aller quelques jours.

– Pourquoi ne m'en as-tu pas parlé ? s'offusqua Jo.

– Ce n'était pas prévu, c'est compliqué, je t'expliquerai.

– Tu vas bien ?

– Oui, tout va bien, je rentrerai bientôt et nous irons voir deux films à la suite si tu veux. Et toi, comment vas-tu ?

– Je n'ai pas le moral, soupira Jo, j'ai reçu une nouvelle lettre de refus d'un éditeur qui ne veut pas de mon recueil de poésies. Je devrais peut-être tout brûler et renoncer.

– Je t'interdis de penser ça, Jo ! Ta poésie est magnifique, ce n'est pas parce que des crétins n'y comprennent rien que tu dois te mettre à douter.

– Les crétins, comme tu dis, sont unanimes.

– Les esprits obtus sont majoritaires, et alors !

– D'accord, dit Jo, ne t'énerve pas à ma place, je le suis déjà suffisamment. Tu fais ce voyage toute seule ?

– Non, je conduis une amie qui avait besoin de se rendre en Californie, lâcha Milly.

– Depuis quand as-tu une amie ? Et je ne la connais pas ?

– Une vieille copine de Santa Fe, je ne l'avais pas revue depuis mon départ, mentit Milly en se mordant les lèvres.

– Une copine que tu n'as pas vue depuis longtemps débarque et toi tu prends le large en mentant à ta patronne ? Tu es trop gentille.

– Ne dis pas ça, Jo, je n'aime pas ce mot, je n'avais pas le choix, c'est tout.

– Qu'est-ce qu'il lui arrive à cette amie pour que tu traverses le pays ?

– C'est une histoire qui lui appartient, répondit Milly.

– Comme tu voudras, après tout, ça te regarde, mais je n'aime pas le son de ta voix.

– Ma voix va très bien, je suis juste un peu fatiguée, j'ai beaucoup roulé.

– Et tu en es où de ton voyage ?

– Quelque part en Virginie. C'est très beau, ça te plairait. Tout à l'heure nous nous sommes arrêtées pour visiter une grotte, il y avait un organiste qui jouait à l'intérieur d'une caverne, la sonorité était incroyable.

Jo resta silencieux.

– Il jouait comme un pied, reprit Milly en souriant.

– Sois prudente et donne-moi de tes nouvelles, tu me promets ?

– Je te le promets, répondit-elle en raccrochant.

Le soleil commençait à décliner, le dernier groupe de touristes de la journée se formait près de l'entrée et Milly se demanda ce qu'Agatha pouvait bien faire.

*

Le guide profitait de son temps de pause à l'abri d'une anfractuosité. Agatha s'approcha de lui

– Avec cette barbe, j'ai bien failli ne pas te reconnaître, lui dit-elle.

– Je vous demande pardon ? dit le guide.

– C'est moi, Brian... Hanna.

Le guide ouvrit grand les yeux et hoqueta, comme s'il avait vu un fantôme.

– Hanna ? Qu'est-ce que tu fais là ? dit-il d'une voix chevrotante.

– Je passais dans le coin, je suis venue te saluer.

– Je croyais que tu étais...

– En taule ? Tu croyais bien, j'y étais encore avant-hier, j'en suis sortie.

– Ils t'ont enfin libérée ?

– Je me suis enfin évadée. Il était temps.

– Le temps de quoi ? interrogea le guide inquiet.

– De rétablir la vérité. Si j'avais attendu que l'un de vous s'en occupe, je serais morte derrière les barreaux. Ça vous aurait tous arrangés, n'est-ce pas ?

– Ne dis pas des choses comme ça, Hanna. Pour les autres je ne sais pas, mais moi, je ne pouvais rien faire, je suis resté caché pendant dix ans avant de refaire surface, et encore, c'est un grand mot, dit-il en regardant le plafond de la grotte. C'était bien plus compliqué que tu ne le penses.

– Ça ne pouvait pas être plus compliqué que pour moi, Brian. En trente ans, pas un de vous n'est venu me voir, à part Max.

– Lui ne risquait rien, nous ce n'était pas pareil. Bon sang, Hanna, regarde de quoi ma vie est faite, je passe mes journées enfoui comme une taupe sous terre.

– Mais le soir tu sors, tu te promènes à l'air libre, tu choisis ce que tu manges, tu dors dans ton lit, je n'ai eu droit à rien de tout ça.

– Il faut que j'aille chercher le prochain groupe, je vais me faire rappeler à l'ordre, mon temps de pause est limité.

– Tes touristes peuvent patienter quelques minutes, j'ai attendu trente ans.

– Qu'est-ce que tu veux, Hanna ?

– Retrouver Lucy, retrouver le carnet. Max m'a dit qu'elle s'était installée dans la région, mais il n'a ni son adresse ni sa nouvelle identité. Ne me dis pas que vous ne vous êtes pas revus !

145

– Et moi, comment m'as-tu trouvé ? C'est Max ?
Agatha hocha de la tête.

– Nous nous sommes tous fabriqué de nouvelles
identités, nous n'avions pas le choix. Max peut faire
le malin, il est le seul à s'en être tiré blanc comme
neige. Il ne t'a pas sortie de prison que je sache.

– Non, mais lui au moins venait me rendre
visite, il m'envoyait des colis, me donnait des nouvelles, de vos nouvelles.

– Max a toujours été un fouineur et un manipu-
lateur.

– Je ne suis pas venue ici pour le critiquer ni
pour faire son apologie, mais juste pour que tu me
renseignes ; à moins que tu ne préfères que je me
mette à raconter tes exploits dans cette grotte, il
paraît que l'écho y est remarquable.

– Ne fais pas l'idiote, j'ai un fils, je suis divorcé
et la vie n'est pas facile. Tu crois que ça m'amuse de
jouer au traîne-couillons, à huit cents pieds sous
terre ?

Brian regarda Agatha fixement avant de baisser
les yeux.

– Lucy Garbel s'appelle désormais Lucy Wise,
elle tient un bed and breakfast avec son mari à la
sortie de Roanoke, c'est à moins d'une heure d'ici.
Tu ne peux pas le rater, il est au bord de la 11.

– Tu vois, ce n'était pas difficile. Et toi, quel est
ton nouveau prénom ?

– Ronald.

– C'est assez moche, mais ça te va bien.

– Ne dis pas à Lucy que je t'ai donné son adresse.

– Sous cette longue barbe, tu n'as pas changé, tu es toujours le même garçon, pathétique et pitoyable. Sois tranquille, je ne dirai rien, je ne suis pas une balance. J'ai fait trente ans pour cette raison précise.

– Nous n'y sommes pour rien, ces trente ans, tu les as faits parce que...

– Tais-toi, Brian, avant que je ne change d'avis et que je me mette à hurler.

Agatha s'en alla, mais le guide l'attrapa par le bras.

– Ne réveille pas les démons du passé, profite de ta liberté, n'anéantis pas ce que nous avons essayé de faire de nos vies chacun de notre côté.

Agatha dévisagea le guide, libéra son bras et quitta la grotte sans se retourner.

Milly l'attendait, adossée à la voiture.

– Vous comptiez les stalactites ? J'ai cru que vous ne reviendriez jamais.

– Eh bien, me voilà, répondit sèchement Agatha, monte dans la voiture.

– Un problème ? demanda Milly.

– Aucun, nous sommes aussi fatiguées l'une que l'autre, allons nous reposer.

– Alors nous sommes d'accord, au premier hôtel, nous nous arrêtons pour de bon.

– Non, prends la route 11, nous arriverons à destination dans une heure.

– Chez vos amis ?

– Oui.

– Ils sont au courant de notre arrivée ? Vous m'avez promis un lit. Ce soir, je ne dors pas sur la banquette arrière ou sur un canapé.

– Ne t'inquiète pas, ils tiennent un petit hôtel, nous aurons chacune notre chambre.

Milly démarra sans attendre la fin de sa phrase.

*

Tom traversa York sans s'y arrêter. Un peu plus tôt, un motard de la Highway Patrol avait repéré l'Oldsmobile alors qu'elle entrait en Virginie, ce qui lui posait un problème de taille. La voiture qu'il conduisait n'était pas censée quitter l'État. Il se rangea sur le bas-côté et interrogea l'ordinateur de bord. L'antenne la plus proche de l'USMS se trouvait à Chambersburg. Il alluma les gyrophares dissimulés derrière le pare-brise et accéléra.

*

Il présenta son insigne et son mandat en entrant dans le bureau des marshals et requit un véhicule auprès de l'officier de permanence. Aussitôt après, il appela le commissariat central de Philadelphie pour communiquer l'adresse où récupérer leur voiture.

– J'ai un tuyau pour vous, dit l'inspecteur au téléphone. Le pompiste que vous avez interrogé nous a contactés. Un jeune homme est venu faire le plein de sa moto ce matin. Il a eu un déclic, et s'est souvenu de l'avoir déjà vu en compagnie de la propriétaire de l'Oldsmobile.

– Et vous avez attendu tout ce temps pour me le dire ?

– Je n'avais pas que votre dossier à traiter aujourd'hui, et si vous me laissiez terminer, je pourrais aussi vous apprendre que le jeune homme en question a payé son essence avec une carte de crédit. Nous avons son identité et son adresse. Vous voulez que j'envoie une patrouille le cueillir ?

– Non, ça l'effraierait, et il n'a rien fait de répréhensible, jusqu'à nouvel ordre.

Tom se mit à réfléchir à la façon d'aborder le dénommé Jonathan Malone, sans le braquer. Il n'avait pas le temps de faire demi-tour pour aller lui rendre visite.

– Vous auriez un numéro où je pourrais le joindre ?

– J'ai son portable si vous avez de quoi noter.

Tom attrapa un crayon sur le bureau de l'officier qui remplissait le formulaire de mise à disposition d'un véhicule et recopia le numéro que lui communiquait l'inspecteur.

– Merci quand même, grogna l'inspecteur avant de raccrocher.

Obtenir de Jonathan Malone l'identité de la conductrice de l'Oldsmobile lui permettrait d'en connaître enfin l'immatriculation, mais Tom était un chasseur dans l'âme, et il savait que pour surprendre une proie, il ne faut pas lui courir après mais la précéder, deviner les endroits par lesquels elle passera.

Plus il y songeait, plus Tom était persuadé que pour stopper Agatha dans sa fuite, il lui fallait comprendre ce qu'elle avait en tête.

Il ouvrit sa sacoche, présenta à ses collègues la liste que lui avait procurée le juge Clayton et sollicita leur aide. Ensemble, ils épluchèrent les fichiers fédéraux à la recherche des lieux où vivaient les dix personnes figurant sur le document. Deux s'étaient volatilisées dans la nature, sept avaient une adresse répertoriée, et Tom avait rencontré le dernier dans la banlieue de Philadelphie, sans résultat.

Tom demanda à ses collègues de lui trouver une carte routière des États-Unis. Un officier alla lui en chercher une dans un bureau voisin.

Il marqua d'une croix chaque endroit où étaient censés résider les anciens amis d'Agatha, en élimina trois d'office, parce que situés en lisière de la frontière canadienne, ils habitaient dans la direction opposée à la trajectoire suivie jusque-là par l'Oldsmobile.

Le premier individu avait élu domicile dans un petit bled de la vallée de Shenandoah, le second dans la banlieue de Nashville, dans l'État du Tennessee, et lorsque Tom eut relié les croix restantes d'un trait qui filait d'est en ouest à travers six autres États, son visage s'illumina. Il avait pisté son gibier et savait désormais où le débusquer.

Il replia sa carte routière avec autant de précautions que si elle avait marqué l'emplacement d'un trésor, ajusta son arme à sa ceinture, remercia ses collègues et récupéra les clés de sa nouvelle voiture. Il ne lui restait que trois jours. Passé ce délai, le FBI s'élancerait aux trousses d'Agatha et son destin lui échapperait.

*

Les informations de Brian étaient précises, un panonceau indiquait la maison d'hôte à la sortie de Roanoke sur la 11.

John Wise, le propriétaire des lieux, les accueillit avec entrain, bien heureux de voir des clients frapper à sa porte alors que la belle saison commençait à peine. Elles étaient même les premières depuis l'arrivée de la neige au début de l'hiver.

Il s'empara du sac d'Agatha et se tourna vers Milly.

– Vous n'avez pas de bagage ?

– Non, répondit-elle en lançant un regard noir à sa voisine.

– Un bagage pour deux, précisa Agatha, mais chambres séparées, s'il vous plaît.

John les guida à l'étage et leur fit visiter les quatre chambres de son établissement. Agatha choisit celle qui se trouvait au bout du couloir, car il y avait une baignoire dans la salle de bains. Milly opta pour celle en face de l'escalier, parce que la couleur lui plaisait.

– J'allais passer à table, dit John, rien de très sophistiqué, juste une soupe et une bonne omelette, mais les œufs viennent de nos poules et les légumes du jardin, voulez-vous vous joindre à moi ?

– Une soupe sera bien suffisante en ce qui me concerne, soupira Agatha.

– Je goûterais volontiers à votre omelette, reprit Milly, mais après m'être douchée, si possible.

– Prenez tout votre temps, et descendez quand vous serez prêtes, dit l'homme avant de se retirer.

Agatha entra dans ses appartements et Milly la suivit.

– Je croyais que tu voulais faire chambre à part ?

– Et moi je croyais que nous allions chez vos amis ?

– C'est sa femme qui est une vieille copine, je ne connaissais pas son mari et d'ailleurs je m'étonne qu'elle ne soit pas là.

– Posez-lui la question !

– Je le ferai pendant le dîner, en attendant, sois discrète, je comptais lui faire une surprise et je ne voudrais pas tout gâcher.

– Rien n'est simple avec vous. Vous avez vraiment le goût du mystère ! grommela Milly en levant les yeux au ciel. Demain, il faudra que nous pensions à m'acheter de quoi me changer, je ne vais pas porter les mêmes vêtements jusqu'à San Francisco.

À son tour, Agatha leva les yeux au ciel. Elle ouvrit son sac, attrapa une culotte, un soutien-gorge, un pull à col en V et les lança à Milly.

– Tiens, en attendant demain ! Maintenant fiche-moi le camp, un bain m'attend.

Quand elles redescendirent, John patientait dans la salle à manger où fumait une soupière au milieu des trois couverts qu'il avait dressés.

Milly le félicita à la première cuillère avalée. Au cours du repas, Agatha, qui avait finement mené la conversation, apprit que la maîtresse des lieux était partie au début de l'après-midi chercher du ravitaillement et dînait chez une amie. Elle rentrerait tard dans la nuit, peut-être même au petit matin. Agatha et Milly offrirent à leur hôte de l'aider à débarrasser et à faire la vaisselle. John les supplia de tout laisser sur la table et leur proposa quelque chose qui lui semblait plus réjouissant. Roanoke possédait la plus grande étoile construite au monde. Érigée au sommet du mont Mill, elle était éclairée par six cent cinquante yards de tubes de néon. Ses illuminations la rendaient visible jusqu'à soixante-dix miles dans les airs. L'idée enchanta Agatha autant qu'elle déplut à Milly qui ne rêvait que de rejoindre son lit. Mais l'invitation semblait procurer tant de joie à leur hôte que Milly ne se sentit pas le courage de refuser. La moue boudeuse, elle monta à bord de son pick-up, et se retrouva prise en sandwich entre John et Agatha, plus joyeux l'un que l'autre.

Une trentaine de lacets plus tard, ils arrivèrent au sommet de la montagne, et Milly dut admettre que le spectacle de cette gigantesque étoile électrifiée était assez surprenant. Agatha sortit de la camionnette avec l'empressement d'un enfant qui vient d'entrer dans un parc d'attractions.

– C'est colossal, s'exclama-t-elle, je n'ai jamais rien vu de tel.

– Ce n'est jamais qu'un amas de néons, je n'ose même pas imaginer ce que ça doit bouffer en électricité, marmonna Milly.

– Dix-sept mille cinq cents watts, annonça fièrement John ; ça valait le détour, n'est-ce pas ?

– Un peu, oui ! s'exclama Agatha, enthousiaste.

– Elle n'a pas l'air d'apprécier, lui chuchota-t-il en jetant un œil à Milly qui restait en retrait. Qu'est-ce qui vous amène par ici, toutes les deux ?

– Ma filleule est un peu dépressive en ce moment ; pour rendre service à ses parents et lui changer les idées, je lui offre un petit voyage, et je peux vous assurer que ce n'est pas marrant tous les jours, répondit Agatha avec aplomb.

– Elle a beaucoup de chance d'avoir une marraine comme vous. Qu'est-ce qui ne va pas chez elle ? poursuivit-il sur le ton de la confidence.

– Que voulez-vous, les jeunes aujourd'hui, à la moindre désillusion, c'est le monde qui s'écroule.

– Je crois que nous étions pareils, chuchota John en souriant.

– Peut-être, je ne m'en souviens plus. Allez, rentrons, la petite est fatiguée.

Ils rebroussèrent chemin, Milly, mains dans les poches, leur emboîta le pas.

Alors qu'elle ouvrait la portière du pick-up, Milly se pencha vers Agatha.

– Je vais faire comme si je n'avais pas entendu votre petite conversation, histoire de ne pas vous laisser seule dans ce bled avec ma dépression.

Et juste avant de grimper sur la banquette, elle lui marcha volontairement sur le pied, lui dardant un sourire narquois.

*

De retour à la maison d'hôte, elles rejoignirent leurs chambres respectives, sans se dire bonsoir.

Milly se mit aussitôt au lit, prête à s'abandonner au sommeil quand son téléphone vibra. Elle décrocha à la hâte.

– Frank ?

– Jo !

– Je n'ai pas vu ton numéro apparaître.

– Je t'appelle d'une cabine.

– Qu'est-ce qu'il y a ?

– C'est à toi qu'il faut poser la question. J'ai reçu un drôle d'appel tout à l'heure. Un marshal m'a questionné au sujet de l'Oldsmobile, ou plutôt de sa propriétaire.

– Un marshal ? répéta Milly dont le cœur battait à toute vitesse.

– Une femme qu'il recherche a été repérée par des caméras de surveillance, rôdant près de ta voiture à la station 7-Eleven, il craignait qu'elle soit montée à bord. Ta copine n'aurait pas d'ennuis avec la justice, par hasard ?

– Mais non, balbutia Milly, et pourquoi t'a-t-il appelé toi ?

– Le pompiste m'a reconnu. Ce matin je suis passé faire le plein de ma moto, j'ai payé avec ma carte de crédit. C'est dingue, même un plein d'essence n'est plus anonyme de nos jours.

La station en question se trouvait bien loin du domicile de Jo et Milly préféra ne pas chercher à savoir pourquoi son meilleur ami avait choisi de faire un tel détour pour de l'essence.

– Qu'est-ce que tu lui as dit ?

– Je lui ai raconté un bobard auquel il n'a pas cru, que je te fréquentais, de temps à autre sans vraiment te connaître, juste ton prénom, j'en ai

156

inventé un ; que je ne t'avais pas revue depuis long-temps et que tu n'étais pas de la région.

– En effet, c'est un peu lourd à avaler, je dois dire.

– Je sais, mais c'est ce que j'ai trouvé de mieux. C'est pour ça que je préférais te téléphoner d'une cabine. Il avait l'air vraiment préoccupé. Fais attention à toi, Milly, je suis mieux placé que qui que ce soit pour apprécier la valeur d'une amitié, mais ne va pas t'empêtrer dans une situation inextricable. Si ta copine est recherchée par un marshal et non par les flics, il y a de grandes chances que ses pro-blèmes soient sérieux, ce sont des officiers fédéraux, on ne rigole pas avec eux.

– Jo, je t'assure que c'est une coïncidence, répondit Milly d'une voix ferme qui l'étonna elle-même.

Pourtant, à peine ces mots prononcés, elle se demanda si elle était en train de mentir à Jo, ou à elle-même.

– Où te trouves-tu ?

– En Virginie, j'ai vu une immense étoile bardée de néons, la plus grande au monde, elle est si grande qu'on peut l'apercevoir jusqu'à plus de soixante miles dans les airs, tu te rends compte ?

– Elle était belle ? interrogea Jo.

– Plutôt moche, dit Milly.

– Alors je vais te laisser, je préfère que notre conversation se termine quand tu me dis la vérité.

Je t'appellerai demain, et si tu as besoin de moi, j'arrive.

– Je sais, murmura Milly.

Mais Jo avait déjà raccroché et Milly, bien qu'épuisée par la fatigue, mit longtemps avant de trouver le sommeil.

7.

Agatha se réveilla aux premières lueurs du jour. Elle s'habilla sans faire de bruit, rangea ses affaires et, entendant des voix à travers le plancher de sa chambre, elle descendit au rez-de-chaussée. John préparait un feu dans la cheminée du salon.

– Déjà debout ? Vous êtes bien matinale.

Question de point de vue, en prison, on cognait aux portes des cellules à 5 h 30, se dit Agatha, mais elle garda cette pensée pour elle.

– Installez-vous dans la salle à manger, ma femme est rentrée, je vais la prévenir. Café ou thé ?

– Café, s'il vous plaît, répondit Agatha.

– Votre filleule dort encore ?

– Oui, elle a besoin de repos.

Et tandis que John se rendait en cuisine, Agatha alla prendre place à la table.

Quelques instants plus tard, la maîtresse des lieux apparut, portant un plateau de petit déjeuner.

– John m'a dit que vous aviez passé une belle soirée, je suis désolée d'avoir été absente. Vous souhaitez des œufs, des pancakes, du pain ? proposa-t-elle avant de relever les yeux.

– Ce qui sera le plus simple pour vous, répondit Agatha d'une voix froide.

Lucy demeura figée, son plateau en mains, soutenant le regard d'Agatha.

John arriva dans son dos.

– Ne reste pas plantée là, sers donc Madame.

Lucy s'exécuta. Elle posa le plateau, dressa le couvert et versa le café.

– La compagnie de ma femme ne vous dérange pas ? dit-il en invitant Lucy à s'asseoir.

– Pas le moins du monde.

– Je retourne à mes fourneaux, qu'est-ce qui vous ferait plaisir ?

– Des œufs, puisque je ne les ai pas goûtés hier, brouillés, et des toasts si ce n'est pas trop demander, répondit Agatha.

John s'éclipsa, laissant les deux femmes seule à seule.

– Qu'est-ce que tu fais ici ? chuchota Lucy.

– C'est amusant, Brian semblait aussi heureux de me voir hier que toi ce matin. En fait non, pour être franche, ce n'est pas très amusant.

– Évidemment que je suis heureuse de te voir, Hanna. Je suis surprise, c'est tout.

– Heureuse ? Est-ce que ta vie l'est aussi ? demanda Agatha.

– On se débrouille. Comme tu peux le constater, ce n'est pas le grand luxe, les fins de mois sont difficiles, surtout en hiver, c'est un combat de tous les jours, mais on arrive à joindre les deux bouts.

– C'est bien plus douillet que les endroits où j'ai vécu ces trente dernières années. Tu n'imagines pas comme Bedford Hills[1] manquait de confort.

Lucy baissa les yeux.

– Tu as parlé à John ? s'enquit-elle en se tortillant les doigts.

– De quoi ?

– De nous.

– Ça t'inquiète ?

– Il ignore tout de notre histoire, nous nous sommes rencontrés il y a dix ans, je ne lui ai jamais rien dit.

– Je comprends, répondit Agatha. Ce serait probablement un choc pour lui s'il apprenait que sa femme a du sang sur la conscience.

– Si tu es venue me faire chanter, je n'ai pas d'argent, regarde autour de toi.

– Pour qui me prends-tu, Lucy ?

– Alors qu'est-ce que tu veux ?

– Rendre visite à une amie avec qui j'ai partagé les moments les plus intenses de ma jeunesse, ce n'est pas une raison suffisante à tes yeux ? Y en

---

1. Bedford Hills Correctional Facility est la seule prison de haute sécurité pour les femmes, située dans l'État de New York.

aura-t-il un dans la bande pour m'ouvrir ses bras, me montrer un peu de sollicitude, des remords ? En tout cas pas toi, sinon tu serais venue me voir... Mais rassure-toi, personne ne l'a fait.

— Parce que le premier à le faire aurait été cueilli au parloir, tu le sais très bien. Mais j'ai pris de tes nouvelles, et je t'ai envoyé des colis.

— Les cinq premières années, une fois l'an à Noël.

— Après je ne pouvais plus, Hanna, c'était bien trop risqué. Si tu as besoin d'un petit coup de main pour repartir dans la vie, je ne suis pas bien riche, mais je peux...

— La seule chose dont j'ai besoin, c'est le carnet de ma sœur, donne-le-moi et je quitterai ta maison aussi vite que j'y suis entrée.

— Je n'ai pas la moindre idée de ce dont tu me parles.

— Elle ne m'a écrit qu'une seule fois, un mois après que ma condamnation a été aggravée, pour m'informer qu'elle avait consigné la vérité dans un carnet. Quelques pages manuscrites et signées de sa main, racontant ce qui s'était vraiment passé. Dans cette lettre, elle me disait avoir confié ce carnet à l'un de vous, sans pour autant le nommer. Peut-être afin que son identité échappe à l'attention des gardiens qui épluchaient le courrier avant de nous le remettre, ou pour me dissuader d'essayer de sortir de mon trou, dans les deux cas, pour se protéger elle-même. Mais elle avait entrepris cette démarche au cas où il lui arriverait quelque chose. Alors celui ou celle à qui elle avait accordé sa confiance devrait remettre ce carnet aux autorités pour que je sois disculpée et enfin libre. Je dois t'avouer avoir souvent prié pour qu'il lui arrive quelque chose. Je n'en suis pas fière, mais c'est ainsi. Cela étant, elle est morte il y a cinq ans, et de toute évidence, son exécuteur testamentaire s'est bien gardé de respecter ses dernières volontés.

– Et pourquoi me l'aurait-elle remis, pourquoi à moi ?

– Elle était tout sauf idiote. Anton, Kieffer et Andrew avaient fait l'objet d'une enquête, ils auraient brûlé le carnet immédiatement pour ne pas risquer que les révélations qu'il contenait tombent entre les mains du FBI. Il n'y pas de prescription pour les crimes fédéraux. Brian a toujours été un vagabond à peine capable de s'occuper de lui-même. Crois-moi, Lucy, j'ai eu le temps de réfléchir, beaucoup de temps. Vous n'étiez que six à qui elle aurait pu le remettre, ma sœur et toi enteneniez une amitié complice, tu étais la candidate parfaite.

– Eh bien, je ne l'ai pas, je te le jure. Et je n'ai jamais revu ta sœur après ton arrestation, ni aucun des copains de la bande, à part Brian justement. Il vit dans la région, nous nous sommes croisés un jour par hasard au marché. De temps à autre, je lui porte des œufs et des légumes, il vit de trois fois rien.

John se présenta, une assiette dans chaque main et les deux femmes se turent sur-le-champ.

– Tout va bien ? demanda-t-il.

– Très bien, répondit Agatha, votre femme était en train de me raconter comment vous aviez monté votre petit hôtel et je lui disais, juste avant que vous n'arriviez, que j'avais merveilleusement dormi.

– « Hôtel » est un grand mot, ce n'est qu'une maison d'hôte. Allez, goûtez-moi ces œufs, vous m'en direz des nouvelles, ils ont été pondus hier.

– Votre café est excellent, puis-je vous en redemander ?

– Si vous l'appréciez, ce sera avec plaisir, dit John avant de se retirer.

– Oublie ce carnet, chuchota Lucy en se retournant pour vérifier que son mari était affairé en cuisine. Si je l'avais, je te le donnerais, bon sang ! Tu as toujours pu compter sur moi, comment peux-tu me soupçonner d'une chose pareille ? Et puis qu'est-ce que ça change maintenant que tu es libre ?

– « Libre » est aussi un bien grand mot, je me suis évadée.

– Oh merde ! souffla Lucy. Mais alors qui est cette jeune femme qui t'accompagne ?

– Une inconnue que j'ai prise en otage. Que veux-tu, je n'avais pas les moyens de louer une voiture.

– Tu déconnes ? balbutia Lucy, la peur au visage.

– Pas le moins du monde, ton offre de m'héberger quelques jours tient toujours ?

Lucy, bouche bée, fixait Agatha qui finit par s'abandonner à un grand éclat de rire.

– Tu devrais voir ta tête, dit-elle en lui prenant la main. Sois tranquille, elle m'a prise en stop, nous faisons juste un bout de chemin ensemble.

– Qu'est-ce qu'il y a de si drôle ? questionna Milly en entrant dans la pièce.

John apparut dans son dos.

– Je suis content que vous vous entendiez bien. Lucy se plaint sans cesse de manquer de compagnie dans ce trou perdu. Qu'est-ce qui vous ferait plaisir ? demanda-t-il à Milly en l'invitant à s'asseoir.

– Je me contenterai d'un café.

Elle se tourna vers Agatha.

– Si vous en avez terminé avec vos retrouvailles, j'aimerais bien ne pas trop tarder ; à moins que vous ne préfériez que je vous laisse chez votre amie. Nous avons beaucoup de route à faire aujourd'hui.

– Vous vous connaissez ? s'étonna John.

– Pas du tout, rétorqua Agatha, je suppose que Milly faisait allusion à notre âge commun, nous nous amusions justement de nos erreurs de jeunesse.

– Quelles erreurs ? interrogea John piqué par la curiosité.

– Des histoires de jeunes filles qui ne regardent pas les garçons ! Milly a raison, il est temps de partir, je monte récupérer notre sac.

– Je m'en occupe, dit John. Lucy va préparer votre note, la comptabilité est son domaine.

Lucy se leva de sa chaise et se rendit dans l'entrée, Agatha la suivit. Milly, qui ne les avait pas quittées des yeux, resta seule à table, buvant son café.

– Combien je te dois pour la nuit ? demanda Agatha sur le pas de la porte.

– Rien, répondit Lucy.

Agatha tira un billet de cent dollars de sa poche et le glissa dans la main de son amie.

– Cela devrait couvrir le vivre et le couvert, ne discute pas, tu en auras plus besoin que moi.

Elle retint sa main et la regarda.

– Quand tu t'endors le soir, tu y repenses parfois ?

– Chaque nuit que Dieu fait, affirma Lucy.

– Tu éprouves des regrets ?

– Un seul, que nous ayons échoué.

Agatha afficha un sourire plein de tristesse.

– Non, murmura-t-elle, toi tu n'as pas échoué, tu vis auprès de quelqu'un qui t'aime.

– Si tu savais ce que j'aimerais que tu m'emmènes avec toi, monter dans cette voiture et reprendre la route, chuchota Lucy.

– Et pour aller où ? soupira Agatha.

Milly reposa sa tasse et quitta la salle à manger. Elle croisa John au bas de l'escalier qui allait mettre le bagage dans le coffre de l'Oldsmobile.

Les adieux se firent sur le parking. John et Lucy attendirent que la voiture disparaisse au loin.

– Vous aviez l'air de bien vous entendre, dit-il.

– Nous avons cru un moment nous être connues à l'université, mais ce n'était pas le cas, expliqua Lucy.

– C'est dommage, cela aurait été sympathique.

– Oui, probablement, répondit Lucy d'un ton laconique.

*

Il n'y avait pas une voiture sur la route. Elles avaient dépassé le sommet du mont Mill et laissé derrière elles la plus grande étoile du monde, bien terne dans la pâleur du matin.

– Pourquoi avoir menti à son mari ? demanda soudain Milly. Quel intérêt de faire autant de route pour retrouver des amis si c'est pour échanger deux mots avec eux et s'en aller ?

– Je n'ai rien dit parce qu'elle ne m'a pas reconnue.

– Vous aviez pourtant l'air de vous amuser.

– Elle plaisantait, je donnais le change, par politesse.

– Le change de quoi ?

– De la peine que cela m'a fait.

– Pourquoi ne lui avez-vous rien dit ?

– À quoi bon ? On vit avec quelqu'un, on s'invente un avenir commun, on dort dans le même lit, on partage ce qu'il y a de plus intime, et une fois séparés, on se recroise un jour dans une rue, l'air gêné, échangeant des banalités comme deux étrangers. Tu parles d'une hypocrisie ! Mieux vaut changer de trottoir, tu ne crois pas ?

– Vous avez eu une histoire d'amour avec elle ?

– Bien sûr que non, idiote, mais l'amitié, c'est pareil, le cul en moins.

– Moi, je crois surtout que ce n'était pas à elle à qui vous pensiez en disant cela, n'est-ce pas ? Cet homme qui a tellement compté pour vous, lui aussi fait partie de ceux que nous allons voir ?

– Peut-être.

– Je suis certaine qu'il vous reconnaîtra, et puis je ne suis pas d'accord avec vous, l'amitié et l'amour, ce n'est pas la même chose. Pourquoi ne vous êtes-vous jamais revus ? finit par lâcher Milly.

– Parce que mon île était lointaine, sauvage, brutale et dangereuse, ce n'était pas le meilleur endroit au monde pour s'aimer et fonder une famille.

– Ça ne me dit toujours pas pourquoi vous vous êtes quittés ?

– Qu'est-ce que ça peut bien te faire ?

– Je voudrais comprendre.

– Parce qu'il m'a trompée, répondit Agatha.

– Et vous ne le lui avez jamais pardonné ?

– J'en étais incapable.

– Je croyais qu'à votre époque coucher avec tout le monde était dans l'air du temps.

– Il n'était pas tout le monde et puis je n'ai pas envie de parler de ça.

– Vous êtes restée amoureuse de lui pendant trente ans sans lui pardonner ?

– Et alors, ce n'est pas incompatible, que je sache !

– Si, c'est totalement incompatible, ça n'a même aucun sens.

– Eh bien, ça en avait pour moi.

– Et lui, à part son élégance, qu'est-ce qu'il avait de si différent ?

– Je n'avais pas la moindre idée de la manière dont vivaient les garçons et les filles de mon âge, ce qu'ils aimaient ou détestaient, la façon dont ils travestissaient tout ou partie de leur identité pour appartenir à un groupe. Je n'étais pas une rebelle, juste quelqu'un souffrant de solitude. Je ne cultivais aucune différence, puisque j'ignorais tout de ce qu'était la normalité, de ces jeunes gens déterminés, à l'allure calme, aux gestes assurés, eux qui avaient reçu une éducation bourgeoise. Peut-être même m'arrivait-il de leur ressembler, peut-être leur arrivait-il de se sentir aussi mal que moi dans leur peau, mais comment le savoir au royaume des murmures ? Quand j'étais près de lui, j'avais l'impression de ne plus être invisible, j'existais. Nous n'avons jamais formé un couple ; une fois, rien qu'une seule, nous nous

sommes embrassés, mais quel baiser, inoubliable !
Tu sais, il suffit parfois d'une étincelle pour embraser
une vie. Il n'y a pas d'autre explication, c'est ainsi.
Je savais que c'était lui et personne d'autre. Le jour
où il m'a prise dans ses bras, j'ai vu les portes de
mon adolescence se fermer, j'étais une femme.

– Pourquoi ne vous êtes-vous embrassés qu'une
fois ?

– La pudeur ? La peur ? On se croisait de temps
à autre dans des réunions étudiantes, c'était surtout
pour cela que je m'y rendais. Nous ne cessions
d'échanger des regards, mais nous gardions nos dis-
tances, enfin surtout lui. Est-ce qu'il pensait que
j'étais trop jeune, est-ce qu'il redoutait de coucher
avec une fille qui n'avait pas encore vingt et un ans ?
On pouvait aller en prison pour cela. Avait-il choisi
de nous donner le temps de nous connaître
vraiment, parce qu'il me respectait ? Je supposais
que c'était pour chacune de ces raisons, et je m'en
fichais complètement, j'étais prête à patienter le
temps qu'il faudrait. Et puis ma sœur a compris
le lien qui se tissait entre nous. Elle était mon aînée
et mon contraire, moi réservée pour ne pas dire effacée,
elle, exubérante, déterminée, combattante et provocante à souhait, une vraie rebelle. D'ailleurs
elle s'était vite taillé la part du lion dans le groupe,
menant les discussions, décidant des actions. Sa
force de conviction me fascinait, je l'admirais pour
cela. Elle a tout fait pour le séduire, elle était bien

plus belle que moi et avait deux ans de plus. À cet âge, deux ans, c'est beaucoup. Bref, un soir, elle est arrivée à ses fins. Il faut croire que j'étais sotte, je me suis gourée sur toute la ligne. Si la vie s'est donné autant de mal pour nous séparer, c'est que nous ne devions pas être ensemble.

– Leur histoire a duré ?

– Une seule nuit ! Elle ne l'avait mis dans son lit que pour m'emmerder, par jalousie, et aussi pour affirmer son emprise sur moi, son pouvoir.

– Mais quelle salope !

– Je ne te le fais pas dire !

– À quoi ressemblait-il ?

– Prends à gauche, répondit Agatha.

– Nous irions beaucoup plus vite par l'autoroute que nous pourrions rejoindre en tournant à droite.

– Mais on roulerait derrière des camions et tu t'ennuierais au volant. Et si tu nous mettais au grand air ? Il fait doux.

Milly attendit d'être au carrefour pour relever la capote.

– Avec vous, pas besoin de GPS, nota-t-elle en redémarrant, vous semblez connaître la route par cœur.

– Je n'ai aucun mérite, j'ai pris mon temps pour l'étudier.

– J'aimerais bien m'arrêter dans la prochaine ville, je dois téléphoner à Frank.

– Tu ne l'as pas fait hier soir ? J'ai cru
t'entendre parler dans ta chambre.

– C'était avec Jo.

– Qu'est-ce qu'il voulait ?

– Rien, prendre de mes nouvelles, répondit
Milly. Et votre sœur, vous lui avez pardonné ?

– Ne pas le faire serait revenu à lui avouer les
sentiments que je portais à l'homme qu'elle m'avait
volé. En me comportant comme si de rien n'était, je
lui infligeais la pire des revanches : la priver de sa
victoire. Et puis, nous avions pris la route ensemble,
je lui devais de m'être émancipée de notre mère, je
lui devais ma liberté. Le jour où elle a annoncé
qu'elle quittait la maison, je l'ai suppliée de m'emmener. Notre mère hurlait, nous jetait nos affaires à
la figure, allant jusqu'à se mettre bras en croix
devant la porte pour nous empêcher de partir. Ma
grande sœur m'a prise par la main, elle a repoussé
maman et m'a entraînée avec elle. Je dois t'avouer
que j'ai vécu en sa compagnie des années magnifiques, elle m'a fait découvrir des choses que je
n'aurais même pas pu concevoir si elle m'avait abandonnée derrière elle. Sur ces chemins de vagabonds
que nous parcourions ensemble, nous étions
soudées, enfin, comme deux sœurs. C'était un sacré
numéro, je n'ai jamais vraiment compris ce qui lui
passait par la tête. Pouvait-on être idéaliste à ce
point ? Elle ne rêvait que de fraternité, se battait
contre la pauvreté, les discriminations raciales, luttait
pour les droits des femmes, et tout cela à une époque

où agir comme nous le faisions était souvent dangereux.

Agatha se mit à rire toute seule.

– Qu'est-ce qu'il y a de drôle ? demanda Milly.

– Rien, je viens de me souvenir d'une de ses
âneries. Au collège, l'un de ses professeurs avait fait
une remarque raciste en cours, je ne sais plus
laquelle, une plaisanterie d'aussi mauvais goût qu'il
était lâche. Nous vivions dans un patelin du Sud et
il n'y avait aucun élève noir dans notre école, le prof
ne courrait pas beaucoup de risques. Ma sœur n'en
fichait pas une, mais elle était douée et avait donc
sa place au premier rang. Le lendemain, elle s'était
présentée en classe coiffée d'une perruque afro et
vêtue d'un tee-shirt où elle avait dessiné le visage de
Martin Luther King. Tu imagines la tête du prof
quand il est entré dans la salle. Et comme si cela ne
suffisait pas, elle s'est mise à fredonner « Sum-
mertime ». Ma sœur était une garce, mais une garce
géniale, alors comment voulais-tu ne pas lui pardonner ?

– Vous n'aviez pas de père ?

– Oh que si ! C'était un personnage extraordinaire, un menuisier rêveur, que la guerre avait bien
esquinté et pourtant, derrière ses cicatrices, il
rayonnait de tout son être. Affable, bienveillant, toujours à l'écoute des autres, rendant mille services, il
ne se plaignait jamais, et quel artiste ! Tous nos
jouets, c'est lui qui les fabriquait de ses mains. Les
heures qu'il a passées dans son atelier à nous

construire une maison de poupées. Elle était immense ! À chaque anniversaire, chaque Noël, il y ajoutait des petits éléments de mobilier qu'il avait assemblés, des détails d'une justesse inimaginable. Sa femme et ses filles étaient tout pour lui, même si je l'ai souvent soupçonné d'avoir une préférence pour ma sœur, parce qu'elle était l'aînée. Après sa mort, la vie n'a plus jamais été la même. Maman était inconsolable. Ils formaient un couple uni où l'amour n'était pas de façade. Ce qu'ils pouvaient s'aimer, ces deux-là, à ce point que ma sœur et moi nous moquions souvent de leurs roucoulades. Nous étions leur seul sujet de dispute, papa prenait toujours notre défense et cela mettait maman hors d'elle. S'il était resté parmi nous, ma sœur et moi aurions eu un tout autre destin.

– Moi, mon père a été l'homme de ma vie, enchaîna Milly, et c'est absurde, car je ne l'ai pas connu. Je ne sais même pas qui il est. La mienne, de mère, n'a jamais voulu me le dire.

– Pourquoi ? demanda Agatha.

– Si je le savais ! Combien de fois je l'ai appelé la nuit en cherchant le sommeil, combien de monologues lui ai-je tenus. Je l'imaginais partout, dans l'habit d'un maître d'école, dans celui du père d'une de mes amies, une année, je m'étais mis en tête qu'il était le chef des pompiers, après avoir visité la caserne avec ma classe. L'année suivante, c'était le propriétaire du cinéma, parce qu'il aimait bien ma mère et ne lui faisait jamais payer ma place. Ensuite ce fut au tour de l'épicier, j'avais appris qu'il effaçait notre ardoise quand maman n'avait pas de travail. Et puis j'ai fini par me dire que si elle s'obstinait tant à refuser qu'on parle de lui, c'est qu'il devait être mort. Alors je me suis mise à le voir dans les nuages, dans la cime des arbres, dans des flaques d'eau. Ça tournait à l'obsession. J'étais fille unique et j'avais pour confident une ombre. L'avantage, c'est qu'elle ne me contredisait jamais. Et puis un jour, j'en ai eu assez. J'ai accepté la vie pour ce qu'elle m'offrait au lieu de la détester pour ce qu'elle n'avait pas voulu me donner. Reste un manque que je ne comblerai pas, et une question : est-ce qu'il m'aurait aimée ?

– Que tu es sotte, évidemment qu'il t'aurait aimée !

– Alors pourquoi est-il parti avant ma naissance ?

– C'est ta mère qui t'a dit ça ?

– Oui, qu'il n'avait voulu ni d'elle ni de moi.

Un bruit de crevaison se fit entendre, la voiture tangua, mais Milly réussit à la maintenir sur la route jusqu'à l'arrêt complet.

Agatha leva les yeux au ciel, la mâchoire serrée.

– La jante est intacte et je crois que le pneu est réparable, dit Milly agenouillée en constatant l'étendue des dégâts. J'ai une roue de secours dans le coffre, je vais la changer et nous nous arrêterons à la prochaine station-service.

Mais, l'opération se révéla plus complexe. Milly avait beau appuyer de tout son poids sur le manche de la clé, l'un des écrous refusait de tourner. Elle promena son téléphone portable dans toutes les directions pour appeler une dépanneuse, sans résultat, elle ne captait aucun signal.

Elles patientèrent une heure au milieu de nulle part avant qu'une camionnette apparaisse enfin à l'horizon. Milly se leva d'un bond et se mit en travers de la route, forçant le conducteur à s'arrêter.

Les deux gars qui en descendirent devaient arriver d'un patelin voisin. Ils portaient des chemises à carreaux, des jeans rapiécés, des chapeaux de vachers et, sur leurs visages, les stigmates de l'alcool qu'ils avaient bu la veille.

Milly leur demanda s'ils pouvaient l'aider à débloquer ce satané écrou, elle n'en avait pas la force mais des gaillards comme eux en viendraient à bout sans trop de difficulté.

L'un des deux hommes s'approcha de l'Oldsmobile et caressa la portière, sifflant avec une nonchalance vulgaire. L'autre posa sa main sur l'épaule de Milly, arborant un sourire édenté.

Il cracha son chewing-gum et se rapprocha d'elle.

– Bien sûr qu'on pourrait vous aider, mais ce serait quoi la récompense ? dit-il en resserrant son emprise.

Soudain, il sentit la froideur du canon qu'Agatha appuyait sur sa nuque.

– J'hésite encore, lança-t-elle d'un ton gogue-nard. Commence par changer cette roue, puisqu'on te l'a demandé poliment, et je verrai ensuite si je te laisse repartir avec tes deux roupettes ; et dis à ton petit camarade avec son air de demeuré qu'il se mette au travail s'il veut rentrer chez lui ce soir.

S'il avait eu un doute sur la détermination de cette femme qui le mettait en joue, la mine apeurée de son complice l'effaça dans l'instant.

– On rigolait, m'dame, faut pas s'énerver comme ça, bafouilla-t-il.

– Mais c'était en effet très drôle, répondit Agatha en le giflant avec son revolver, regarde comme on se marre bien ensemble.

L'homme vacilla et toucha sa joue ensanglantée.

– Mais vous êtes tarée !

– Dépêche-toi avant que je te montre à quel point je suis tarée, ajouta-t-elle en lui décochant une seconde gifle.

La douleur qui cingla sa mâchoire eut raison de ses dernières résistances, son acolyte le supplia de l'aider pour qu'ils se tirent de là au plus vite.

Quand le travail fut accompli, Agatha ordonna à Milly de reprendre le volant et aux deux hommes de reculer de cent pas.

Elles remontèrent à bord de l'Oldsmobile et foncèrent sur la route.

Milly serrait le volant si fort que ses phalanges avaient blanchi, il suffisait de la regarder pour voir à quel point elle était furieuse.

— Je leur ai fichu une belle trouille, finit par lâcher Agatha.

— Pas qu'à eux ! Et à votre avis, combien de temps vous nous donnez avant qu'ils nous rattrapent et jouent aux autos tamponneuses ?

— Un certain temps, répondit Agatha, malicieuse, en jetant les clés de leur camionnette par la vitre.

— Qui êtes-vous pour être capable d'une violence aussi froide ? interrogea Milly qui ne décolérait pas.

— Quelqu'un qui vient de t'éviter de passer un sale quart d'heure.

— Le mettre en joue ne suffisait pas, il fallait que vous le frappiez, et à deux reprises ?

— S'il m'avait donné l'occasion de lui en coller une troisième, je l'aurais fait avec un grand plaisir. Je ne supporte pas ces brutes qui jouent de leur pouvoir parce qu'ils ont la force pour eux. Ces imbéciles n'ont eu que ce qu'ils méritaient et ça les fera peut-être réfléchir la prochaine fois qu'ils auront envie de s'en prendre à une femme. Pense à toutes celles dont ils ont abusé. Je leur ai rendu justice. Cela étant, on va quand même attendre de s'être éloignées de ce coin avant de faire réparer ta roue.

Milly profita que la route s'étirait en ligne droite pour se retourner vers Agatha.

— Où se trouvait votre île ? Qu'est-ce qui vous y a retenue aussi longtemps ?

– Il me semblait t'avoir déjà répondu.

– Alors, pourquoi Jo a-t-il reçu l'appel d'un marshal qui vous recherche ?

– Ton Jo ? Quand a-t-il reçu cet appel ? questionna froidement Agatha.

– Hier, et qu'est-ce que ça change ?

– Certaines choses, répondit Agatha, troublée.

– Cette fois, je veux la vérité ou je vous jure que je vous laisse au prochain village, et vous poursuivrez votre voyage sans moi.

Le ton de Milly était sans appel.

– Mon île s'appelait Bedford Hills, ce n'était pas une île, mais une prison d'État, située au nord de New York. La pire de toutes. J'y ai passé vingt ans avant que l'on me transfère dans le centre correctionnel dont je me suis évadée il y a quelques jours.

– Vous êtes en cavale ? Alors non seulement vous m'avez menti, dit Milly en tapant rageusement sur le volant, mais vous avez fait de moi votre complice. Vous savez ce que je risque ?

– Tu ne risques rien puisque je t'ai prise en otage.

– Je fais une otage drôlement docile.

– Je te le concède, mais sois tranquille, d'abord nous ne nous ferons pas prendre, et quand bien même, je dirais que tu m'as prise en stop et que tu ignorais tout de ma situation.

Agatha rangea son arme dans la boîte à gants et se tourna vers Milly en soupirant.

– Tu as raison, je n'ai pas le droit de te faire courir ce risque, tu as déjà fait beaucoup pour moi, dépose-moi où tu veux, je saurai me débrouiller.

Peur, incrédulité, curiosité et excitation se bousculaient dans l'esprit de Milly, la plongeant dans une telle effervescence qu'elle avait accéléré sans même sans rendre compte.

– Tu ferais bien de ralentir, ordonna Agatha, je te rappelle que nous roulons avec un vieux pneu qui n'a pas servi depuis longtemps. Et ce serait dommage de se faire coincer par le shérif du coin pour un bête excès de vitesse.

– Quelle est la prochaine étape ?

– Nashville, confia Agatha. Si tu continues à appuyer sur le champignon comme ça, nous y serons en début d'après-midi.

Elles parcoururent cinquante miles sans s'adresser la parole. Pas un mot durant l'arrêt qu'elles firent dans un garage pour faire réparer la roue. Et une heure après cela, elles n'avaient toujours pas échangé une parole.

– Très bien, lâcha soudain Milly, je vous conduis à Nashville et nos chemins se séparent.

– Comme tu voudras, répondit Agatha, le regard perdu. En attendant, si tu voulais bien prendre à droite, il y a un temple de la musique à quinze miles d'ici où se trouverait la plus grande guitare du monde, ce serait dommage...

– ... de passer à côté sans aller le visiter ? Vous n'êtes pas sérieuse ?

– Oh que si !

– Ces types avaient raison sur un point tout à l'heure, vous êtes folle à lier.

– J'avais vingt-deux ans quand ils m'ont enfermée, j'en ai trente de plus. Trente années pendant lesquelles mon quotidien était réglé par des ordres. Le réveil, la douche, les repas, le travail à la lingerie, les sorties dans la cour. Dix mille neuf cent cinquante-trois journées de vie volées. Je ne sais pas combien de temps je resterai libre, mais je peux t'assurer que jusqu'à ce que l'on me reprenne, je vais réaliser toutes les choses que je n'ai pas encore faites, aussi bêtes et futiles soient-elles. Et comme tu ne veux surtout pas me ressembler quand tu auras mon âge, alors n'attends pas trente ans de plus pour t'en donner à cœur joie. En tout cas, réfléchis-y. Parce que même si tu es un peu en pétard depuis tout à l'heure, reconnais au moins qu'on s'amuse drôlement bien toutes les deux. Repense à ces deux couillons en train de chercher les clés de leur camionnette.

– Nous ne sommes pas Thelma et Louise !

– Connais pas, ce sont des amies à toi ?

– Laissez tomber, soupira Milly en bifurquant à droite.

*

En arrivant sur le parking, Milly dut reconnaître qu'elle n'avait jamais rien vu de tel. La partie gauche du bâtiment était haute de trois étages, son toit, galbé comme une éclisse, formait la caisse de résonance d'une guitare géante. En son centre, une grande lucarne imitait la rosace. L'autre moitié du bâtiment, bien plus basse, se prolongeait de façon à représenter le manche. Des fenêtres étroites évoquaient les frettes, et des câbles électriques tendus sur toute la longueur, les cordes.

– Avoue que ce n'est pas banal, siffla Agatha en sortant de la voiture.

Milly poussa la porte de cet étrange endroit et découvrit un décor qui ne ressemblait en rien à ce qu'elle avait imaginé. Derrière deux vitrines poussiéreuses, où dormaient des guitares, apparaissait dans une semi-obscurité la salle déserte d'un country-bar. Tables et chaises faisaient face à la scène sur laquelle se détachaient un tabouret et un micro aux chromes étincelants.

Agatha souleva le couvercle d'une vitrine et s'empara d'une Gibson.

– Vous n'allez pas la voler ? chuchota Milly.

Agatha ne lui répondit pas et avança vers la scène. Sous le regard médusé de Milly, elle alla prendre place sur le tabouret, effleura les cordes, ajusta les chevilles et plaqua les premiers accords d'une chanson.

Une autre idée du bonheur

D'une voix rauque et juste, elle se mit à fredonner sur un célèbre air de folk :

*If you miss the train I'm on, you will know that
I am gone.*
*You can hear the whistle blow a hundred miles,
a hundred miles, a hundred miles, a hundred miles,
a hundred miles.*
You can hear the whistle blow a hundred miles.

*Lord I'm one, Lord I'm two, Lord I'm three, Lord
I'm four,*
Lord I'm five hundred miles from my home.
500 miles, 500 miles, 500 miles, 500 miles.
Lord I'm five hundred miles from my home.

Not a shirt on my back, not a penny to my name.
Lord I can't go a-home this a-way
This a-way, this a-way, this a-way, this a-way.
Lord I can't go home this a-way.

*If you miss the train I'm on you will know that I am
gone.*
You can hear the whistle blow a hundred miles.

Un homme, sorti de l'ombre, s'approcha dans le dos de Milly, se tenant silencieux à ses côtés pour écouter Agatha reprendre le refrain.

Milly voulut lui parler, mais d'un doigt posé sur les lèvres il lui fit signe de se taire. Sur la scène déserte, ce n'était pas Agatha qu'il voyait chanter, mais la silhouette d'une jeune femme resurgie du passé.

Il s'essuya les paupières d'un revers de la main et, lorsqu'elle reposa la guitare, il applaudit. D'abord lentement, puis à bâtons rompus.

– Pour une surprise, c'est une foutue surprise ! s'exclama-t-il en s'élançant vers elle.

Il la prit dans ses bras, la souleva de terre et la fit tourner dans les airs. Il s'arrêta soudain, leva les yeux vers la mezzanine et se mit à gueuler :

– José, tu vas m'allumer ces putains de lumières, pour une fois qu'on a une grande dame sur scène ! Je te paye à quoi, bon à rien ?

On entendit les jurons d'un homme qui se frayait un chemin à travers le capharnaüm qui encombrait la mezzanine, et la scène s'éclaira.

– J'aurais préféré rester dans le noir, chuchota Agatha, et repose-moi, tu m'étouffes, Raoul.

– Attends, laisse-moi te regarder ! Bon Dieu que tu es belle, lui dit-il avec un accent mexicain à couper au couteau.

– Bon Dieu que tu es con, Raoul, mais qu'est-ce que je t'adore !

– Tu m'adores, mais tu n'as jamais voulu de moi. Et ce n'est pas faute de t'avoir fait la cour. Tu sais qu'il n'est pas trop tard, un mot de toi et je quitte mes moutons et te suis jusqu'au Venezuela.

– Qu'est-ce que vient faire le Venezuela là-dedans ? dit-elle en rigolant, et qu'est-ce que c'est que cet accent espagnol ?

Raoul lui chuchota à l'oreille dans un américain parfait :

– Chut, José n'est pas au courant, personne ici n'est au courant, ça fait trente ans que je me fais passer pour un Vénézuélien, c'était le camouflage idéal, même les flics du coin y croient dur comme fer.

Agatha se mordit les lèvres.

– Compris, et moi, je m'appelle désormais Agatha.

– *Mi beldad Agatha !* s'exclama Raoul. Tu as faim ? Et qui c'est la petite ?

– Une amie.

– Une amie ! cria Raoul, elle a faim cette amie ? Bien sûr qu'elle a faim, elle est toute maigre et toute pâlotte ! Ah là là là là, il était temps que Raoul arrive. José ! hurla-t-il d'une voix tonitruante, éteins-moi ces putains de lumières, tu vois bien que la dame ne chante plus ! Attends une seconde José... Tu veux encore en chanter une, Agatha ? Parce que tout à l'heure c'était merveilleux ! ajouta-t-il, l'index pointé vers le micro pour témoigner de sa sincérité.

– L'idée d'un petit repas n'est pas pour me déplaire.

– José ! Les lumières ! Mais quel empoté !

Raoul prit Agatha par l'épaule. À côté de cette force de la nature, elle semblait toute frêle.

– Elle vous a parlé de moi ? demanda-t-il à Milly, en l'entourant de son autre bras. Elle vous a dit que quand j'étais jeune, quoique je ne sois pas vieux, mais bref, quand j'étais plus jeune, j'étais fou d'elle ? Attention, ajouta-t-il, en les entraînant toutes deux vers la porte, je suis toujours fou d'elle. Une femme comme ça, on n'en guérit jamais.

Milly s'abstint de répondre, buvant chaque parole de Raoul, dont l'énergie n'avait d'égal que l'humeur éclatante.

Arrivé sur le parking, Raoul resta en arrêt devant l'Oldsmobile.

– C'est la tienne ?

– Elle est à la petite, répondit Agatha.

– J'ai trente et un ans, vous pourriez peut-être m'appeler par mon prénom ?

– Elle a raison ! clama Raoul. Si je t'avais appelée « la petite », qu'est-ce que j'aurais pris. Et c'est quoi votre prénom ? Agatha, les présentations alors !

– Milly, déclara l'intéressée.

– Raoul Alfonso de Ibanez, susurra le colosse en s'inclinant pour lui faire un baisemain. Je peux conduire ?

– Non, dit Milly, c'est une voiture très spéciale...

– Ma petite, des automobiles comme la tienne, à La Havane, j'en caressais déjà les volants à quinze ans. Il n'y a que ça là-bas.

– Tu es vénézuélien, non ? reprit Agatha.

– Cuba... Venezuela... à l'époque c'était pareil ! s'exclama Raoul.

Agatha ne lui donnait pas une chance sur mille, et pourtant Milly lui tendit ses clés et alla s'installer sur la banquette arrière.

– Ce soir, c'est la tournée des grands-ducs... on peut mettre la radio ?

Et avant que Milly ne réponde, Raoul tourna le bouton.

– Qu'est-ce que c'est ? dit-il interdit en entendant un adagio de symphonie.

– Brahms, précisa Milly.

– Tu es venue m'annoncer que quelqu'un est mort ? Qui ? supplia Raoul.

Agatha lui répondit d'un sourire complice.

– Ah, j'ai eu peur !

Et Raoul changea de fréquence, jusqu'à ce que la trompette de Miles Davis sonne le départ.

*

Tom pensait depuis longtemps qu'en incitant quelqu'un à parler on apprenait souvent plus de choses qu'en l'y contraignant. Il préférait interroger Brian chez lui plutôt que sur son lieu de travail et se rendit à la première adresse indiquée sur sa liste.

Après avoir tourné plusieurs fois sur lui-même, il s'étonna de ne voir au bout de ce chemin sans âme qu'un talus, au haut duquel se trouvait un car scolaire à l'abandon dont les essieux reposaient sur des parpaings. S'il n'y avait eu cette fumerolle s'échappant d'un tuyau qui traversait la toiture, il n'aurait jamais supposé qu'un homme eût élu domicile à l'intérieur. Il s'approcha sans faire de bruit.

On entrait dans ce nid étrange par la porte à soufflet qu'empruntaient jadis les écoliers. En lieu et place du siège du conducteur, un fût récupérait les eaux de pluie qui s'écoulaient le long d'une gouttière passant par un trou découpé dans la vitre. Derrière cette citerne de fortune, un poêle à bois boulonné dans le sol assurait le chauffage et la cuisson des aliments. Les banquettes avaient été alignées le long des parois. Le reste du mobilier se composait d'objets de récupération : un lit de camp placé au fond du bus, une table en formica, un fauteuil en cuir, une armoire métallique, un garde-manger et des piles de livres.

Brian, plongé dans une lecture, releva la tête en découvrant l'homme qui pénétrait chez lui.

Pour toute présentation, Tom ouvrit son blouson, faisant apparaître son insigne accroché à la ceinture. Il invita son hôte infortuné à bien vouloir répondre à ses questions.

Brian ne brillait pas pour sa bravoure, mais il avait des principes. Avec ses maigres appointements de guide, il n'aurait pas subsisté sans Lucy. C'était à sa générosité qu'il devait de n'avoir jamais recouru à la mendicité pour se nourrir ou se vêtir en hiver. Lucy avait toujours été là pour lui, et il se refusait à lui attirer des ennuis. Il ne la nomma pas et jura sur tous les saints ne plus être en contact avec ses anciens camarades ; il suffisait d'ouvrir les yeux pour voir combien sa vie était solitaire. Après que Tom eut énoncé les peines encourues s'il se faisait complice d'une fugitive, il finit par reconnaître qu'Agatha lui avait rendu visite. Il nia avoir la moindre idée de l'endroit où elle comptait se rendre. Leur entretien n'avait duré que quelques minutes. Elle cherchait un carnet dont il ignorait jusque-là l'existence autant que le contenu, elle n'avait rien voulu confier d'autre et s'était évanouie dans la nature aussi soudainement qu'elle était apparue.

Tom contempla cet homme, il lui inspirait un certain respect, peut-être parce que sa façon de vivre n'était pas si éloignée de la sienne.

– Je n'ai pas grand-chose à vous offrir, dit Brian. Sur mon réchaud mitonne un ragoût de lièvre, je les attrape au collet, ce n'est pas très légal, mais les flics du coin ont d'autres soucis en tête que de faire la chasse au braconnier. Si vous avez faim, il y en a assez pour deux.

Dans le monde où il vivait, refuser de partager un repas revenait à offenser celui qui vous l'avait proposé. Tom prit place sur une banquette et se laissa servir une portion du ragoût dans la gamelle que lui tendait Brian.

189

Au cours de la demi-heure qui suivit, sa théorie se vérifia. Brian finit par en dire un peu plus sur le carnet qu'Agatha recherchait.

Lorsqu'il eut terminé sa gamelle, Tom le remercia, regagna sa voiture et prit la direction de Nashville.

Il s'arrêta dans la première agglomération qu'il traversa pour boire un café, il en avait le plus grand besoin, et, profitant de cette halte, il téléphona au juge.

– Dis-moi que tu as de bonnes nouvelles à m'annoncer, dit Clayton.

– Je ne m'étais pas trompé, elle a bien pris contact avec l'un de ses anciens amis, je fais route vers le prochain sur la liste, et je gagne du terrain, c'est déjà ça.

– De mon côté, les nouvelles ne sont pas joyeuses, répondit Clayton. Le directeur du centre correctionnel perd patience. Il rechigne à garder plus longtemps le secret.

– Qu'est-ce qui l'a fait changer d'avis ? demanda Tom.

– La même raison qui l'avait poussé à se taire, il craint pour sa carrière. Je lui avais promis que nous lui ramènerions sa prisonnière sans délai. Sur le moment, il préférait couvrir son évasion que devoir expliquer les failles de la sécurité de son établissement. Hélas, il a tout déballé à sa femme et elle l'a convaincu de ne pas courir ce risque. J'ai pu le calmer, mais je crains bien que ce soir, madame en remette une couche et fasse tomber ses dernières résistances. Dans le meilleur des cas, je nous donne deux jours de répit tout au plus.

– Si je roule vite, je devrais pouvoir arriver à Nashville avant qu'elle n'en reparte.

– Alors fonce mon vieux, le temps nous est compté avant que le FBI se mêle de nos affaires.

– J'aurai toujours une longueur d'avance sur eux.

– Ne joue surtout pas à ce jeu-là, si tu ne collaborais pas, c'est toi qui aurais de sérieux ennuis et je ne pourrais pas te couvrir, c'est bien trop risqué.

– Elle recherche un carnet d'un genre particulier, lâcha Tom.

Il entendit dans le combiné la respiration du juge qui restait silencieux.

– Tu as lu ce qu'elle avait laissé sous son matelas ? poursuivit Tom.

Le juge s'abstint de répondre.

– Ce carnet prouverait la véracité de ce qu'elle a écrit dans son journal intime. Alors s'il existe vraiment, je pense qu'il serait préférable pour toi que je sois le premier à le retrouver.

– Tu cherches à me forcer la main ?

– Si telle était mon intention, Votre Honneur, vous ne vous poseriez pas la question. Débrouille-toi pour rassurer cet imbécile, et s'il craque, use de tout ton pouvoir pour retenir la meute. Maintenant je te laisse, j'ai du chemin à faire.

Tom sortit du café sous une pluie fine qui tombait avec la nuit. Il s'installa au volant, se frictionna les joues pour chasser la fatigue et prit la route.

*

Agatha avait promis à Milly de lui offrir de quoi se changer, mais elle s'octroyait le droit du choix vestimentaire.

— Il est grand temps que tu adoptes un nouveau look, avait-elle décrété, incitant Raoul à la soutenir.

— Mon look me convient parfaitement ! rétorqua Milly, en appelant à son tour Raoul à la rescousse.

— Puisque c'est Agatha qui paye, répondit-il en poussant la porte de la boutique vintage, voyons au moins ce qu'elle propose, nous déciderons ensuite.

Il céda le passage aux deux femmes et attendit qu'elles lui tournent le dos pour faire un clin d'œil à la vendeuse avant de lever les yeux au ciel.

Agatha flâna devant les rayonnages, choisit trois jupes, des paires de collants de différentes couleurs, des bodys, deux chemises, trois pantalons en toile, dont un à pattes d'éléphant que Raoul lui ôta immédiatement des mains, deux pulls légers à col en V, mit le tout dans les bras de Milly et l'entraîna vers la cabine d'essayage.

— Pas question que je porte ça ! s'insurgea Milly en lui rendant les vêtements, mais la mimique suppliante de Raoul la fit changer d'avis. Elle reprit les affaires, non sans manifester son mécontentement et tira le rideau derrière elle.

On l'entendit dire successivement : « Formidable, j'ai l'air d'une pute ! » ; « Une poule de luxe, maintenant ! » ; « Et puis quoi encore ! » tandis que jupes, collants et bodys valdinguaient au-dessus du rideau de la cabine. Agatha les récupérait chaque fois et présentait les tenues à Raoul dont la moue semblait toujours donner raison à Milly.

Presque tout le magasin y passa. Une heure plus tard, sous l'œil d'un Raoul à bout de forces, le silence se fit dans la cabine d'essayage. Milly, habillée d'un pantalon beige et d'un tee-shirt rayé sur lequel elle avait enfilé une chemise ouverte se contemplait, agréablement surprise par son reflet dans le miroir.

Agatha doubla le pantalon d'un modèle identique de couleur bleue, tripla le tee-shirt dans des déclinaisons de rouge et de blanc, acheta d'office autant de pulls en V et alla vers la caisse. Elle surprit le regard de Milly posé sur une paire de bottes en cuir.

— Essaye-les ! dit-elle.

— Non, elles doivent être hors de prix et je n'en ai pas besoin.

Agatha fit signe à la vendeuse qui se précipita.

Devant la glace en pied, Milly, plus haute de deux pouces, se découvrit une nouvelle silhouette.

— On les prend ! ordonna Agatha.

— Non, je ne peux pas accepter.

– Ce que tu ne peux pas, c'est passer à côté d'une paire comme celle-ci, on n'a qu'une vie, allez, ne discute pas.

Le visage agonisant de Raoul mit fin au débat.

En sortant de la boutique, Milly, radieuse, pensa à la tête que ferait Frank en la voyant ainsi. Elle eut envie de se faire prendre en photo et tendit son portable à Agatha.

Agatha regarda le téléphone et trouva la chose absurde. Un téléphone était fait pour téléphoner. Raoul s'empara de l'appareil et Milly adopta une posture volontairement provocante.

– Et tu vas envoyer cette image depuis ce tout petit truc ? demanda Agatha, incrédule.

Milly était censée être partie régler des affaires de famille, non pour s'amuser. La photo qu'elle observait prouvait tout le contraire. Elle hésita, avant de renoncer à l'envoyer, rangea son téléphone dans sa poche et prit Agatha par le bras pour l'embrasser sur la joue.

– Je ne sais pas comment vous remercier.

– C'est moi qui voulais te remercier de tout ce que tu as fait pour moi. Demain matin, nos routes se sépareront, mais chaque fois que tu enfileras ces bottes, tu repenseras à notre petite virée, et tu n'en garderas pas que de mauvais souvenirs.

Avant que Milly ne lui réponde, Agatha montra du doigt un magasin de lingerie ; Raoul fut catégorique et refusa d'y entrer. Il attendrait dehors.

Les emplettes terminées, il rangea les sacs de vêtements dans le coffre et reprit le volant.

– Vous, je ne sais pas, mais moi, je pourrais manger un bœuf ! Ce soir, nous dînerons en musique, et pas n'importe laquelle, je vous emmène dans un endroit qui n'est pas pour les touristes.

*

Milly s'attendait à de la country, mais dans le cabaret où Raoul les avait conduites, on jouait du Charlie Parker et du Miles Davis.

Il y avait toutes sortes de clients dans la salle où se promenaient des serveuses aux tenues aguicheuses. Des habitués et aussi des touristes, en dépit de ce que Raoul avait prétendu. Il les ignora, comme s'il les avait en horreur et désigna une table proche de la leur où un couple dînait en compagnie d'un homme à l'allure indigente.

– Tu vois ces deux-là, dit-il à Milly, ils viennent très souvent, et une fois par semaine ils invitent un vagabond à dîner. Il n'y a qu'ici qu'on voit des choses pareilles. Ce qui compte pour ce gars, ce n'est pas tant le repas, mais le temps et l'écoute qu'ils lui offrent. Quand on fait la manche, on devient transparent, comme si on rétrécissait de jour en jour. Ceux qui passent devant toi t'ignorent, à croire que la misère pourrait être contagieuse, et les plus généreux affichent une mine pleine de compassion qui te dépossède de la seule chose qui te reste encore en poche : cet amour-propre auquel tu t'accroches comme un diable, même quand tu es crade à salir le trottoir sur lequel tu fais appel à la bonté de ceux qui ont un toit.

Milly interrogea Agatha du regard et devina que Raoul connaissait son sujet.

Le patron de l'établissement vint les saluer. Le respect qu'il portait à Raoul était presque palpable, rien qu'à la façon dont il lui avait demandé s'il voulait bien grimper sur l'estrade pour pousser la chansonnette. Raoul se fit un peu prier et accepta de bonne grâce.

Il s'entretint un instant avec les musiciens et de sa voix grave entonna un air de blues, accompagné d'une trompette bouchée et d'une contrebasse.

Milly remarqua sur-le-champ que quelque chose en lui avait changé. Ce n'était plus le personnage affable qu'elle avait rencontré qui chantait devant elle, mais un homme dont les yeux semblaient porter d'autres vies que la sienne. Alors, Agatha se pencha vers Milly et lui raconta son histoire.

À l'âge de quinze ans, Raoul était arrivé en Californie dans un camion qui transportait les ramasseurs de fraises venus pour la plupart du Mexique. Ce n'était pas les champs de coton du Sud, mais les conditions de vie réservées aux cueilleurs de fraises n'avaient rien à leur envier. Débardeur, routier, gardien de parking, veilleur de nuit, portier de club, puis d'hôtel, il avait promené sa salopette usée aux quatre coins de l'État, jusqu'à ce qu'un jour un professeur de musique qui enseignait à Berkeley le repère. Herriman se faisait appeler « maître ». Ce grand type blond, maigre et guindé, appréciait la compagnie des beaux garçons et savait déceler ceux qui avaient du talent. Raoul avait de l'allure, une prestance imposante et une voix de bluesman qui, si vous fermiez les yeux, vous aurait laissé volontiers imaginer qu'il était né à La Nouvelle-Orléans. Comment Raoul avait réussi à se débarrasser de son accent relevait du mystère, sauf pour lui. Il avait une oreille musicale incroyable et savait imiter tout ce qu'il entendait. Son truc préféré pour draguer les filles était de prétendre à une érudition hors pair et de leur faire croire qu'il parlait presque toutes les langues. Après avoir prêté main-forte aux vendeurs de canards laqués dans les rues de Frisco, il était devenu aussi éloquent qu'eux en chinois, le vocabulaire en moins. Son faux allemand, il l'avait emprunté à Herriman dont les origines germaniques n'étaient un secret pour personne, son français était teinté d'un accent québécois pour avoir flirté avec l'une des plus jolies filles qu'il ait vues dans sa vie et qui avait fui Montréal et ses neiges pour venir cueillir des oranges au soleil.

Herriman avait repéré son nouvel élève dans un club de jazz où, alors que s'en allait la nuit, Raoul finissait de boire tout ce qu'il avait gagné.

Une autre idée du bonheur

À cette époque, Raoul dormait rarement deux fois de suite au même endroit. Trouver un lit était une préoccupation quotidienne, aussi quand le professeur de musique lui avait proposé un toit et une éducation, le jeune homme avait vu passer la chance de sa vie devant lui à la vitesse d'un train qui traverse la plaine. Il n'était pas dupe des goûts de Herriman, mais jamais ce dernier n'avait eu le moindre geste déplacé, si bien qu'en ces temps affranchis Raoul avait fini par en déduire que le maître de musique n'avait d'appétit sexuel d'aucune sorte. Sa drogue à lui était de prolonger sa jeunesse en s'entourant de ceux qui la possédaient encore. Herriman était un aumônier d'un genre étrange, qui s'était fixé pour mission de sauver des âmes et de changer des destins. Avec une ténacité admirable, il avait souvent échoué et parfois réussi. À Berkeley, une dizaine de jeunes gens lui devaient d'avoir une nouvelle existence. Raoul était l'un d'eux. Herriman lui avait appris à s'habiller, à se coiffer, à parler correctement et surtout à utiliser son don à d'autres fins que de mettre des filles dans son lit. Au cours des vingt-quatre mois durant lesquels il avait vécu chez son professeur, Raoul, entré en rédemption, n'avait plus caressé une paire de seins ou de fesses, sauf de temps en temps du regard, mais ça ne comptait pas.

Agatha l'avait connu alors qu'elle entrait à la fac, c'était Max qui les avait présentés et l'amitié entre eux était née aussitôt.

Raoul ne suivait pas un cursus complet, mais fréquentait assidûment les cours de Herriman, où il excellait, et ceux de quelques-uns de ses collègues qui acceptaient de fermer les yeux sur la présence dans leur classe des protégés du maître.

Bien qu'il doive tout à l'Amérique, la condition de son enfance l'avait rendu sensible au sort des opprimés. Lutter contre la guerre, s'opposer à la politique impérialiste du pays, à la ségrégation, étaient pour lui des engagements nécessaires et sa voix grave l'avait porté au-devant des pieds de grève comme en première ligne des cortèges de manifs. Très vite Raoul s'était promené aux lisières de la loi, les franchissant allègrement dès qu'il fallait aider quelqu'un malmené par les flics. Et puis, de combat en combat, il avait dû un jour entrer dans la clandestinité. Comme la plupart de ses copains, il avait traversé le pays. Arrivé à New York, il avait vécu de petits expédients, tantôt dans le Bronx, tantôt dans les bas quartiers de Manhattan, peu lui importait du moment qu'il trouvait un boulot et un endroit où dormir. Mais dix années plus tard, Raoul avait encore la nostalgie du Sud, de ses journées aux lumières éclatantes. Dix hivers le long de l'Hudson River avaient été pour lui une véritable pénitence. À force de petites économies et de quelques larcins, il avait amassé assez d'argent pour sortir de l'ombre. Un matin de janvier où la température chuta si bas que les rues de TriBeCa avaient blanchi sans qu'il tombe de neige, Raoul plia bagage. Il donna la clé de sa piaule à un copain, contre la promesse qu'un de ses cousins lui trouverait du travail à San Antonio, parcourut trente blocs à pied et embarqua dans un bus à la gare routière de la 34e Rue.

Mais Raoul avait gardé dans son cœur une place pour Herriman que personne ne prendrait. Pendant que le pays défilait à nouveau derrière les vitres du Greyhound, il avait réfléchi à la façon de l'honorer. Cette préoccupation avait occupé ses pensées durant les deux premières nuits du trajet, l'empêchant de trouver le sommeil. Lorsqu'il vit un panneau qui annonçait Nashville, ce fut comme une révélation. Ce que Herriman avait fait pour lui, il le ferait pour d'autres ; il dénicherait des talents et les révélerait au grand jour. Raoul deviendrait agent d'artistes et, pour commencer cette nouvelle carrière, quel plus bel horizon que cette terre promise aux amoureux de la musique.

Il commença par louer un terrain et aménagea le hangar qui s'y trouvait en salle de spectacle, puis il sillonna les bars pour se faire des copains, offrit à tous les musiciens qui accepteraient de venir jouer chez lui l'espoir d'un avenir. Mais son trait de génie fut de mobiliser une bande d'ouvriers mexicains qui, contre des places de concert et des boissons gratuites, avaient bien voulu marteler et peindre la structure de son hangar jusqu'à lui donner l'apparence d'une immense guitare. Raoul n'avait jamais découvert de prodige pas plus que sa salle ne connut la gloire du Moody Blues ou du Village Vanguard, mais avec son architecture originale, elle avait fini par se tailler une belle réputation dans la région.

– Tu vois cet homme sur la scène, dit Agatha en concluant son récit, il m'a écrit à chacun de mes anniversaires, et il n'en a raté aucun.

Milly regarda Raoul reposer le micro sous des applaudissements nourris, et étrangement, elle se sentit privilégiée de se trouver en sa compagnie, fière qu'il eût été si attentionné à son égard quand elle choisissait ses vêtements. En repensant à ce qu'avait accompli un certain maître de musique, elle se jura de conduire un jour Jo jusqu'ici et de faire entendre à Raoul les compositions qu'il jouait au piano.

Raoul revint s'asseoir à la table.

– Tout à l'heure, dit-il à Agatha, nous en chanterons une ensemble.

– Sûrement pas ! répondit-elle.

– Si tu me refuses ça, après ce que j'ai entendu dans mon club, je te porte jusqu'à la scène.

– Tu ne devrais pas y être ce soir, dans ton club ?

– On tourne un peu au ralenti en ce moment, José saura se débrouiller et puis tu es là.

Et Milly devina dans le silence qui suivit que deux amis qui ne s'étaient pas revus depuis longtemps avaient des choses à se dire qui ne regardaient qu'eux. Sous prétexte de devoir passer un appel à Frank, elle s'excusa et les laissa un moment.

Raoul la suivit des yeux jusqu'à ce qu'elle ait quitté la salle.

– C'est incroyable ce qu'elle lui ressemble, dit-il. Tout à l'heure au club, il faisait trop sombre pour que je m'en rende compte, mais quand nous sommes sortis, je t'avoue avoir eu un choc.

– J'y étais préparée, Max m'avait montré des photos, et pourtant lorsque je me suis invitée dans sa voiture, j'ai eu l'impression d'être revenue trente ans en arrière et de voir son fantôme.

– Elle est au courant ?

– Non, elle ne sait absolument rien, à part que je me suis évadée, et elle l'a très mal pris. Elle veut rentrer chez elle. Il faut que j'arrive à la convaincre de rester auprès de moi.

– Raconte-lui tout, je suis sûr qu'elle changera d'avis.

– C'est hors de question, elle ne doit rien savoir de ce qui la concerne, il est encore trop tôt.

– Comment as-tu réussi à te faire la belle ?

– Avec beaucoup de patience et d'observation.

– Tu vas rester cachée chez moi, le temps que ça se calme.

– Justement, tout est bien trop calme. Ils n'ont même pas parlé de mon évasion, je n'ai pas trouvé le moindre entrefilet dans un journal.

– Ils ont peut-être décidé de te laisser enfin tranquille ?

– J'en doute, je ne vois qu'une seule explication : ils sont en train de me tendre un piège.

– Tu as dit à quelqu'un où tu comptais aller ?

– Je ne le savais pas moi-même avant de revoir Max.

– Alors, reste ici, c'est ce qu'il y a de plus prudent.

– Tu m'écrivais en prison, tôt ou tard ils viendront t'interroger, je ne te ferai pas courir ce risque.

– S'ils avaient voulu me mettre le grappin dessus, ce serait fait depuis longtemps. Et puis, je suis vénézuélien maintenant ! rigola Raoul.

– Non, ils t'ont fichu la paix parce qu'ils n'avaient pas de preuve contre toi et parce qu'ils détenaient leur coupable. J'ai payé pour tout le monde.

– Hanna, tu as payé pour Agatha, pour ceux qui ont planifié cette folie avec elle. Ton idée d'emprunter son prénom relève du masochisme. De plus, ce n'était pas pour toute la bande, mais quelques-uns seulement. Ceux qui n'y étaient pour rien ont dû fuir et vivre des années dans la clandestinité, rien de comparable avec la prison, mais nous avons connu des moments difficiles.

– Je sais Raoul, j'ai lu tes lettres.

– Qu'est-ce que je peux faire pour toi, Hanna ? Demande-moi ce que tu veux.

– Continue de m'appeler Agatha, surtout devant la petite !

Elle lui parla du carnet qu'elle recherchait et ajouta :

– Je suis venue te voir parce que tu étais celui à qui tout le monde se confiait...

– Ma chérie, si j'avais su que quelqu'un détenait de quoi t'innocenter, je serais allé le lui reprendre, avec une batte de baseball au besoin, et toi, tu serais sortie de prison depuis longtemps, et par la grande porte. Mais maintenant que tu me l'apprends, je vais mener mon enquête. Pourquoi Agatha aurait-elle confié ses aveux à quelqu'un ?

– Pour que je puisse sortir et prendre le relais s'il lui arrivait quelque chose. Mais celui ou celle à qui elle avait accordé sa confiance s'est bien gardé de respecter ses dernières volontés.

– Quel genre de relais ?

– La petite !

Raoul regarda longuement son amie dans le plus grand silence.

– Si c'était moi que tu avais aimé, rien de tout cela ne serait arrivé.

– Je sais, c'est la faute à pas de chance, mais j'en aimais un autre.

– Ne me dis pas que c'est toujours le cas ?

– N'évoque même pas son nom, s'il te plaît.

– Tu as su ce qu'il est devenu ?

– Non, comment l'aurais-je appris ? répondit Agatha. Comme nous, il a dû prendre un coup de vieux... Mais lui a probablement fondé une famille...

– Je n'ai plus jamais entendu parler de lui, si c'est ce que tu voulais savoir.

– Peut-être pas, soupira Agatha.

– Et maintenant, quels sont tes projets ?

– Si je parviens à mettre la main sur ce carnet avant qu'on me rattrape, je me rendrai et j'attendrai la révision de mon jugement.

– Et si tu ne le trouves pas ?

– Je ne retournerai pas en prison, Max m'a confié un revolver, j'ai gardé une balle, pour moi.

Le regard de Raoul exprima un sentiment de tendresse mêlé de regrets.

– Je ferai tout ce que je peux, murmura-t-il, et toi, ne dis pas de bêtises. Reste ici, au moins le temps que j'enquête.

– Merci, mais c'est à moi de mener cette enquête, je dois trouver les autres, et puis appelle cela de l'instinct ou de la paranoïa, mais je flaire le danger et je préfère rester en mouvement.

– Ça ne servira à rien sinon à te faire courir encore plus de risques. Les temps ont changé. De nos jours, localiser quelqu'un est devenu un jeu d'enfant, tout est surveillé ou écouté. Un courrier électronique, un paiement par carte de crédit, un téléphone portable, même éteint, permettent de savoir où tu te trouves.

– Allons, Raoul, tu ne crois pas que tu exagères un peu ? Le FBI n'est tout de même pas la Stasi et nous n'avons pas encore sombré dans la dictature, à ce que je sache ?

Raoul afficha un air désolé.

– Nos identités, nos parcours, nos opinions, nos goûts et nos choix, ce que l'on achète ou regarde à la télévision, une place de cinéma, les articles et les livres que nous lisons, nos vies entières dans leurs moindres détails sont fichées, répertoriées. La NSA collecte plus de données qu'elle ne réussit à en traiter. Aujourd'hui, Orwell serait accusé d'être un traître à la nation et poursuivi.

Le visage d'Agatha exprimait incrédulité et dégoût.

– Je ne peux pas te croire. Vous qui étiez libres, comment avez-vous pu laisser faire ça ?

– Les méthodes évoluent, mais les justifications sont toujours les mêmes. On agite la peur de l'autre, du désordre, de l'ennemi invisible. Ça ne te rappelle rien ? Hier, les mouvements d'opposition que nous formions, quand ce n'était pas le communisme ou la bombe atomique, aujourd'hui le blanchiment d'argent des narcotrafiquants, les extrémistes, la violence omniprésente, et comme les menaces sont réelles on apaise les consciences en faisant valoir que celui qui n'a rien à se reprocher n'a rien à cacher. Ce qui n'est pas ton cas, et il va falloir apprendre à te méfier de tout, à rester en permanence sur tes gardes, bien plus qu'à l'époque. Tu dois te mettre à penser comme eux, de la même façon qu'ils essaieront de penser comme toi et chercheront à anticiper chacun de tes mouvements.

Agatha se retourna soudain vers la porte du cabaret, l'air inquiet.

– Qu'est-ce qu'elle fait ? Elle est partie depuis longtemps.

Raoul prit sa veste et se leva.

– Allons voir, de toute façon il est temps de rentrer.

Milly les attendait sur le parking, adossée à sa voiture.

– C'est tout ce que vous aviez à vous dire ? demanda-t-elle en écrasant sa cigarette.

Agatha et Raoul échangèrent un regard interloqué.

– Vous faites une drôle de tête, quelque chose ne va pas ?

– Tout va très bien, répondit Raoul, à part qu'il va pleuvoir cette nuit.

*

Tom s'était résigné à faire un nouvel arrêt. La fatigue l'accablait, il lui restait une bonne centaine de miles à parcourir et, une fois à Nashville, il faudrait qu'il soit suffisamment lucide pour agir.

Il consulta sa carte routière et réfléchit à la façon dont il procéderait pour interpeller Agatha. Elle était accompagnée et il tenait à l'appréhender quand elle serait seule. Une question lui traversa l'esprit : pourquoi la propriétaire de cette Oldsmobile acceptait-elle de la conduire à travers le pays ? L'idée lui vint qu'elle pouvait avoir été prise en otage, et il se sentit stupide d'avoir foncé tête baissée sans y avoir songé plus tôt.

Si Agatha avait une arme, cela changeait radicalement la donne. Il était plus qu'urgent de mettre un terme à cette folle escapade.

Il ouvrit sa Thermos, se servit un gobelet de café et redémarra. Le tonnerre grondait dans le ciel devenu noir. En roulant prudemment, il arriverait d'ici deux heures.

*

En sortant du cabaret, Raoul lança à Milly les clés de l'Oldsmobile. Il avait un peu trop célébré le retour d'Agatha. Milly reprit le volant tandis que les deux compères s'installaient sur la banquette arrière, entonnant une autre chanson de Peter, Paul and Mary dans un chœur joyeux. C'était la première fois depuis le début de ce voyage que Milly voyait Agatha dans cet état. Elle aurait aimé se joindre à eux, mais elle ne connaissait pas les paroles.

*

Une dizaine de voitures étaient encore parquées devant le club de Raoul. Il demanda à Milly d'en faire le tour et d'aller jusqu'au garage, à l'arrière du hangar. Il n'avait aucune envie de voir José ce soir, et les éclairs qui striaient la nuit annonçaient une grosse pluie.

La voiture remisée, Raoul fit entrer ses invitées. Un escalier montait vers un loft que Raoul avait aménagé au-dessus de la salle de spectacle. Raoul n'avait que deux chambres à offrir, il donna la sienne à Agatha, et à Milly celle qu'il réservait aux amis et musiciens de passage. Lui dormirait sur le canapé, ce n'était pas la première fois.

Milly alla se coucher, laissant Agatha et Raoul au salon.

– Il n'y a pas de femme dans ta vie ? demanda Agatha alors que Raoul lui servait un dernier verre.

– Il y en a eu beaucoup, puis une, qui est partie. Depuis je suis seul. Ce n'est que justice, j'ai brisé des cœurs, jusqu'à ce que l'on me rende la pareille.

– Qui était-elle ?

– Une merveilleuse musicienne, une artiste exceptionnelle que j'avais vue chanter dans un bar. Ce fut un vrai de coup de foudre. Nous avons partagé de belles années, mais elle avait trop de talent pour rester ici. Tu vas me traiter de fou, mais c'est moi qui l'ai poussée à s'en aller. Je l'ai presque mise dehors. Je l'aimais tellement que lorsque je me regardais le matin dans la glace je ne voyais plus que l'homme qui la faisait passer à côté de sa vie. Nous avions vingt ans d'écart et elle m'avait déjà beaucoup offert.

Agatha ôta le verre des mains de Raoul, lui caressa la joue et l'entraîna vers la chambre.

– Viens, murmura-t-elle, toi et moi nous avons presque le même âge.

La porte claqua derrière eux. Milly passa une tête dans le salon et sourit en le voyant désert. Elle entendit, à travers le plancher, les derniers clients quitter l'établissement et José qui rangeait les tables et les chaises. Peu de temps après, les lumières de la façade s'éteignirent et ce fut le silence.

*

Le rugissement d'un klaxon sortit Tom de sa torpeur. Ébloui par les phares d'un camion, il donna un coup de volant et fit une embardée. Les roues mordirent le bas-côté et la voiture sortit de la route, s'enfonçant dans un champ avant qu'il n'en reprenne le contrôle et réussisse à s'arrêter. Il sortit au grand air pour recouvrer son calme. Un coup de tonnerre lui fit lever les yeux et voir s'abattre sur lui les premières gouttes d'une averse, si violente qu'il retourna aussitôt se mettre à l'abri sur son siège.

La pluie fouettait le pare-brise, il n'entendait plus que son claquement assourdissant dans l'habitacle. Tom relança le moteur et tenta de rejoindre le ruban d'asphalte qu'il discernait à peine.

La terre s'était gorgée d'eau. Les roues patinaient dans la boue, la voiture zigzaguait plus qu'elle n'avançait et l'odeur de caoutchouc brûlé n'augurait rien de bon. À ce train-là, l'embrayage rendrait l'âme avant qu'il ait atteint la route. Tom leva le pied de l'accélérateur et se rendit à l'évidence. Quand bien même il arriverait à joindre une dépanneuse, il serait incapable de lui indiquer sa position.

Pour pouvoir sortir de ce bourbier, il devrait patienter jusqu'au matin.

8.

L'air du petit matin était encore humide. Pre-mière levée, Milly s'aventura dehors, satisfaite que sa voiture ait passé la nuit à l'abri. Raoul surgit dans son dos.

– Matinale ?

– Toujours. Vous avez bien dormi, ajouta-t-elle en souriant ?

– Comme un ange, répondit Raoul d'un ton malicieux. Un café ?

– Avec plaisir ! Agatha est réveillée ?

– Pas encore, mais je t'ai entendue descendre alors je suis venu te rejoindre. Viens, allons faire quelques pas ensemble si tu le veux bien.

– C'est une drôle de femme, n'est-ce pas ?

– Non, c'est une femme exceptionnelle, mais tu ne la connais pas encore.

– Je vais rentrer chez moi, dit Milly.

– Je sais, je te comprends, tu n'as rien à voir dans tout ça.

– Je dois retrouver Frank, Jo et mon travail.

Raoul hocha la tête en signe d'approbation.

– Un jour, j'aimerais vous le présenter.

– Frank ou Jo ?

– Jo, c'est un pianiste exceptionnel, il a un don, mais il ne s'en rend pas compte.

– C'est souvent le cas chez les gens qui ont du talent, ils sont les derniers à le savoir.

– Jo est comme ça, il ne croit pas en lui, ni en sa musique, ni en sa poésie.

– Et Frank ?

– Frank n'a pas ce genre de problème.

– Alors, pardonne ma franchise, mais j'ai peur que tu t'emmerdes avec lui.

Milly partit dans un grand éclat de rire.

– Si je vous avais rencontré à l'adolescence, je me serais mis en tête que vous étiez mon père.

– Quelle drôle d'idée, et pourquoi ça ?

– Parce que j'aurais adoré qu'il me sorte un truc comme ça, qu'il me bouscule, me contredise, affirme des choses que je n'ai pas envie d'entendre, que je puisse lui faire la tête et le haïr le temps de grandir.

– Alors un conseil, profite des quelques jours que tu peux passer avec Agatha, si tu aimes la contradiction, c'est une experte.

– Vous auriez été un père formidable.

– Ah bon ?

– Oui, je ne vous avais pas demandé de conseil.

– Eh bien, moi, j'aurais détesté avoir une fille comme toi.

– Vraiment ? s'étonna Milly.

– Non, répondit Raoul en la prenant par l'épaule.

Ils marchèrent sur le chemin qui bordait l'arrière du hangar en lisière des bois.

– J'ai un service à vous demander. Avant de partir, je voudrais lui faire un cadeau, j'y pensais en m'endormant et je crois bien que c'est ce qui m'a tirée du lit si tôt, confia Milly en regardant ses bottes. J'aimerais qu'elle aussi garde un souvenir de moi.

– Et en quoi puis-je t'aider ?

– Hier, quand elle s'est mise à chanter seule sur la scène de votre club, j'ai connu la même émotion que lorsque Jo me jouait de l'orgue à l'église.

– Et pas quand tu m'as entendu au cabaret ?

– Si, c'était beau, mais ce n'était pas pareil. Cette guitare qu'elle a prise dans la vitrine, elle coûte cher ?

– Une Gibson qui a appartenu à Springsteen ? Trois fois rien.

– Vous me faites marcher, vous avez connu Bruce Springsteen ?

– Tu aimes sa musique ?

– Vous plaisantez ? Et il a joué sur cette guitare ?

– Non seulement c'était sa guitare, mais il me l'a offerte en remerciement d'un service rendu. J'ai juré de ne jamais rien en dire. Oh, et puis à toi je peux bien raconter cette histoire. À une époque où il était aussi fauché que moi, il a dormi quelque temps dans ma piaule. Je sais que ça peut te paraître dingue, mais les plus grands de ce monde ont eu aussi vingt ans, et à cet âge, la majorité d'entre eux connaissaient la bohème. Bref, un soir, en rentrant, j'ai entendu du bruit dans ma chambre, je me suis dit qu'il devait être en compagnie d'une fille et ça m'a fait marrer. J'ai poussé la porte pour voir si la belle valait le coup que je pionce dans le canapé, tu parles d'un canapé, et je l'ai trouvé, roupillant dans mon lit avec sa guitare qu'il avait bordée comme si c'était sa douce. Le lendemain, il s'est excusé et m'a dit qu'elle avait besoin d'une vraie nuit de repos.

– Et c'est celle-là qu'il vous a donnée ?

– Non. Mais bien des années plus tard, il est passé par Nashville. J'ignore encore si c'est le hasard qui l'avait fait venir dans mon club ou s'il savait qu'il m'y trouverait, il a poussé la porte accompagné de quelques-uns de ses copains. Quand il m'a vu, il m'a pris dans ses bras, comme si on s'était quittés la veille, on a bu quelques verres et puis il est monté sur scène. Le plus drôle, c'est que les clients trouvaient que ce type qui chantait devant eux manquait de personnalité tant il parodiait Springsteen. Ce soir-là, mon club aurait pu connaître la gloire, mais je n'ai rien dit, je savais que son plaisir était de se produire incognito, comme dans le temps. On a passé la nuit à boire, à fumer et à jouer, jusqu'à l'épuisement. Quand je me suis réveillé au pied de l'estrade, il était reparti. Mais il m'avait laissé cette fameuse guitare que tu voudrais m'acheter, il avait glissé un petit mot entre les cordes où il avait écrit :

« Elle a besoin d'une bonne nuit de sommeil, prends bien soin d'elle. »

– Vous me faites marcher, cette histoire n'est pas vraie, n'est-ce pas ?

– Elle l'est, puisque je viens de te la raconter. Maintenant, c'est moi qui vais te demander un service. Reste auprès d'Agatha, au moins encore un peu ; si tu ne l'abandonnes pas, je t'offre cette guitare.

Milly releva la tête et fixa Raoul longuement.

– Je ne suis pas quelqu'un qu'on achète, mais si vous me promettez que le jour où je reviendrai avec Jo vous l'écouterez jouer, alors je veux bien conduire Agatha jusqu'à la prochaine étape.

– Marché conclu, dit Raoul.

Milly plongea sa main dans la poche de son pantalon et sortit cent dollars qu'elle tendit à Raoul.

– Qu'est-ce que c'est ?

– Ce que je vous dois pour la guitare, si elle avait vraiment appartenu à Springsteen, elle aurait trop de valeur pour croupir dans une vitrine poussiéreuse même pas fermée à clé, et vous ne vous en seriez jamais séparé.

– Bien vu, tu es rude en affaires, mais je m'incline, répondit Raoul en hochant la tête. Agatha doit être en train de se préparer, va donc la chercher et lui annoncer que tu continues la route avec elle. Et nous sommes bien d'accord, je n'y suis pour rien !

– Mais vous n'y êtes pour rien, assura Milly.

– Très bien, pendant ce temps-là, je vais sortir la voiture, mettre la guitare dans le coffre et j'irai préparer ce café que je t'ai promis tout à l'heure. On se retrouve derrière le bar.

Milly courut vers le club pour ne pas changer d'avis.

*

Tom s'était réveillé avec l'aube. Il avait marché jusqu'à la route, plus proche qu'il ne l'avait imaginé dans la nuit. Un fermier passant sur son tracteur lui vint en aide. La voiture était crottée jusqu'aux portières, mais la mécanique n'avait pas souffert. Tom, après avoir chaleureusement remercié son sauveur, fila à toute allure, utilisant pour la première fois sa sirène. Il était 6 heures du matin, Nashville n'était plus qu'à une vingtaine de miles et l'aiguille au compteur dépassait largement le cent.

*

Milly patientait au volant. Raoul enlaça Agatha sur le pas de la porte, et la fit à nouveau tourner dans les airs.

– Repose-moi imbécile, tu m'étouffes.

– Si je pouvais, je te serrerais jusqu'à ce que tu t'évanouisses pour te garder dans mes bras.

– Dis-moi que tu as fermé les yeux cette nuit, lui chuchota-t-elle à l'oreille.

– Et pourquoi aurais-je fait ça ?

– Pour que tes mains soient les seules à m'avoir vue.

– Alors je les ai fermés, en me disant que si je ne te voyais pas, tu ne me verrais pas non plus.

– Merci pour tout, Raoul.

– C'est moi qui...

Mais Agatha le fit taire d'un doigt posé sur ses lèvres.

– Cette femme que tu aimais, elle est partie il y a longtemps ? demanda-t-elle.

– Cela fera trois ans à la fin du mois.

– Et tu sais où elle habite ?

– À Atlanta.

– Alors va la rechercher, andouille, parce que je suis certaine que depuis trois ans, elle s'emmerde à mourir avec des hommes de son âge, et après la nuit que je viens de passer, je peux t'assurer qu'elle doit s'en mordre les doigts, et te regretter tous les soirs.

– Je trouverai qui a ce carnet, tu peux compter sur moi.

– Sois discret, Raoul, je ne veux pas risquer qu'on le détruise avant de l'avoir récupéré. Je te téléphonerai dès que possible.

– Seulement depuis une cabine, sois brève et aussitôt que nous aurons raccroché, tu détales comme un lapin.

— C'est maintenant qu'il faut que je file, dit-elle en baissant les yeux sur la main de Raoul qui ne voulait plus lâcher la sienne.

Il l'embrassa et l'escorta à la voiture.

— Soyez prudentes, ordonna-t-il en se penchant à la portière.

L'Oldsmobile traversa le parking et bifurqua sur la route avant de disparaître.

Raoul rentra dans son club, referma la vitrine et soupira en allant se recoucher.

*

— J'ai une faim de loup, dit Agatha, pas toi ?

— Vous connaissez le proverbe, qui dort dîne ! répondit Milly.

— Eh bien, alors je n'ai pas assez dormi.

— Je l'avais bien compris et je n'ai absolument pas besoin d'en savoir plus.

— Tu devrais, cela t'instruirait sur les bienfaits de la maturité.

— La prochaine étape est encore loin ? questionna Milly, excédée.

— Nous y arriverons avant la nuit. Prends la direction du nord ; à la sortie de Clarksville, nous entrerons dans le Kentucky.

— Et c'est bien, le Kentucky ?

— Si tu aimes les chevaux. Moi, ce que j'aime, c'est changer d'État le plus souvent possible.

Elles firent halte à Murray, une petite bourgade à peine plus grande que l'université qui s'y trouvait. Sans la moindre hésitation, Milly parqua la voiture devant un restaurant, au seul motif qu'il était inscrit sur la façade : « Campus Bar ».

– Elle te manque à ce point-là, ta vie sur le campus ? demanda Agatha en feuilletant le menu.

– Comment savez-vous que je travaille sur un campus ? Je ne me souviens pas de vous l'avoir dit.

Agatha reposa le menu et fixa Milly du regard.

– Tu vois, ce qui est injuste, c'est qu'à trente ans on appelle ça de la distraction et on y trouve un certain charme, vingt-cinq ans plus tard, ton entourage s'inquiète et t'accuse de perdre la boule. Comment voudrais-tu que je le sache si tu ne me l'avais pas dit ? Et Mme Berlingot, je l'ai inventée, elle aussi ?

– Berlington ! Et j'ai beau réfléchir, je ne vois toujours pas à quel moment je vous en ai parlé.

– Alors je l'ai deviné, j'ai un don, si tu préfères.

– Qu'est-ce que vous avez fait pour mériter la prison ?

– Tu veux vraiment que l'on discute de ça dans un café ?

– Il nous reste combien de temps avant d'arriver ? Et ne me racontez pas de bobard, vous connaissez l'itinéraire par cœur.

Agatha regarda le plafond en faisant mine de réfléchir.

– Je dirai entre sept et huit heures, sans compter les pauses pipi et déjeuner. Tu devrais être débarrassée de moi à la tombée du jour, à moins qu'il y ait un peu de trafic, et ça, je ne peux pas le prédire, car au risque de te décevoir, mes pouvoirs divinatoires sont limités.

– Alors j'aimerais que vous me racontiez toute votre histoire, sans rien omettre, et vous pouvez commencer dès maintenant, personne ne nous espionne.

Agatha balaya la salle du regard et se pencha vers Milly.

– On t'a déjà dit que tu avais un fichu caractère ?

– Jamais, au contraire !

– Alors ton entourage n'est pas sincère !

– Arrêtez de chuchoter, c'est énervant au possible.

Agatha dévora ses œufs et son bacon sans parler, sauf à deux reprises pour ordonner à Milly de manger et pour lui demander de lui passer le sel.

Elle régla l'addition, et s'en alla, le pas décidé, vers la voiture. Milly lui courut après.

– Pour le cul, je ne sais pas, mais pour le caractère, la maturité n'a pas l'air d'améliorer les choses.

Agatha monta dans l'Oldsmobile sans lui répondre. Milly reprit le volant et ce n'est qu'à la sortie de Murray qu'Agatha accepta enfin de lui entrouvrir les portes de son passé.

– Toute mon enfance avait été bercée par des beaux discours sur la démocratie, sur l'égalité entre les hommes, la grandeur du pays. Au quotidien, je ne voyais que pauvreté, sexisme, ségrégation, et répression policière. Lorsque j'accompagnais ma sœur dans les meetings des mouvements de droits civiques, j'y voyais plus d'humanité que dans les rues du quartier blanc où nous vivions. De spectatrice je suis devenue militante.

– Vous militiez contre quoi ?

– Contre tout, gloussa Agatha. La politique impérialiste en Amérique du Sud, les atrocités commises au Vietnam et au Cambodge, tous ces combats engagés par nos dirigeants contre des populations qui n'aspiraient qu'à la liberté. Ceux qui furent à l'origine des mouvements pour les droits civiques firent très vite le rapprochement entre les guerres que nous menions hors de nos frontières et la ségrégation qui régnait chez nous, leur solidarité avec les Noirs devint une priorité. Je faisais partie de ceux qui ne jugeaient pas quelqu'un à la couleur de sa peau. La musique que j'aimais, c'était celle que les Noirs chantaient et je refusais d'accepter ces barrières invisibles qui nous interdisaient de former une jeunesse unie et multicolore. Nous appartenions à la première génération qui succédait à la Shoah, mon père avait débarqué à Omaha Beach et il s'était battu jusqu'à Berlin, comment voulais-tu que ses enfants acceptent la moindre forme de racisme ou participent à l'oppression d'un autre peuple. Dans la seconde moitié des années 1960, bien avant que je rejoigne le groupe, des émeutes commençaient à éclater dans les ghettos noirs du pays. Celles du quartier de Watts à Los Angeles avaient causé la mort de trente-cinq personnes et la police avait procédé à quatre mille arrestations. Puis ce fut au tour de Chicago, Cleveland, Milwaukee, Dayton, et l'année suivante la révolte gagna plus de trente villes. En mai 1967, dans une université noire du Texas, des manifestations virèrent au cauchemar. Six cents flics venus déloger les étudiants vidèrent six mille cartouches sur leurs dortoirs, un saccage organisé en toute légalité. Tout bascula à l'été, lorsque le FBI infiltra les rangs des étudiants et des militants. Les assassinats d'activistes se multiplièrent. Tu as entendu parler de Huey Newton ?

– Ce qui m'intéresse, c'est votre histoire à vous, pas celle avec un grand H ! protesta Milly.

– Comment veux-tu que je te la raconte sans évoquer le contexte dans lequel tout a commencé.

Milly ne pouvait comprendre qu'Agatha lui récitait en fait la plaidoirie d'un procès auquel elle n'avait pas eu droit, pour avoir accepté un compromis avec un procureur. Cinq ans de prison si elle signait ses aveux, contre le risque d'encourir la perpétuité si elle se présentait devant un jury populaire. À vingt-deux ans, qui aurait pris ce risque ?

Une autre idée du bonheur

– Huey Newton et Bobby Seale, deux étudiants du Merritt College, avaient créé un parti d'autodéfense, le Black Panther Party, qui devint très vite aussi célèbre que controversé. Ils mettaient en place des programmes sociaux destinés à la communauté noire. Cours d'autodéfense, éducation politique, soins gratuits, distribution de nourriture pour les plus pauvres, leur travail communautaire, une révolution au cœur même du pays, et qui résonnait dans le monde entier. Un succès que le FBI considérait comme une menace pour la sécurité intérieure. Alors ils ont arrêté Huey au volant de sa voiture en lui tendant un guet-apens. Une fusillade a éclaté, un policier est mort et ils l'ont accusé. Huey, qui s'était évanoui après avoir été blessé, n'était même pas armé. Quand ils l'ont mis en taule, des voix se sont élevées dans tout le pays pour exiger sa libération. On hurlait dans les rues : « Libérez Huey », au point que ce cri devint celui du ralliement de tous les militants de la gauche américaine.

– C'est là que vous vous êtes engagée ?

– Pas encore, mais ça n'allait pas tarder. Les premiers vétérans commençaient à rentrer du Vietnam, et racontaient au monde les horreurs auxquelles ils avaient assisté et celles qu'ils avaient commises. Les mouvements pacifistes applaudissaient ces dénonciations qui avaient autrement plus de poids que celles des jeunes étudiants qui n'avaient vu de la guerre que ce qu'en montraient les informations. Je me souviens d'une journée qui a ébranlé la nation. Une journée terrible, un véritable électro-choc quand on aime son pays, et si nous nous battions, c'est parce que nous l'aimions. Un millier de vétérans avaient jeté leurs médailles sur les marches du Capitole. Tu ne peux imaginer jusqu'où le racisme ambiant de l'époque conduisait les hommes. Sammy, qui avait combattu dans la Navy, s'était fait tuer en Alabama pour être entré dans des toilettes réservées aux Blancs. Tu te rends compte du chemin que nous avons parcouru en quarante ans ? Tu comprends pourquoi tant de gens pleuraient de joie quand Obama a été élu ? Je ne regardais jamais la télé en prison, mais j'ai fait une exception quand il a prêté serment, et moi aussi j'ai versé toutes les larmes de mon corps en pensant que les copains qui étaient morts n'avaient pas été que de doux rêveurs. La contestation se propagea encore, les soulèvements ne cessaient de grandir, le pays était en train d'imploser. Nous cherchions surtout à mobiliser d'autres Blancs contre le racisme. Il était impossible à cette époque de défendre des idées humanistes sans être taxé de communiste. Et plus l'activisme croissait, plus les autorités devenaient intransigeantes. Le patron du FBI nous avait qualifiés de « plus grande menace que courrait la nation après les Soviétiques ». Les assassinats de militants se perpétraient jusque dans leurs lits. Nous n'étions que des jeunes gens qui voulaient secouer les consciences, mais parmi nous, d'autres voulaient résolument ébranler le système. J'ai embrassé leur cause sur le tard. Les choses ont dérapé, ce qui finit toujours par arriver quand tu joues avec le feu. Au nom d'un idéal magnifique, nous avons fait d'énormes conneries. Lorsque tu es convaincu d'être du bon côté, du côté du droit, de la justice, rien ne t'arrête et tu peux faire des choses terribles[1].

– Lesquelles ?

– Celles qui vont au-delà de la désobéissance civique, celles qui engendrent le mal. La violence est un poison, une fois dans tes veines, c'est comme une drogue qui te ronge le cerveau en te laissant penser que ton cœur est intact.

– Mais vous, qu'avez-vous fait ?

– Des choses dont je ne suis pas fière, au point de n'avoir jamais réussi à en parler en trente ans, alors laisse-moi encore un peu de temps.

– Comment avez-vous rejoint le mouvement ?

– Je n'avais pas vingt ans, aimer était la seule chose qui pouvait m'arracher à l'étreinte suffocante d'une vie rude et morne. Alors j'ai aimé, j'ai aimé de toutes mes forces, des cinglés, des musiciens, des peintres, des passionnés du verbe et de la rhétorique, de ceux qui pour un rien tiennent des conversations à n'en jamais finir ou qui finissaient en disputes, de ceux qui ouvrent leur porte aux voyageurs fauchés,

---

1. Cette phrase fut prononcée par David Gilbert, membre du Weather Underground, toujours emprisonné. Le Weather Underground était un mouvement révolutionnaire radical de la jeunesse américaine. La plupart de ses membres entrèrent dans la clandestinité dans les années 1970.

au copain d'un copain sans poser de question, des évadés de la guerre, des vagabonds capables de courir après un train le long des voies de chemin de fer et d'y grimper sans savoir où il va, des assoiffés de l'asphalte, des soûlards en disgrâce avec leur famille ou avec la loi, quand ce n'était pas les deux, mais crois-moi, tous des joyeux cinglés. Nous n'avions peur de rien et encore moins de l'autre. Nos nuits étaient sacrées même si certains matins, je ne savais plus où j'étais et que je n'en menais pas large. Combien de fois avons-nous détalé dans le maquis des quartiers délabrés, dans des ruelles obscures où des flics en maraude nous donnaient la chasse à grands coups de sifflet en agitant leur matraque. Je suis tombée éperdument amoureuse de l'un de ces fous furieux et je l'aurais suivi jusqu'au bout de la terre. Nous avons embarqué pour le Wisconsin, à bord d'une voiture comme la tienne, nous roulions cheveux au vent vers Madison où des étudiants tentaient d'empêcher Dow Chemical de recruter sur le campus.

– Pourquoi Dow Chemical ?

– Parce que cette société fabriquait le napalm que nos avions balançaient sur des villages vietnamiens. Ils ont brûlé des centaines de milliers de civils. Ce jour-là, nous avions décidé de leur faire barrage. Après avoir copieusement tabassé les étudiants, les flics en avaient embarqué six. Dire que nous étions remontés serait un euphémisme. Nous avons encerclé leur fourgon, dégonflé ses pneus et l'avons secoué comme un panier à salade. Et puis nous nous sommes allongés devant les roues.

– Qu'est-ce qu'ils ont fait ?

– Que voulais-tu qu'ils fassent, ils n'allaient quand même pas nous rouler dessus. Ils ont relâché nos copains, mais comme ils nous trouvaient très agités, ils nous ont asphyxiés au gaz lacrymogène. C'était la première fois que la police gazait des étudiants sur un campus. Tu ne peux pas imaginer ce que provoque cette saloperie. On étouffe, on vomit ses tripes, on a l'impression qu'on vous a brûlé les yeux. La poitrine se serre, le corps est parcouru de spasmes. Ceux qui se trouvaient en première ligne ont eu de graves séquelles. Après ça, la colère est montée d'un cran dans nos rangs. Nous avons quitté Madison et nous sommes retournés en Californie. Ça bougeait beaucoup à Oakland et on ne voulait pas rater ça. Un mois plus tard, nous retraversions le pays pour aller à New York. C'était la première fois que j'y mettais les pieds et c'était féerique. À dire vrai, je n'avais encore jamais rien vu d'aussi sale. Des rats, gros comme mon avant-bras, galopaient dans les rues dès la tombée de la nuit, mais je n'avais jamais rien vu d'aussi beau que Times Square. Tu devines ce que ça pouvait représenter pour une fille qui avait grandi dans un trou perdu de se retrouver avec une bande de copains à New York. Le sentiment de liberté nous galvanisait. La première semaine, je me fichais éperdument du mouvement contestataire, du racisme et de la guerre, j'arpentais les rues la tête en l'air, à contempler les gratte-ciel du matin au soir. Remonter les trottoirs de la Vᵉ Avenue me donnait l'impression de monter au firmament. L'Upper East Side ne ressemblait en rien au bas de la ville, on n'y croisait pas de rats, mais des gens élégants, des voitures sublimes, des portiers en livrée, des magasins aux vitrines étincelantes, d'un luxe que nous ne pouvions imaginer. Pour le prix d'une seule des robes que j'admirais, émerveillée, nous aurions tous pu vivre pendant un an, et encore, sans se priver de rien. Je me souviens de mon premier hot-dog acheté dans un kiosque de rue, on m'aurait servi du caviar que j'aurais trouvé ça moins extraordinaire. Quoique je n'en aie jamais goûté, mais bon, c'est du poisson et à l'époque je n'aurais pas fait confiance à quoi que ce soit qui respire de l'eau.

– Il était si extraordinaire que ça, ce hot-dog ?

– C'était l'endroit où je le mangeais qui l'était, assise sur les escaliers de la New York Public Library, à l'angle de la 40ᵉ Rue. Ce n'est pas pour changer de sujet, mais j'entends un drôle de bruit dans le coffre. Je me demande si la roue de secours a été bien attachée.

– Je m'arrêterai tout à l'heure pour vérifier. Qu'est-ce que vous avez fait à New York ?

– On a retrouvé Raoul, Brian, Quint et Vera, nous dormions à tour de rôle dans un petit appartement du Village. La nuit, on fréquentait les clubs de jazz, les boîtes de strip-tease, les bars qui ne ferment jamais. Le jour, chacun se cherchait un petit boulot. J'ai été fleuriste à la sauvette à Penn Station, vendeuse chez Macy's au rayon chaussures – payée à la commission comme tous les intérimaires – serveuse dans un *diner* sur la 10ᵉ Avenue, ouvreuse dans un cinéma et même vendeuse de cigarettes au Fat Cat.

– C'était qui, « on « ?

– Brad et moi.

– Brad, c'était votre amoureux ?

– Ce que ton vocabulaire est vieux jeu pour une femme de ton âge ! Ce n'était pas mon amoureux, répéta Agatha en minaudant, mais l'homme dont j'étais raide dingue. Je me levais en pensant à lui, je m'habillais en pensant à lui, je regardais ma montre à longueur de journée en pensant au moment où je le retrouverais. Mais je suppose que tu connais ça avec Frank !

– Bien sûr.

– Menteuse !

– Je ne vous permets pas !

– Eh bien, moi, je me le permets, que ça te plaise ou non. Tu ferais bien de t'arrêter pour voir d'où vient ce bruit, c'est on ne peut plus agaçant.

– Je m'arrêterai quand nous ferons le plein, j'ai bien l'intention d'arriver avant la nuit pour aller retrouver Frank au plus vite !

– Quel fichu caractère ! Ralentis et prends vers le nord à l'embranchement, là-bas.

– Si vous voulez arriver un jour à San Francisco, il va falloir franchir le Mississippi, et le pont qui l'enjambe est au sud.

– Peut-être, mais en suivant mon itinéraire, nous le traverserons à bord d'un vieux ferry, et c'est plus marrant que par l'autoroute.

– J'en ai assez des détours, protesta Milly.

– Fais ce que je te dis et je te raconterai la suite, sinon, motus et bouche cousue jusqu'à Eureka.

– C'est là que nous allons ?

– Tu veux dire, là que nos routes se sépareront ? Oui, si tu le souhaites toujours, nous nous quitterons ce soir à Eureka.

Milly obtempéra et prit le chemin qui plaisait à Agatha.

Un peu plus tard, elles traversèrent un patelin que la récession avait transformé en village fantôme. Les maisons de Hickman étaient délabrées, les trottoirs déserts et les façades des commerces de la rue principale occultées par de vieilles planches ou des panneaux de tôle ondulée.

– Où sont partis ceux qui vivaient ici ? demanda Milly.

– En enfer je suppose, répondit Agatha.

– Pourquoi dites-vous une chose pareille, ils ne vous ont rien fait.

– Quand tu perds ta maison, que tu charges tes meubles dans un camion et laisses ta vie derrière toi pour essayer d'aller nourrir ta famille ailleurs, tu appelles cela comment ?

– Cet endroit me fait penser à celui où j'ai grandi, ça me fiche le bourdon.

– Alors, accélère !

La route s'arrêtait devant un ponton ancré à la rive est du grand fleuve. Une barge bleu et blanc y était accostée, attendant les voitures pour la traversée. Depuis que le grand pont avait été construit en aval, la *Dorena* ne transportait plus beaucoup de monde, mais son propriétaire, un batelier débonnaire et amoureux de son métier, leur fit des grands signes pour les guider, comme si le tablier de sa barge était encombré au point d'obliger à manœuvrer avec une agilité particulière.

– C'est à peine croyable, s'exclama Agatha, nous avons fait cette traversée il y a plus de trente ans, et rien n'a changé ; si ce n'est qu'à l'époque on faisait deux heures de queue avant de pouvoir embarquer.

Le batelier indiqua à Milly de serrer le frein à main et de couper son moteur. Il releva la rampe et largua les amarres avant d'aller s'installer dans la cabine de pilotage.

La barge vibra et glissa sur le fleuve. Le Mississippi charriait toutes sortes de débris sur ses eaux moirées.

Agatha sortit de la voiture pour ouvrir le coffre. Elle en contempla longuement le contenu, puis le referma avant d'aller s'accouder au bastingage. Milly s'approcha d'elle et l'observa. Agatha laissait errer son regard sur les flots, semblant revoir des images anciennes.

– Nous nous trouvions exactement à cet endroit, Brad, Raoul, Lucy, ma sœur et moi, soupira-t-elle. Dieu que j'aimerais pouvoir revenir en arrière.

– Qu'est devenue votre sœur ?

– Elle est morte, il me semblait te l'avoir dit.

– Je suis désolée.

– Nous ne nous entendions plus très bien quand nous nous sommes quittées.

– Alors pourquoi cet air triste ?

– Je ne suis pas triste mais émue. C'est à cause de Raoul, ce n'était pas la roue de secours qui faisait ce bruit, mais la guitare avec laquelle j'ai joué hier qu'il a déposée dans ton coffre. Il devait bien se douter que je n'accepterais jamais un tel cadeau. Cette Gibson a une immense valeur et il y tenait beaucoup. Le jour où Springsteen la lui a offerte, il était si heureux qu'il m'a écrit à la prison pour me le raconter.

À son tour, Milly contempla le fleuve, perdue dans ses pensées.

– S'il vous l'a donnée, finit-elle par dire, c'est qu'il en avait envie.

– Tout ce que nous avons fait lorsque nous étions jeunes, ces années de combats, de cavale et de clandestinité, c'était au nom d'une autre idée du bonheur, et moi, je me suis débrouillée pour passer

à côté de l'essentiel. Si je m'étais éprise de Raoul,
j'aurais eu une belle vie.

– Il y a encore quelques jours, vous étiez derrière des barreaux, regardez le paysage, nous traversons le Mississippi et vous avez plein de temps
devant vous pour vous faire une autre idée du bonheur.

Agatha hésita et passa son bras autour des
épaules de Milly.

– Ta mère serait fière de la femme que tu es
devenue... ce qui n'enlève rien au fait que tu aies un
caractère de cochon.

Le capitaine actionna la corne de brume, la rive
ouest approchait. Agatha et Milly reprirent place à
bord de l'Oldsmobile, alors que la barge accostait.

*

Raoul ôta ses affaires et s'affala sur son lit. Rares
étaient les matins où il s'arrachait de si bonne heure
aux douceurs du sommeil. L'oreiller sentait encore
le parfum d'Agatha et d'une nuit d'ivresse, il le serra
sur son torse, ferma les yeux, poussa un râle et sombra.

Le tintement d'une clochette lui fit soulever
une paupière. Il regarda l'heure à son réveil. Impossible que ce fainéant de José arrive avant 15 heures,
et le camion de liqueurs ne passait jamais avant lui.

Raoul se leva, enfila un pantalon et une
chemise, alla à pas de loup dans son salon et ouvrit

tout doucement la trappe qu'il avait fait installer dans le parquet pour surveiller la salle depuis le loft. Accroupi à son poste d'observation, il suivit du regard l'homme qui était entré chez lui se faufiler entre les tables et les chaises et avancer vers la scène. Raoul attrapa sa batte de baseball et descendit l'escalier qui menait aux coulisses.

Il se cacha derrière un pan de rideau et, lorsque la silhouette de l'homme le dépassa, il fit un pas en avant et le frappa au bas du dos. L'intrus s'affala de tout son long.

Tom récupéra ses esprits, assis sur une chaise, les chevilles et poignets liés. Une douleur lancinante irradiait ses reins.

— Vous avez de la chance que je n'aime pas les armes à feu, vous seriez mort, soupira Raoul.

— Et vous dans de beaux draps pour avoir tiré sur un officier fédéral.

— Et ma tante était chef des pompiers, ricana Raoul.

— J'ai mon insigne accroché à la ceinture, vous n'avez qu'à soulever ma veste pour le vérifier.

— Bien sûr, pour que vous tentiez quelque chose, et puis quoi encore ?

— Je suis attaché, qu'est-ce que vous voulez que je tente ?

— Ben rien justement ! Vous allez rester là pendant que je vais poursuivre ma nuit et réfléchir à votre sort.

– Je suis un marshal, ne faites rien que vous regretteriez ensuite. M'avoir attaqué pourrait déjà vous coûter cher.

– Marshal, ça reste encore à prouver, répondit Raoul d'un ton débonnaire. Je sais, je n'ai qu'à soulever votre veston, mais je n'en ai pas envie. Vous êtes entré chez moi par effraction, sans vous identifier et sans mandat. Vous conviendrez que tout ça n'est pas très légal.

– La porte était ouverte, bon sang !

– Sous prétexte qu'une porte n'est pas verrouillée, on s'autorise à entrer chez les gens ? Et le respect de la propriété privée alors ? On ne vous apprend pas ça à l'école des marshals ? Ne racontez pas de bobards, vous n'avez pas frappé, et vous étiez en train de fouiner chez moi. Un cambriolage, ça va chercher dans les combien ? Je devrais téléphoner à mon avocat pour lui demander. Ce qui me fait penser qu'il faudrait vraiment que j'aie un avocat. Je vais en chercher un dans l'annuaire et je reviens, à moins que vous ayez quelqu'un à me recommander ?

Tom lança un regard incendiaire à Raoul qui semblait s'en moquer éperdument.

– Un verre d'eau, peut-être ? Je ne voudrais pas passer pour un rustre.

– Je suis en mission, aboya Tom à bout de patience. Obstruction à la justice, c'est deux ans de taule, vous pouvez me croire sur parole.

– Quelle mission ? demanda Raoul en s'asseyant à son tour sur une chaise.

– Vous vous foutez de ma gueule ?

– Franchement, oui, et j'allais te poser la même question. Parce que ce n'est pas un simple marshal qui est entré dans mon club, mais une vieille connaissance ! Tu crois que sous tes rides et avec tes cheveux courts je ne t'ai pas reconnu ?

– Alors, arrête tes conneries, Raoul, et libère-moi, il faut qu'on parle.

– Ce sera avec plaisir, mais je préfère que tu restes attaché, parce que je vais vraiment aller roupiller deux heures, je suis épuisé. Ensuite, si tu es bien sage, je t'offrirai un café et on discutera un peu tous les deux.

Raoul se leva et avança vers l'escalier. Le pied sur la première marche, il se retourna vers son prisonnier.

– Si tu me réveilles en essayant de te libérer, ce qui avec ce genre de nœuds est impossible, je redescends t'en coller une et là, toi aussi fais-moi confiance, tu vas roupiller plus longtemps que moi !

Sur ce, il arbora un grand sourire et monta se recoucher.

*

Souvent, des images du passé surgissaient dans ses rêves. Au cours de sa captivité, Agatha y trouvait un certain réconfort. La nuit lui ouvrait les portes d'une liberté que le jour lui interdisait de vivre. S'il n'y avait eu les gardiens pour tambouriner aux portes des cellules avant le lever du soleil, elle aurait choisi de dormir durant toute sa peine. Éveillée, elle ne trouvait d'échappatoire à sa condition de prisonnière que dans la lecture ou l'écriture. Dès qu'elle s'emparait d'un crayon, nul mur, nul barreau ne pouvait l'empêcher de voyager.

Posée contre la vitre de l'Oldsmobile, sa tête dodelinait gentiment. Par moments, Milly détournait son regard de la route pour l'observer dormir. Elle souriait dans son sommeil, ses lèvres remuaient comme si elle parlait à quelqu'un et Milly se demanda à qui elle s'adressait.

Brad l'attendait dans un café de TriBeCa. Il portait une vareuse ouverte sur une chemise blanche et un pantalon gris. Il se leva pour l'accueillir, la cigarette au bord des lèvres, et se brûla les doigts en l'ôtant pour l'embrasser sur la joue. Qu'il manque d'assurance plaisait à Agatha.

Quel singulier flottement quand on se sent porté par un élan de joie et gêné à la fois. Elle ressentait la même chose et de le voir ainsi la rassurait beaucoup. Chacun évoquait le voyage qu'ils avaient fait ensemble, rappelant des souvenirs qui n'avaient pas trois mois, sans jamais mentionner l'instant où, accoudé au bastingage d'un ferry qui traversait le Mississippi, Brad avait passé son bras autour de la taille d'Agatha. Dans quelle circonstance opère l'alchimie qui connecte deux êtres ? Où prend-elle sa source ? Et d'où venait cette pudeur qui freinait leur ardeur ? Ils y songeaient tous deux sans oser se l'avouer. Pour se donner une contenance, Agatha lui parla des prochaines actions, mais Brad éludait le sujet, comme s'il ne voulait pas s'entretenir de cela avec elle. Il préférait l'interroger sur ses goûts, ses lectures, ce qu'elle souhaiterait faire plus tard. Il avait beau y mettre tout son cœur, il sentait bien que ses propos étaient dénués de toute originalité. Il la questionnait pour déguiser son trouble et elle lui répondait de la même façon.

Alors que la main de Brad s'approchait de la sienne, le café de TriBeCa disparut dans un brouillard opaque et sa voix s'éteignit avec lui.

Il réapparut sur l'estrade d'un amphithéâtre, Agatha avait pris place au premier rang. Derrière elle, des étudiants criaient, on votait à main levée la reconduction de l'occupation des lieux. Dans quelle université se trouvait-elle ? Frisco, Phoenix, New York ? Un fauteuil vide la séparait de sa sœur qui recopiait frénétiquement sur un carnet les propos des orateurs, comme s'il lui fallait noter chaque phrase, rapporter chaque instant du débat pour rédiger son article. Elle raturait sa feuille, le visage crispé, mordillant son crayon dès que Brad cessait de parler.

Les mots qu'elle couchait sur son carnet semblaient jaillir des veines qui saillaient à travers la peau fine de son cou.

Brad vint se rasseoir et, se penchant vers sa sœur, l'interrogea sur ce qu'elle avait pensé de sa prestation. Cette complicité, aussi illégitime que soudaine, la blessa. Elle quitta l'amphithéâtre pour arpenter les couloirs.

Une autre idée du bonheur

Un couple s'embrassait derrière des casiers à tiroirs qu'ils avaient ouverts pour se mettre à l'abri des regards indiscrets.

Un peu plus loin, trois filles assises à même le sol conversaient en mangeant. Agatha poussa une porte et descendit un escalier qui menait au sous-sol. De là, un souterrain relié aux égouts permettait de rejoindre la rue. Les étudiants l'utilisaient dès la tombée du soir pour aller chercher du ravitaillement au nez et à la barbe des flics qui encerclaient le campus.

Une fois dehors, elle longea le mur d'enceinte jusqu'au carrefour qu'elle traversa.

Elle marcha vers l'épicerie, mais en y entrant, elle se retrouva au milieu d'un salon bourgeois, jonché de corps nus et entremêlés, baignant dans un nuage de fumée âcre. Elle avança, pas à pas, cherchant Brad dans ces flots indignes. Elle l'appela de toutes ses forces et le vit relever la tête et lui sourire béatement. À ses côtés, sa sœur la regardait en ricanant. Elle voulut leur demander pourquoi ils l'avaient trahie, mais elle s'éveilla avant qu'ils n'aient pu lui répondre.

– Vous avez dormi presque quatre heures, dit Milly.

– Où sommes-nous ? questionna Agatha en ouvrant les yeux.

– À Bakersfield, toujours dans le Missouri, j'espère avoir pris le bon chemin. De toute façon, il faut que je m'arrête pour faire le plein et j'ai besoin de me dégourdir les jambes, je n'en peux plus de tenir ce volant.

– Moi aussi, j'ai besoin de me dégourdir, soupira Agatha.

– Rêve ou cauchemar ? Vous avez parlé plusieurs fois dans votre sommeil.

– Les deux, c'est un rêve que je fais souvent, il commence bien et finit mal.

– Il fut un temps, dit Milly, où je redoutais d'aller me coucher. Je luttais jusqu'au dernier moment, jusqu'à ce que la fatigue m'emporte. Rien ne m'effrayait plus que cet état de semi-conscience où, dans le noir, le moindre bruit devient l'écho de vos peurs, le silence, un rappel de votre propre mort, ou, pire encore, de celle des êtres que vous aimez.

– C'était après la disparition de ta mère ?

– Non, c'était chaque soir de mon enfance et de mon adolescence.

– Parle-moi de ta mère. Pourquoi serais-je toujours la seule à me confier ?

– Maman était une artiste, mais ses peintures ne trouvaient preneur que pour des sommes modestes dans les vides-greniers qu'elle organisait du printemps à la fin de l'été. Pour survivre elle enchaînait les petits boulots. Quand elle n'aidait pas la fleuriste à tailler ses roses, piquer des couronnes mortuaires ou confectionner des bouquets de mariage, elle donnait des cours de soutien à des élèves du coin. Guitare, anglais, histoire, algèbre, tout y passait. Aux mois d'hiver, il lui arrivait même de s'improviser chauffeur. À bord de son pick-up, elle allait chercher des voisins pour les conduire chez le médecin, le coiffeur, se ravitailler en bois, faire des courses chez l'épicier ou dans les centres commerciaux de Santa Fe. Les années où nous connaissions une misère qui n'avouait pas son nom, elle aurait pu solliciter une aide de la mairie, mais sa fierté était de nous donner un toit et de n'avoir jamais laissé entrer la faim dans sa maison. Quand j'en avais assez de faire semblant, elle me remontait le moral en me disant que nous étions différentes des autres et que nous nous suffisions à nous-mêmes. Mais cette différence, je l'avais prise en horreur. Notre dénuement ne passait pas inaperçu et la condescendance des mères de mes copines, quand j'étais invitée à leurs goûters d'anniversaires, me marquait au fer rouge. J'étais toujours mal fagotée, mes pulls trop grands ou trop petits. L'école est cruelle.

– Je ne comprends pas, quand nous étions au Christmas Center, tu m'as pourtant dit qu'enfant ta mère te gâtait beaucoup ? interrogea Agatha.

– Vous n'avez jamais menti par fierté ? J'ai toujours été fière, c'est comme ça, je n'y peux rien. Je n'en ai pas l'air, reprit Milly, mais au collège, je me suis souvent battue avec les filles qui se moquaient de moi.

– J'espère que tu leur as collé de belles dérouillées, à ces pestes !

– Il arrivait que ma grand-mère débarque à l'improviste quand maman était absente, elle me glissait quelques dollars en poche et remplissait le garde-manger. Maman savait très bien que les bocaux de conserves n'étaient pas apparus par magie, mais elle faisait comme si de rien n'était.

– Elles ne s'entendaient pas bien ?

– Elles s'adressaient à peine la parole. Je les ai toujours connues fâchées, et je n'ai pas réussi à savoir pourquoi. Maninia, c'était le surnom que je donnais à grand-mère, avait deux filles, maman était l'aînée, la cadette est morte avant ma naissance. Je n'ai jamais vu une seule photo de ma tante. La perte d'un enfant est une plaie qui ne cicatrise jamais, disait Maninia et il était interdit de lui parler de sa fille qu'elle avait perdue. Les rares fois où j'ai tenté d'aborder le sujet, elle se fermait comme une huître et s'en allait. Je n'ai pas insisté, je ne voulais pas la faire souffrir avec ma curiosité. C'est doux et fragile, une grand-mère.

Agatha se détourna vers la vitre.

– Maninia était ma complice, ma confidente, avec elle je n'avais plus besoin de mentir, poursuivit Milly. La perdre fut le plus grand chagrin de ma vie. Elle m'a offert sa voiture et ma liberté avec. Je crois aussi qu'elle voulait pouvoir continuer à contrarier ma mère, même après son dernier souffle.

Milly jeta un regard à sa passagère et vit dans le reflet de la vitre des larmes rouler sur ses joues.

– Vous êtes triste ?

– Je suis désolée, murmura Agatha. La fatigue me rend émotive, j'ai vécu beaucoup de choses ces derniers jours et je n'ai plus l'habitude.

– C'est moi qui suis désolée, je n'aurais pas dû vous raconter cela, je ne voulais pas vous faire de peine. Et puis mon enfance n'était pas si noire, nous avons connu des moments formidables. Nous étions fauchées, mais avec le recul, c'est vrai que nous étions différentes, et dans le bon sens du terme. Maman était une femme géniale, elle avait de l'humour, un moral d'acier, elle était courageuse, son optimisme forcené frisait souvent l'insouciance, pourtant je crois que c'est elle qui avait raison. Elle disait tout le temps qu'elle n'aimait pas les gens, mais ça aussi c'était un mensonge. On pouvait compter sur elle, et ceux qui avaient appris à la connaître l'adoraient. Vous vous seriez bien entendues.

– C'est possible.

Milly s'arrêta à une station-service et remplit le réservoir. Agatha alla payer l'essence et revint les bras chargés de sucreries.

– Marshmallows, réglisse ou chocolat ? Je n'ai rien à moins de cent calories !

– Attendez-moi ici, dit Milly, je vais téléphoner à Frank.

Pour toute réponse, Agatha se contenta d'ouvrir le paquet de sucreries, et les avala sans retenue.

Milly s'éloigna, son téléphone à la main. Agatha l'observait du coin de l'œil. La conversation durait, et lorsque Milly s'aperçut qu'Agatha l'épiait, elle s'éloigna davantage en soupirant.

Quelques instants plus tard, elle reprit place derrière son volant et démarra.

– Il va bien ? demanda Agatha d'une voix légère.

– Nous allons bientôt arriver à Eureka, j'ai l'impression que la pluie nous y attend, le ciel s'obscurcit à vue d'œil.

– Si ma conversation t'ennuie, tu n'as qu'à me le dire.

– Il travaille beaucoup et il aimerait que je rentre.

– Pour que tu t'occupes de lui ?

– Parce que je lui manque ! assura Milly, agacée.

– Et à toi, il te manque ?

– Qu'est-ce que vous avez contre lui ?

– Absolument rien, je ne le connais même pas. D'ailleurs, j'adorerais en savoir un peu plus. Quel genre d'homme est-il ? Les seules histoires d'amour dont j'ai été témoin, je les ai lues dans des livres.

Milly fit le récit de sa rencontre avec Frank, vanta ses qualités, sa présence rassurante. Entre eux, il ne s'agissait pas d'une passion dévorante, mais d'une relation sans conflit, une vie à deux qui se construisait peu à peu, sans heurts, ni mensonges, que demander de plus ?

Après quelques virages, la route plongeait en ligne droite vers une vallée immense fermée à l'ouest par une chaîne de collines. Derrière des clôtures blanches qui s'étendaient à perte d'horizon, des hordes de chevaux paissaient dans des prairies si vastes qu'ils semblaient vivre à l'état sauvage. Trois miles plus loin, les barrières s'ouvraient sur un chemin de terre qui grimpait vers le nord.

– Tourne là, dit Agatha.

L'Oldsmobile s'engagea sur la piste, deux pintos la suivirent du regard et se lancèrent au galop. Milly releva le défi et appuya sur l'accélérateur tandis qu'Agatha, les yeux écarquillés, s'efforçait de retenir ses cheveux au vent. Milly poussait de grands cris parodiant les cow-boys qui rabattent le bétail, mais les chevaux gagnèrent allègrement la course ; ils filèrent au loin et Milly leva le pied.

Devant elles apparut une demeure coloniale qu'on aurait crue sortie des décors d'*Autant en emporte le vent.*

– Ce domaine appartient à votre ami ?

– J'en ai bien l'impression. Max m'avait prévenue, mais cela dépasse de loin ce que j'avais pu imaginer.

– Vous croyez qu'il me laisserait monter à cheval ?

– Tu l'as déjà fait ?

– J'ai grandi dans le Sud, dans un pays où il y a plus de pistes que de routes goudronnées. Chez nous, tout le monde savait monter à cheval. Maman

était excellente cavalière. Équitation ou moto, du
moment que je pouvais m'adonner aux joies de la
vitesse sur les chemins de traverse...

– Un vrai garçon manqué !

– Il fallait bien qu'il y ait un homme à la
maison, répondit Milly en se rangeant sous l'auvent.

Un majordome se présenta sur le perron. Le
sourcil relevé, il toisa ces deux femmes échevelées au
visage couvert de poussière.

– Les écuries se situent de l'autre côté de la propriété, dit-il d'une voix empruntée. Retournez à la
route, prenez la direction d'Eureka, vous trouverez
un chemin un peu plus loin.

– J'ai une tête de palefrenière ? demanda
Agatha en avançant vers lui.

Le majordome, décontenancé, observa Milly.

– Madame Daisy et son chauffeur, peut-être ?

– Non, madame « je vais te coller mon pied au
cul » si tu continues à me parler sur ce ton-là !

– Je suis désolé, mais nous ne faisons pas visiter
le domaine aux touristes et nous n'avons rien à
acheter aux démarcheurs en tout genre qui nous
importunent à longueur d'année. Au cas où cela
vous aurait échappé, vous êtes sur une propriété
privée, allez ouste, demi-tour !

– Alfred, allez dire à Monsieur qu'une vieille
amie l'attend devant sa porte.

– Je me prénomme Willem, Monsieur est
absent, et je n'ai aucun rendez-vous figurant sur
l'agenda du jour, je crains...

– Dites à Quint qu'une sœur de Soledad est venue lui rendre visite, et ne traînez pas, mon garçon. Un, vous commencez à me courir sérieusement sur le haricot, et deux, nous avons passé la journée sur la route, alors ouste comme vous dites ! Et un rafraîchissement ne serait pas de refus.

Le majordome tourna les talons, ébranlé par la détermination de cette singulière visiteuse.

– Sois gentille, demanda Agatha à Milly, va chercher mon sac dans la voiture, je voudrais saluer Quint en privé.

Impressionnée par son aplomb, Milly ne chercha pas à discuter. Elle redescendit les marches et s'en alla.

Quint apparut sur le perron, son air suspicieux se mut en un grand sourire dès qu'il reconnut Agatha. Pour tout bonjour, elle lui administra une paire de gifles.

– La première, c'est pour m'avoir si souvent rendu visite en prison, et la seconde pour ta conduite grossière la dernière fois que je t'ai vu.

– Je m'apprêtais à dire : « Hanna, quelle formidable surprise », s'exclama Quint en se frottant la joue, mais j'étais loin du compte.

– Hanna n'existe plus, je m'appelle Agatha. Tâche de ne pas l'oublier, surtout que nous ne sommes pas seuls. Et à propos de comptes, maintenant que les nôtres sont à jour, tu peux me prendre dans tes bras et m'embrasser.

Ce que Quint fit aussitôt en l'invitant à entrer.

Milly, que la scène avait laissée médusée, se tenait vingt pas en arrière.

– Ferme la bouche, tu vas avaler une mouche, et ne reste pas plantée là, lui cria Agatha.

– Qui est-ce ? chuchota Quint.

– Une jeune femme qui m'a prise en stop, nous avons sympathisé en route. Fais attention à ce que tu dis devant elle, répondit Agatha à voix basse.

Le majordome voulut la débarrasser de son sac, mais Agatha s'y accrocha fermement et lui fit les gros yeux.

– Je suis désolé pour tout à l'heure, madame, souffla-t-il.

– Ne soyez jamais désolé de faire votre boulot, et soyez tranquille, je ne suis pas une balance, dit-elle en avançant dans le couloir. Allez chercher mon amie, je ne sais pas ce qui lui prend, elle est tétanisée.

Le majordome, qui n'avait rien oublié de leur précédente conversation, demanda à Agatha ce qu'elle souhaitait boire.

– N'importe quel alcool fort, mais discrètement, si vous voyez ce que je veux dire, j'ai une réputation à tenir.

Le majordome s'inclina et partit à la rencontre de Milly.

Quint guida son invitée vers le salon. Les boiseries étaient recouvertes de tableaux sombres, éclairés par de petites lampes de musée, les meubles, en marqueterie précieuse, encombrés de bibelots. Ornements au plafond, moulures autour des portes et fenêtres, tout était d'un style abusivement chargé.

– Tu as cambriolé Fort Knox ? questionna Agatha en s'enfonçant dans un canapé moelleux.

– Plus malin que ça ! Au lieu de m'obstiner à changer le système, j'en ai tiré profit. Puisque je ne pouvais le détruire, je l'ai défié. Et j'ai gagné.

– À moins qu'en devenant son serviteur tu te sois laissé grassement payer.

– Question de point de vue, en attendant, avec ce que je verse chaque année à des associations caritatives, j'agis plus concrètement contre la pauvreté qu'à l'époque où nous imprimions des tracts dans des sous-sols obscurs.

– Tu le fais pour les plus démunis ou pour apaiser ta conscience ?

– L'apaiser de quoi ? De vivre dans l'aisance ? J'ai donné de ma personne durant toute ma jeunesse, je n'ai rien oublié, ni d'où nous venons, ni ce que nous avons fait, et encore moins pourquoi, mais j'ai la certitude de faire plus de bien autour de moi aujourd'hui que nous ne le faisions hier. Ne me juge pas sans savoir. Ce système que nous haïssions tant, je l'ai pressé, et je redistribue une grande partie de ce que je gagne. Je finance des écoles, deux dispensaires, une maison de retraite, j'ai créé cent emplois dans la région et je ne fais pas semblant d'être un saint. Je n'en dirai pas autant d'un grand nombre de nos gouvernants.

– Je ne t'avais rien demandé et je ne suis pas là pour te juger. Tu mènes ta vie comme tu veux, et si tu aides les autres, alors tant mieux, je ne pourrais pas prétendre avoir accompli quoi que ce soit pour mon prochain depuis trente ans.

– Alors changeons de sujet, j'ai déjà reçu une paire de gifles, essayons d'avoir une conversation agréable. Quand t'ont-ils libérée ?

– Je suis sortie en cachette, par la petite porte, lâcha Agatha, en prenant un certain plaisir au trouble qu'elle provoquait chez Quint.

– Tu es en cavale ?

– Oui, et maintenant que tu le sais, chaque minute qui passe fait de toi mon complice.

– En quoi puis-je t'aider, Agatha ?

– C'est amusant, répondit-elle, à l'époque je trouvais déjà ton vocabulaire précieux ; que tu élèves des chevaux au milieu de nulle part n'y a rien changé, cette grandiloquence m'a toujours semblé si naturelle chez toi.

– Et c'est un compliment ou une critique ?

– Un constat. Ma sœur m'a dit qu'elle t'avait rendu visite pendant que j'étais en prison.

– Si tel avait été le cas, j'en aurais été le premier étonné, et mon langage aurait certainement perdu l'élégance que tu lui attribues. Je vais être direct, l'eau a coulé sous les ponts et les secrets d'alcôves n'ont plus lieu d'être. Nous avions eu une liaison, elle et moi, et qui ne s'est pas achevée dans la dentelle. Tu étais trop petiote à l'époque pour t'en apercevoir, mais ta sœur avait la cuisse légère et un esprit retors. Moi, j'étais un jeune homme fragile, de ceux qui ne sont pas certains d'être attirés par les filles, et même si nous étions en pleine révolution sexuelle, faire son coming-out n'était pas encore à la mode. Ta sœur était différente, si combative. Un homme dans un corps de femme. Elle m'a rendu fou d'elle, et s'est bien servie de moi. J'étais son bras armé, elle me faisait faire tout ce qu'elle voulait, pour elle je courais des risques inacceptables. Si elle m'avait demandé d'aller libérer George Jackson, j'aurais probablement attaqué sa prison. Je la croyais sincère, mais j'étais bien naïf ! Pendant que j'exécutais ses ordres, elle en sautait un autre, et un autre, puis encore un autre.

— Ça suffit, Quint, j'en ai assez entendu.

— Je suis le dernier à qui ta sœur aurait rendu visite, elle savait pertinemment qu'elle n'aurait pas été la bienvenue.

Le majordome fit irruption dans le salon, escortant Milly. Il servit des rafraîchissements, adressa un clin d'œil à Agatha en posant sur la table basse un verre de jus d'orange dans lequel il avait versé une vodka bien tassée, et s'esquiva.

— Milly rêverait de monter à cheval, tu crois que ce serait possible ?

– Vous êtes bonne cavalière ? l'interrogea Quint.

– Je me débrouille, répondit Milly.

– Ce ne sont pas les montures qui manquent, je vais faire seller une bête, un de mes hommes vous escortera. Il y a de beaux paysages dans la région, le soleil sera couché dans deux heures, mais cela vous laisse le temps d'une jolie promenade, à condition de ne pas tarder.

Quint prit son téléphone, appela le majordome et lui transmit ses instructions. Quelques instants plus tard, la porte du salon s'ouvrit et Milly, plus heureuse que jamais, partit en remerciant son hôte.

– Soyez prudente, nos chevaux sont fougueux.

– Ne vous inquiétez pas, dit Milly en s'en allant.

– Moi, je m'inquiète, protesta Agatha en vidant son verre cul sec, tu vas me faire le plaisir de lui confier un canasson docile, je ne veux pas qu'il lui arrive quelque chose.

Quint poussa un soupir exaspéré.

– Maintenant que nous sommes seuls, dis-moi pourquoi tu voulais savoir si j'avais revu ta sœur ?

– Puisqu'elle ne t'a pas contacté, cela n'a aucune importance. Tu peux nous héberger cette nuit ?

– Cette nuit et le temps que tu voudras, cette demeure est gigantesque, j'ai six chambres d'amis, mais elles ne sont jamais occupées. En attendant que le dîner soit servi, tu as peut-être envie de te rafraî-chir ?

– Ma coiffure ne te plaît pas ? demanda Agatha.
– Franchement ma chère, je te trouve crasseuse
au possible, monte prendre un bain.
– Franchement mon cher, on dirait Rhett
Butler, et ce n'est pas un compliment !

Agatha quitta le salon et gravit le grand escalier
qui menait aux appartements des invités. Elle se
retourna au haut des marches et contempla
l'immensité de la demeure de Quint. En entrant
dans la suite, où le majordome avait déposé son
bagage, elle fut prise d'un vertige. De toute sa vie,
elle n'avait jamais vu pareil luxe. Une baignoire
se fondait dans le parterre de marbre d'une salle de
bains aux dimensions démesurées. Au-dessus d'une
vasque en lapis, un miroir encadré de dorures lui
renvoya l'image de l'existence à laquelle elle s'était
résolue.

Baignant dans une eau moussante et parfumée,
Agatha vit défiler devant ses yeux une succession
d'images : le visage de sa mère lui intimant l'ordre
de ne pas quitter la maison, sa sœur l'entraînant dans
la nuit, des fragments du voyage qu'elles avaient fait
ensemble à travers le pays, la porte de la prison se
refermant derrière elle. La salle carrelée où on
l'avait déshabillée et humiliée avant de lui confisquer
ses affaires, le matricule inscrit sur la combinaison
orange qui serait désormais son unique tenue, le
long couloir où elle avait marché, chevilles et poignets

enchaînés, la fureur des détenues qui cognaient aux barreaux pour accueillir l'ingénue que l'on jetait en cage, ce corridor qui n'en finissait plus alors qu'elle s'enfonçait dans la captivité. Elle frissonna en entendant l'écho des bruits de la prison, le claquement des verrous, le grincement de la robinetterie des douches, le murmure sourd de la violence, ultime rempart au désespoir de ceux qui n'ont plus rien à perdre. Elle avait vécu en enfer et se trouvait soudain au milieu d'un éden. Elle suffoqua, sa gorge se serrait ; croyant étouffer, elle se jeta hors du bain et s'écroula au sol.

Il lui fallut un long moment pour reprendre son calme. Quand les battements de son cœur s'apaisèrent enfin et que sa respiration fut redevenue normale, elle se releva, enfila un peignoir et alla s'habiller.

En chemin vers le salon, elle croisa le majordome qui l'informa que Monsieur l'attendait dehors, avant de l'y escorter.

*

Quint était assis sur les marches du perron.

– On pourrait recommencer à zéro ? dit-il en l'entendant arriver.

– Recommencer quoi ?

– Nos retrouvailles. J'ai détesté ce moment au salon. Tu sais, sous mes grands airs, je n'ai pas

changé tant que ça. On m'avait dit que la cinquantaine apportait sérénité et confiance en soi, chez moi
elle est arrivée les mains vides. Les doutes, les
angoisses, ce sentiment permanent de mal-être ne
m'ont jamais lâché. Je repense très souvent à ce que
nous avons vécu.

– Tu aurais une cigarette ? demanda Agatha en
s'asseyant près de lui.

– Je vais t'en faire porter une.

– Non Quint, je voudrais que tu ailles me la
chercher, toi, et que tu reviennes avec deux bières
fraîches, que nous boirons au goulot. Alors, je
retrouverai peut-être celui que j'ai connu.

Quint obtempéra et réapparut quelques instants
plus tard, après avoir troqué son pantalon de velours
côtelé et sa chemise blanche pour un jean usé et un
tee-shirt noir.

– C'est mieux comme ça ?

– Ça te ressemble plus, enfin, tout du moins au
souvenir que j'avais de toi.

Quint glissa deux cigarettes entre ses lèvres,
craqua une allumette, les alluma, et en tendit une
à Agatha. Elle inspira une longue bouffée avant de
recracher la fumée en toussant.

– Dis donc, il n'y a que du tabac là-dedans ?

– Presque ! répondit Quint, hilare.

– Comment le jeune homme en guenilles que
j'ai connu a-t-il aussi bien réussi dans la vie ?

– Je te raconterai cela à table, au moins je
n'aurai pas à tourner sept fois ma langue dans ma

bouche de peur de gaffer devant ton amie. Tout à l'heure, j'ai failli plusieurs fois t'appeler par ton vrai prénom.

– Sois vigilant devant elle, je t'en supplie.

– Tu m'as pris pour une andouille ou c'est juste une coïncidence ? Parce que la ressemblance entre cette Milly et...

– Oui, interrompit Agatha, Milly est ma nièce. Elle ne le sait pas et je tiens à ce qu'il en soit ainsi.

– Je vois. Et tu as emprunté le prénom de ta sœur pour que les choses soient encore plus simples ?

– Milly n'était pas née quand nous avons échangé nos identités. Pour elle, sa mère s'est toujours prénommée Hanna. En reprenant mon véritable prénom, je risquais de lui mettre la puce à l'oreille.

– Pourquoi ne rien lui dire ? Ne me raconte pas que c'est le hasard qui vous a réunies ?

– Max a donné un coup de main au hasard, je savais où et quand la trouver, elle mène une vie d'une régularité affligeante.

– Tu n'as pas répondu à ma question.

– Elle ignore tout, de mon existence, du passé de sa mère et de ce qui est arrivé entre nous.

– Elle ne savait même pas qu'elle avait une tante ?

– Si, mais on lui a raconté que j'étais morte avant sa naissance.

– Ta sœur a osé prétendre une chose pareille ?

– Plus triste encore, c'est maman qui m'a mise dans la tombe.

– Je suis désolé, soupira Quint. C'est une nouvelle qui a dû te faire beaucoup de mal.

– J'aurais pu m'en douter, maman ne m'a jamais pardonné. Ni à son autre fille d'ailleurs. Quant à Milly, je voulais la connaître, j'en ai rêvé pendant tant d'années. Mais je ne veux pas bouleverser son existence.

– C'est pour elle que tu t'es évadée ?

– Pour elle, et d'autres choses qui nous concernent toutes les deux.

– Que puis-je faire pour t'aider ?

– Après ce que tu m'as dit, rien.

Deux cavaliers approchaient au galop. Agatha admira la façon dont Milly maîtrisait sa monture.

– Ta nièce ne manque pas d'allure, s'enthousiasma Quint. On peut même dire qu'elle sait y faire.

Et étrangement, Agatha s'enorgueillit de ce compliment.

– Je t'en prie, Quint, sois attentif à ce que tu dis devant elle.

– Ne t'inquiète pas, je sais garder un secret.

– Tu as maintenu des contacts avec la bande ?

– Non, répondit Quint. J'ai toujours été le mouton noir du groupe, celui qu'on tolérait, mais qu'on ne respectait pas vraiment.

– Tu dis cela à cause de la couleur de ta peau ?

– Ne sois pas idiote, c'était juste une image.

– J'avais compris, mais je trouvais cela drôle.

– À peine sorti de la clandestinité, j'ai retrouvé un ancien copain des Black Panthers que j'ai fréquenté quelque temps. Plus tard, à l'époque où je débutais ici, j'ai hébergé une fille du SDC qui avait besoin d'un boulot et d'un toit. Une certaine Jennifer, tu ne l'as pas connue. Elle se débrouillait bien avec les chevaux, et puis un jour elle est partie, jamais revue ! Quant aux autres, il m'est arrivé d'avoir de leurs nouvelles, mais plus depuis longtemps. Et toi ?

– Max est le seul à être venu me voir, une fois l'an ; Lucy le faisait au début et puis ses visites ont cessé. Raoul m'écrivait une à deux fois par an. Pour le reste, ce fut le silence. Je n'en veux à personne, je suppose que chacun a essayé de sauver sa peau.

– J'aurais voulu en être capable, mais j'avais trop peur. Entrer dans la prison, affronter le parloir et les fouilles était au-dessus de mes forces.

– Tu n'as pas à te justifier, Quint. Puisque tu as été si proche d'Agatha, tu dois savoir en qui elle avait confiance ?

– Ta sœur ne faisait confiance à personne. Elle s'entendait bien avec Vera, je crois même qu'elles ont couché ensemble, mais je n'en ai jamais eu la preuve. Avec Robert aussi, le cousin de Max, je ne sais pas si tu te souviens de lui, un vrai tocard, et puis Bill qui est également passé dans son lit. Qu'est-ce que tu cherches à savoir ?

– Je te le répète, à qui elle faisait le plus confiance.

– J'aimerais pouvoir te renseigner, mais je l'ignore.

– Vera vit toujours à Woodward ?

– Qui te l'a dit ?

– Max n'a jamais vraiment raccroché, il est notre mémoire collective. Il sait ce que chacun est devenu. Je n'aurais pas pu me faire la belle sans lui, et encore moins retrouver Milly.

– Vera est enseignante, elle a épousé un type bien. La dernière fois que je l'ai croisée remonte à des années, c'était à l'occasion d'une course hippique en Oklahoma, elle était pareille à elle-même ; toujours aussi fière et belle. Tu comptes aller la voir ?

– C'est possible.

– Et après, tu iras où ?

– Jusqu'à l'océan, si j'y arrive. J'ai rêvé d'horizon à perte de vue pendant des années, j'aimerais m'offrir ça.

Milly et son guide chevauchaient au pas, elle tira sur les rênes pour arrêter sa monture devant la maison. Quint la félicita alors qu'elle mettait pied à terre, essoufflée et radieuse.

– Merci, c'était merveilleux.

– Vous êtes bonne cavalière, répondit-il en caressant l'encolure du pinto.

Il fit signe au guide de reconduire les chevaux aux écuries, Milly resterait avec eux.

– Allez vite vous doucher, nous allons bientôt passer à table.

Milly ne se le fit pas répéter. Elle salua le guide et s'éclipsa.

*

Au cours du dîner, Quint, à la demande d'Agatha, accepta de raconter des pans de son passé.

– Je suis arrivé ici, il y a vingt ans, avec pour seul bagage ma négritude et ma colère. John, le propriétaire des lieux, m'avait pris en stop sur la route. Il revenait d'Albuquerque où il était allé enterrer sa femme. J'aurai dû lui mentir, mais je ne sais pas pourquoi, je lui ai dit la vérité. Je sortais de prison où je venais de passer six mois pour un vol à l'étalage. Un juge raciste m'avait infligé ce châtiment, à mille lieues de se douter qu'il aurait pu me condamner pour des crimes bien plus graves. J'avais participé à des manifestations interdites, cogné sur des flics, fait sauter des bâtiments publics, et je partais à l'ombre pour trois boîtes de conserve et deux tablettes de chocolat chapardées chez un épicier, parce que je crevais de faim. Ce juge n'a jamais compris pourquoi ce type qu'il venait de condamner paraissait si soulagé à l'écoute de sa sentence. J'ai eu de la chance, ils m'ont envoyé à la prison du comté, ce n'était pas la pire. Je me suis tenu à carreau. J'ai subi toutes les humiliations, brimades et violences, celles des gardiens comme celles des prisonniers, sans jamais broncher. Je comptais les jours, veillant à ne pas leur donner de prétexte pour prolonger ma détention.

Quint regarda fixement Milly.

– Tu veux savoir quel était le quotidien d'un Noir en prison ? Les matons encourageaient les conflits raciaux et les bagarres entre membres des différentes communautés. Pour tuer le temps, ils faisaient des paris et donnaient des armes aux prisonniers qui avaient leurs faveurs. Aux Blancs quand ils s'en prenaient aux Latinos, aux Latinos quand ils s'en prenaient à nous. Pour se faire bien voir du corps pénitentiaire, il fallait accepter de provoquer les autres. Nous pousser à nous entre-tuer était leur distraction favorite. Ils ordonnaient à un Cubain de jeter un seau d'excréments dans la cellule d'un nègre, en lui disant que c'était de la part de Malcolm X ; aux Blancs, ils prétendaient avoir entendu l'un des nôtres jurer que dès qu'il serait libre il irait violer leurs femmes, ou bien ils nous forçaient à mettre du verre pilé dans la nourriture d'un prisonnier, n'importe lequel du moment que sa peau était d'une couleur différente. Rien ne les réjouissait plus que de cultiver la haine entre les détenus, d'entretenir ce climat de terreur capable de détruire le plus solide des hommes. La façon dont ils nous traitaient n'avait d'autre but que de nous anéantir, mais je n'ai pas cédé. Ces types en uniforme qui nous tabassaient à longueur de journée, s'empiffraient devant nous, alors que nous ne mangions pas à notre faim, parce que le gouverneur de l'État avait décidé de faire diminuer de moitié les rations alimentaires des prisonniers. Ces hommes, qui nous envoyaient au cachot si notre regard osait croiser le leur, quand ils ne nous tiraient pas une balle dans la tête en toute impunité, allaient en famille le dimanche à la messe invoquer la miséricorde du Seigneur. Les gens médiocres se réfugient dans une ferveur religieuse qui leur donne le sentiment que tout ce qu'ils font est normal, puisque Dieu est de leur côté. Leur brutalité ne connaissait pas de limite, mais chaque fois que les coups pleuvaient, je pensais aux averses de napalm sur les gosses au Vietnam et je me disais que je n'étais pas le plus mal loti. J'ai tenu bon, et ils m'ont laissé sortir. Que pouvais-je faire une fois dehors ? Me tuer onze heures par jour dans une usine, je n'en avais plus la condition physique. Enfiler une livrée, devenir portier et me prosterner devant des Blancs qui dépensaient en un repas au restaurant plus que je ne pouvais gagner en un mois ? J'aurais pu choisir de devenir plongeur dans un café, j'ai préféré la route et la liberté. Je marchais depuis cinq jours, me jetant dans les fossés chaque fois qu'une voiture passait, de peur qu'on me remette au trou pour vagabondage. J'étais à bout de forces, si faible que je n'ai pas eu le temps de me cacher quand John est arrivé à bord de son automobile. Je ne sais pas ce qui m'a poussé à raconter ma vie à cet inconnu qui avait bien voulu me prendre en stop. J'avais de la peine à croire qu'il se soit arrêté pour moi. John m'a écouté sans rien dire. Je puais la sueur rance, et il n'a même pas ouvert sa vitre. Il était impossible que mon odeur ne l'incommode pas. Je lui en ai fait poliment la remarque en m'excusant, et pour la première fois, j'ai entendu sa voix. Il m'a dit : « Mon garçon, j'arrive d'un enterrement, rien de vivant ne peut puer plus que la mort, mais si le parfum de mon eau de toilette te dérange, tu peux baisser ta vitre. » Il m'a conduit chez lui, pas dans cette maison, mais dans le lotissement qui jouxte les écuries. De là où je venais, c'était d'un luxe inouï. Il y avait une chambre rien que pour moi, un lit avec de vrais draps, une table, une chaise rembourrée, une salle de douche avec un lavabo, un miroir, et des toilettes propres. John m'a fait porter des vêtements et un repas chaud. Il m'a dit qu'il passerait me voir le lendemain et m'a souhaité bonne nuit. Au matin, il a frappé à ma porte en criant qu'il m'attendait dehors. J'étais méfiant, personne ne pouvait être aussi généreux sans espérer quelque chose en retour. J'ai pensé qu'il allait me demander de faire un sale coup, qu'il avait peut-être besoin d'un homme de main pour assouvir une vengeance ; après tout, il arrivait d'un enterrement. Pendant que je m'habillais, de mauvaises idées me passaient par la tête. Je suis sorti, le soleil me brûlait les yeux, il était au volant d'un pick-up, j'ai grimpé à bord et nous sommes partis. J'ai connu des Blancs qui prenaient plaisir à livrer un Noir aux flics en inventant un crime qu'il n'avait

pas commis, pour le seul plaisir d'affirmer leur supé-
riorité. Pendant que John conduisait, je gardais la
main sur la poignée de la portière, prêt à sauter à
tout moment et à prendre mes jambes à mon cou.
John n'était pas très bavard et son silence ne me rassurait pas. Il s'est garé devant un *diner* et m'a
demandé si je ne voyais pas d'inconvénient à
prendre mon petit déjeuner en sa compagnie. Il
fallait voir la salle quand nous sommes entrés. Le
silence, la façon dont les gens nous regardaient,
immobiles et bouche bée, à croire que le temps
s'était figé. John était un homme très respecté dans
la région, personne n'a rien osé dire. Nous nous
sommes installés dans un box, la serveuse s'est
approchée et lui a demandé ce qu'il voulait. Puis elle
s'est tournée vers moi et m'a dit : « Et pour monsieur, qu'est-ce que ce sera ? » Ce « monsieur », je
l'entends encore. Il valait tous les repas du monde,
c'était comme si elle m'avait offert ma dignité sur un
plateau d'argent. Personne ne m'avait encore appelé
« monsieur ». Je lui ai répondu : « Des œufs et
beaucoup de bacon, s'il vous plaît, mademoiselle. »
John a crié à la cantonade : « C'est calme ce matin,
on enterre quelqu'un ? » Tout le monde s'est senti
gêné, parce qu'il venait de porter sa femme en terre.
Après quelques toussotements, les gens ont repris
leur repas et leurs conversations. John m'observait
sans rien dire et, à la dernière bouchée avalée, il m'a
emmené en ville m'acheter des affaires, un nécessaire de toilette, et m'a conduit chez le coiffeur. Assis

sur le fauteuil en moleskine, je craignais que le barbier me taille un sourire d'une carotide à l'autre, et de finir comme ça, me vidant de mon sang après le repas du condamné. La prison te donne des idées tordues. J'ai eu droit au service princier : rasage avec serviettes chaudes parfumées à la lavande et coupe de cheveux aux ciseaux. Quand nous sommes repartis, John m'a dit que si j'avais le goût du travail, il pourrait m'apprendre le métier. Je lui ai dit : « Quel métier ? » « À ton avis, qu'est-ce qu'on fait dans des écuries, sinon de l'élevage de chevaux ? » m'a-t-il répondu. Quand je lui ai demandé pourquoi il faisait ça pour moi, il m'a regardé droit dans les yeux et a prononcé cette phrase que je n'oublierai jamais : « Je crois que le monde te doit pas mal de choses, il fallait bien que quelqu'un commence, n'est-ce pas ? » Il a été mon mentor et m'a tout enseigné. Soigner les chevaux, les nourrir, savoir discerner dès leur plus jeune âge ceux qui feront de bonnes montures pour encadrer le bétail, ceux qui en ont assez dans les jambes pour supporter les transhumances, les bêtes à concours, les indomptables bons pour les rodéos. Trois ans plus tard, il m'initiait à la comptabilité, m'emmenait avec lui dans les ventes en me traitant toujours d'égal à égal. D'année en année, il m'a confié plus de responsabilités. Cela n'a pas été facile de s'imposer dans cette région, l'idée qu'un homme de couleur prenne du galon dans un ranch aussi grand ne plaisait pas à tout le monde. John et moi nous sommes même battus un soir avec des fermiers qui nous avaient insultés. On a pris des coups, mais ces bouseux ignoraient où j'avais fait mes armes. J'en connais un qui cherche encore le lobe de son oreille dans un champ de maïs et d'autres qui baissent les yeux quand ils me croisent. Parfois, on nous volait des bêtes, on saccageait nos clôtures, on peinturlurait les trois K[1] sur le portail. John savait très bien que ces actes n'avaient rien de gratuit, mais il serrait les dents et les ignorait. Le temps a passé, j'ai fini par gagner le respect des gens du coin et l'estime de ceux qui travaillent au ranch. À sa mort, John m'a légué le domaine. Il n'avait pas de famille et sa dernière volonté était d'être enterré sur ses terres. Je passe le saluer chaque jour, il dort au haut d'une colline sur laquelle tu as dû galoper tout à l'heure.

Quint termina son plat sans plus rien dire. Au moment du dessert, Milly proposa de trinquer à la mémoire de John. Agatha esquissa un drôle de sourire et leva son verre.

– Comment vous êtes-vous connus, tous les deux ? demanda Milly.

– Je ne me souviens plus des circonstances, ni de l'endroit, avoua Quint.

– C'était à Kent State, dans l'Ohio, répondit Agatha, au lendemain d'une manifestation d'envergure contre l'invasion du Cambodge, qui avait mal tourné. La Garde nationale avait ouvert le feu

---

1. Sigle du Ku Klux Klan, organisation suprématiste blanche.

sur nous. Quatre étudiants étaient tombés sous leurs balles, neuf avaient été gravement blessés. Des manifestations, des grèves, des occupations de campus, furent organisées dans tout le pays. Nous nous sommes rencontrés au cours d'une réunion de comité qui décidait des actions de représailles.

– Exact, acquiesça Quint, en baissant les yeux.

– Qu'est-ce qu'il y a ? s'enquit Milly.

– Rien, dit-il.

– Quelques jours plus tard, nous avons fait sauter le siège de la Garde nationale à Washington.

– Vous avez fait quoi ?

– Tu as bien entendu. Je te rassure, il n'y a eu aucune victime. Quand nous menions ce genre d'actions, nous prenions toutes les précautions nécessaires, nous ne visions que des bâtiments administratifs pendant leurs heures de fermeture, et au cas où un employé s'y trouverait encore, nous téléphonions aux autorités suffisamment de temps avant l'heure fatidique, pour que tout le monde puisse être évacué.

– J'hallucine ! s'exclama Milly, vous dites ça comme si vous aviez participé à une petite sauterie.

– D'une certaine façon, c'en était une, ricana Agatha.

– Tu n'aurais pas dû lui raconter ça, protesta Quint.

– Tu préfères qu'elle croie qu'on se laissait assassiner sans rien faire ? Le lendemain, la police d'Augusta abattait six Noirs lors d'une manifestation contre les violences policières et le jour d'après ce fut le tour de deux autres étudiants à l'université de Jackson dans le Mississippi. Nous ne faisions que répondre à la violence de l'État.

— Par d'autres violences ! s'insurgea Milly.

— Je comprends que cela te choque, j'étais moi-même le plus souvent opposée à de telles opérations.

— Pas suffisamment pour éviter la prison, apparemment !

Agatha accusa le coup sans répondre.

— Ça suffit, dit Quint, tout cela appartient au passé, et je n'ai pas envie de vous voir vous disputer sous mon toit. Parlons d'autre chose.

— Mais oui, pourquoi pas, dit Milly sur un ton persifleur, vous voulez peut-être que j'aille vous chercher votre guitare, vous pourriez nous chanter « Peace and Love » ou un petit air de Joan Baez.

Agatha posa sa serviette sur la table, repoussa sa chaise et se leva.

— Où allez-vous ? interrogea Milly.

— Appeler Raoul pour le remercier, tu viens de m'y faire penser et ça me permettra d'ignorer ton insolence. Où puis-je téléphoner tranquillement ? demanda-t-elle à Quint.

— Dans mon bureau, c'est la porte en face, en sortant d'ici.

*

Raoul informa Agatha qu'un officier fédéral lui avait rendu visite juste après leur départ. Quand il lui raconta l'avoir ligoté à une chaise, Agatha ne put s'empêcher de rire, même si la situation n'avait rien de comique ; d'autant que Raoul lui répéta ce que le marshal lui avait appris. S'il était jusque-là le seul à lui courir après, le FBI se mêlerait bientôt à la partie. À moins de se terrer dans une planque, elle n'aurait aucune chance de leur échapper.

– Ce n'est pas tout, finit par lâcher Raoul. Ce marshal ne nous est pas inconnu.

Agatha sentit son cœur se serrer.

– Alors c'était vrai ? soupira-t-elle.

– Oui, là-dessus, ta sœur n'avait pas menti. Moi non plus je ne voulais pas la croire, et pourtant, le Tom qui combattait avec nous était un agent infiltré...

– Il te l'a avoué ?

– Un contestataire, dans sa vingtaine, n'aurait pas pu passer de l'autre côté des barricades. On ne change pas à ce point-là.

– Alors, il nous a vraiment trahis ?

– Il jure le contraire, et que ce n'est pas lui qui nous a vendus.

– Tu le crois ?

– Je n'en sais rien, mais une chose me trouble. Lorsque je lui ai posé la question, il s'apprêtait à partir. Il était armé et rien ne l'obligeait à prendre le temps de me répondre. Mais il a fait demi-tour pour discuter avec moi, comme s'il espérait que j'aborde le sujet, et surtout comme s'il crevait d'envie de se justifier. Non seulement il nie nous avoir balancés, mais il affirme qu'il y avait un traître dans la bande.

– Qui ?

– Il prétend ne l'avoir jamais su.

– Alors comment était-il au courant et pourquoi n'avoir rien dit à l'époque ?

– C'est exactement ce que je lui ai demandé. Il reconnaît avoir été approché par le FBI, mais jure qu'il était loyal envers nous. S'il jouait parfois à l'agent double, ce n'était d'après lui que pour nous protéger. En nous le révélant, il se serait grillé. Il prétend que nous lui devons d'avoir échappé à la descente des feds dans la planque de l'East Village.

Agatha se souvenait très bien de cet épisode qui avait failli avoir de graves conséquences. La bande avait prévu de se réunir pour préparer le coup dont elle serait plus tard la seule à payer l'addition. Un mystérieux informateur avait fait courir le bruit que les fédéraux s'apprêtaient à leur tomber dessus dans la maison où devait se tenir la rencontre.

Il était impossible de savoir si ce tuyau était de l'info ou de l'intox. Le gouvernement usait de toutes sortes de méthodes pour déstabiliser les groupes d'opposition. Il arrivait fréquemment que le FBI poste de fausses lettres de dénonciation, laissant croire que tel ou tel de leurs membres collaborait avec eux, ou qu'il organise des actions violentes en leur nom pour les discréditer aux yeux de l'opinion publique. Les fédéraux usaient des manigances les plus tordues pour créer un climat de suspicion au sein même des groupes contestataires. Mais cette fois-là, la prudence fut de mise et la réunion annulée. Max avait pris un taxi et s'était arrangé pour passer plusieurs fois devant l'adresse du rendez-vous. Il avait repéré des voitures banalisées garées dans la rue. Personne n'avait jamais su qui avait renseigné la bande, mais on devait une fière chandelle à cet informateur. Au lendemain de cet incident, ils avaient tous quitté New York pour se mettre à l'abri, enfin presque tous.

– Qu'est-ce qu'il t'a dit d'autre ?

– Tu ne voudras pas l'entendre.

– Dis-le quand même !

– Il m'a supplié, si tu me contactais, de te convaincre de te rendre.

– Et puis quoi encore ?

– Il est au courant pour le carnet.

– Tu lui en as parlé ?

– Bien sûr que non.

Agatha changea d'expression, son visage afficha le sourire du pêcheur quand il voit frétiller le bouchon de sa ligne à la surface de l'eau. Et elle retint son souffle.

– Quand est-il reparti ?

– J'ai essayé de le retarder le plus longtemps possible, mais je ne pouvais pas le garder prisonnier toute la journée, c'est un marshal tout de même. Il a repris la route vers midi, soit environ cinq heures après vous. Depuis combien de temps êtes-vous chez Quint ?

– Un peu plus de trois heures et nous avons traîné en chemin.

– Alors tire-toi à toute vitesse, ne perds pas une minute, et s'il te plaît, appelle-moi demain pour me donner de tes nouvelles.

– Si je le peux encore, promis.

– Agatha, ne fais pas de bêtise avec ce revolver. Si on t'arrêtait, je chercherais ce carnet et je te ferais sortir, tu m'entends ?

– Rien ne prouve qu'il existe encore, mon cher Raoul.

– Alors, je trouverais celui qui le détenait et je lui ferais signer ses aveux. Si seulement tu m'en avais parlé plus tôt, je l'aurais...

– Notre courrier était lu par les gardiens, je ne pouvais pas le mentionner avant la mort de ma sœur ; c'est compliqué, Raoul, j'espère pouvoir un jour tout t'expliquer.

– Une dernière chose me chiffonne... par quel hasard a-t-on confié à Tom la charge de te ramener en prison, alors que tu m'as dit toi-même que ton évasion n'avait pas été signalée ?

– Parce que tu crois au hasard, toi ? Je te le promets, bientôt, je te dirai toute la vérité. Merci pour la guitare, tu n'aurais jamais dû, c'est...

– Je n'y suis pour rien, la Gibson, c'est la petite qui te l'a offerte, elle ne t'a rien dit ?

Agatha resta silencieuse.

– Les temps sont difficiles et je suis criblé de dettes. Je ne pouvais pas refuser le prix qu'elle m'en a proposé, mais je ne te dirai rien de plus, puisque c'est un cadeau, fais-en bon usage.

Agatha se mordit les lèvres, cherchant à retenir l'émotion qui la gagnait.

– Raoul, pardonne-moi de ne pas avoir su t'aimer quand nous étions jeunes.

– Ces choses-là ne se commandent pas, répondit-il.

Et ce fut lui qui raccrocha.

Agatha reposa lentement le combiné et observa le bureau de Quint. Elle l'imagina installé dans le fauteuil qu'elle occupait, vaquant à ses affaires, et pensa que sa vie avait été à mille lieues de la sienne. À quoi tenait le destin, à quel moment bascule une vie ? Un cadre posé sur le bureau attira son regard ; elle s'en approcha pour examiner la photographie de plus près et éclata de rire.

Le tintement de la pendule qui venait de sonner la demie de 22 heures la ramena à la réalité. Le temps pressait. Elle retourna au salon où Quint et Milly étaient en pleine discussion.

– Je suis désolée de vous interrompre, annonça Agatha, il faut que je parte d'ici au plus vite.

– Que se passe-t-il ? s'inquiéta Quint en se levant.

– Les fédéraux ne vont pas tarder à débarquer.

– Ils n'ont pas le droit d'entrer sur ma propriété avant le lever du jour, protesta-t-il, outré.

– Mais dès l'aube, nous serons encerclés. Dépêchons-nous, avant qu'il soit trop tard.

– D'accord, répondit Quint. Je connais un motel dans la région où tu pourras passer la nuit, le propriétaire est une personne de confiance. Je prends mes clés et je t'y conduis.

– C'est moi qui l'y conduirai, intervint Milly. Allez chercher votre sac, je vous attends dehors, ne perdez pas de temps.

Milly se précipita à l'extérieur. Ses mains tremblaient encore alors qu'elle essayait d'insérer la clé de contact. Agatha ouvrit la portière et s'installa à côté d'elle.

– Garde ton sang-froid, tout ira bien, dit-elle d'une voix calme en guidant la main de Milly.

Le moteur vrombit et l'Oldsmobile s'élança sur la piste soulevant un nuage de poussière dans son sillage. Au bout du chemin, Milly s'engagea si brusquement sur la route que la voiture chassa de l'arrière et partit en zigzag.

– Ne nous fiche pas dans le décor, s'il te plaît.

Agatha se retourna et regarda par la lunette arrière. Au loin, deux phares se détachaient dans la nuit.

– Éteins tes lumières et roule aussi prudemment que possible.

Milly s'agrippa au volant, attendant que ses yeux s'accommodent à la pénombre.

– Quint vous a indiqué la direction du motel ?

– Concentre-toi sur ta conduite et ralentis un peu, je ne sais pas comment tu fais, je n'y vois rien.

– Ne vous inquiétez pas, j'y vois suffisamment pour nous maintenir sur la route.

Agatha se retourna à nouveau et vit les phares de la voiture bifurquer sur le chemin du domaine.

– Il s'en est fallu de peu, souffla-t-elle.

Devant elle, l'interminable ligne droite grimpait enfin le long d'une colline. Quand elles eurent franchi le sommet, Agatha indiqua à Milly qu'elle pouvait rallumer ses lumières.

Ce fut une recommandation providentielle. De grands nuages noirs passèrent sous le quartier de lune et une averse diluvienne se mit à tomber.

La capote avait dû mal se refermer, la pluie qui faisait rage dégringolait depuis la jointure du pare-brise sur les jambes d'Agatha.

Le visage de Milly se crispa.

– Ne t'inquiète pas pour ta voiture, demain le soleil séchera tout cela très vite.

– Ce n'est pas pour elle que je m'inquiète. La route est détrempée, les pneus ne sont pas tout jeunes, la gomme est lisse et je ne peux pas rouler dans de telles conditions.

Elles trouvèrent un abri dans une station-essence désaffectée ; Milly se rangea sous l'auvent qui ruisselait de cette pluie sombre et triste.

– Je m'en veux de t'avoir entraînée dans cette fuite, je n'avais pas le droit de te mêler à ça, grommela Agatha.

– Il est un peu tard pour y songer, vous ne trouvez pas ?

– Non, il n'est pas trop tard. Quand la pluie aura cessé, tu me déposeras au prochain patelin.

– En pleine nuit ? Et puis quoi encore ?

– Alors demain matin.

– Vous voudriez vous débarrasser de moi au moment où ça commence à devenir amusant ?

– Je ne vois vraiment rien d'amusant à notre situation !

– Vous nous avez vues toutes les deux, filant à toute berzingue, feux éteints dans la nuit, après ce dîner chez votre ami que j'ai bien cru sorti de l'un de ces films en noir et blanc que ma mère regardait à la télé. Et tout cela pour atterrir dans cet endroit minable, vous, trempée jusqu'aux os, et moi qui n'arrive toujours pas à m'arrêter de trembler. Je ne sais même pas à combien de miles je me trouve de chez moi, j'ai plus menti à Frank en quelques jours que je ne l'ai fait depuis que nous sommes ensemble, et je ne parle même pas de Mme Berlingot comme vous l'appelez, dont je ne pourrais plus jamais prononcer le nom sans avoir un fou rire. Je vous assure qu'il vaut mieux se marrer que d'essayer de trouver un sens à tout cela.

– Tu veux que je te donne une vraie raison de te marrer ? Quint, avec sa voix pointue et ses manières précieuses, n'est pas plus propriétaire de ce domaine que je ne suis la première dame du pays.

– Qu'est-ce que vous racontez ?

Agatha se contorsionna et sortit un cadre en argent qu'elle avait dissimulé dans son dos.

– Ce pauvre John fait un mort très en forme pour réveillonner en si ravissante compagnie. Et cette photo est on ne peut plus récente, regarde par toi-même.

Milly écarquilla les yeux en examinant la photo. La jeune femme qui enlaçait John portait l'une de ces paires de lunettes dont la monture indique le chiffre de l'année que l'on fête.

– Alors toute l'histoire de Quint n'était que mensonges ?

– Non, répondit Agatha d'une voix assurée, sa jeunesse, la prison, son arrivée au domaine, tous ces épisodes sont sûrement véridiques. En revanche, son admirable ascension s'est probablement arrêtée au moment où ce cher John lui a confié l'intendance de son domaine, pendant qu'il profitait de sa retraite. Ce que Quint a fait de sa vie force le respect, mais les hommes ont besoin de voir leur ego flatté... et si personne ne le fait à leur place, ils s'en chargent eux-mêmes.

L'averse cessa. Agatha fit quelques pas et revint vers Milly.

– Tu es fatiguée ?

– Épuisée d'avoir trop roulé aujourd'hui, trop dîné ce soir, et cette promenade à cheval m'a achevée.

– Tu me confies le volant ?

– Je croyais que vous n'aviez plus de permis.

– Ça ne veut pas dire que je ne sais pas conduire. À cette heure-ci, il y a peu de risques de croiser la police. Quand j'étais jeune, j'ai traversé maintes fois le pays à bord d'une voiture exactement comme la tienne.

– À bord ou au volant ? demanda Milly.

– Les deux ! Fais-moi confiance, je serai prudente, nous devons nous éloigner d'ici.

– Et vous vous sentez en état de reprendre la route ?

– Souviens-toi, je me suis assoupie durant une bonne partie du trajet, aujourd'hui.

– D'accord, dit Milly, je doute que nous trouvions un hôtel et je n'ai pas envie de passer la nuit dans cet endroit sinistre.

Agatha avança le fauteuil, tourna la clé de contact et démarra. Milly, luttant contre le sommeil, épiait sa façon de conduire, mais après une dizaine de miles, la route disparut derrière ses paupières.

*

Quint et le majordome étaient restés sur le perron, regardant l'Oldsmobile s'éloigner à toute vitesse sur la piste qui menait à la route.

– Je sais qu'il est tard, soupira Quint, mais il faut faire disparaître toute trace de leur passage au plus vite.

– Le patron rentre demain ? demanda le majordome.

– Non, à la fin du mois, comme prévu, mais nous risquons d'avoir encore de la visite cette nuit.

– Qui donc ? interrogea le majordome.

– Les fédéraux. J'irai leur ouvrir. Je vais devoir leur mentir et ce n'est pas la peine que je te mêle à ça.

– Mentir à quel sujet ? Nous n'avons vu personne depuis des jours ! En attendant, tu serais plus crédible si tu allais passer une robe de chambre, je les accueillerai.

– Non, Willem, rentrons, il va bientôt pleuvoir, je m'occuperai d'eux.

En un rien de temps, le majordome débarrassa le couvert, changea la nappe et remit les chaises en place. Après son passage, la pièce semblait immaculée. Il se rua au salon, redonna forme aux canapés et alla inspecter le bureau. Il était en train d'en repousser le fauteuil lorsqu'on sonna à la porte.

Quint avança vers le vestibule, cherchant à adopter l'attitude d'un homme surpris dans son sommeil, sans grand résultat.

– Accueillir les gens relève de ma compétence, râla Willem. Monte et laisse-moi m'occuper de ça.

Quint hésita, et obtempéra.

*

Agatha traversait la nuit. À ses côtés, Milly dormait d'un sommeil profond, que même les cahots de la route ne réussissaient à troubler. Lorsque les roues s'enfonçaient dans des ornières, sa tête plongeait en avant et, d'un geste délicat, Agatha la relevait chaque fois.

*

Le majordome ouvrit la porte et annonça sans préambule que son employeur était en congé.

– Auriez-vous l'obligeance de dire à Quint qu'un vieil ami lui demande asile pour la nuit.

– Monsieur l'intendant est couché ; à supposer que j'aille le réveiller, qui devrais-je annoncer ?

– Je viens de vous le dire, un vieil ami, se contenta de répéter Tom d'un ton glacial.

Le majordome le fit entrer et le pria de bien vouloir patienter dans le vestibule.

Quint apparut en haut de l'escalier, en robe de chambre, bâillant outrageusement dans le creux de sa main.

– Que se passe-t-il, Willem ? cria-t-il en descendant les marches.

– Une visite, Monsieur.

– À cette heure ?

Tom dépassa le majordome. Lorsque Quint le reconnut, il oublia sa prétendue fatigue et fut bien incapable de masquer sa surprise.

– Tom ?

– Tu attendais quelqu'un d'autre ?

– Je n'attendais personne, bafouilla Quint.

– Il y aurait peut-être dans cette immense baraque un endroit plus confortable pour m'accueillir ? Un scotch ne serait pas de refus, et un sandwich non plus d'ailleurs, si ce n'est pas trop demander à une heure pareille !

Quint fit un signe au majordome et invita Tom à passer au salon. Il s'installèrent face à face, chacun dans un canapé et se dévisagèrent de longues minutes.

– Cela fait combien de temps que nous ne nous sommes pas revus ?

– Une bonne trentaine d'années, je ne les compte plus vraiment, répondit Tom.

– Comment m'as-tu retrouvé ?

– Depuis que j'ai pris ma retraite, les hivers me paraissent interminables. J'habite dans le nord du Wisconsin, il y fait trop froid pour ma vieille carcasse.

– Mais nous sommes au printemps, rétorqua Quint.

– Oui, et je ne vais pas tarder à rentrer chez moi. J'ai pris la route à la fin de l'automne et parcouru le pays. Pour tout te dire, j'ai eu envie l'an dernier de retrouver les copains qui sont encore en vie et d'aller les saluer ; nous avons vécu ensemble des choses peu ordinaires et je trouve regrettable que nous nous soyons perdus de vue. J'ai même pensé à recueillir des témoignages pour en faire un livre. Ce pour quoi nous nous battions pourrait intéresser les jeunes générations.

– Tu es devenu écrivain ?

– N'exagérons rien, j'écoute ce que l'on veut bien me confier et je couche des mots sur le papier, c'est un début, mais je me pique au jeu.

– Et avant, quel était ton métier ?

– J'en ai eu plusieurs, j'ai pas mal bourlingué, il fallait bien se débrouiller comme on le pouvait. Mais je constate avec plaisir que tu as réussi, je t'en félicite.

Quint fit un sourire forcé. Le majordome entra et posa un plateau devant Tom.

– Un scotch et un club sandwich, j'espère que cela vous conviendra.

Quint remercia Willem et lui donna congé. Il attendit qu'il ait quitté la pièce pour reprendre sa conversation.

– Alors ainsi, l'idée t'est venue de renouer avec de vieux camarades. Une réunion d'anciens combattants dans un petit restaurant serait tout à fait charmante. Une belle opportunité pour que l'on nous mette le grappin dessus, je suis certain que les copains trouveraient ton initiative formidable.

– Ce n'est pas de cela qu'il s'agit, Quint, c'est une démarche personnelle. Je traverse les États et je trouvais idiot de ne pas en profiter pour aller saluer de vieux amis et se rappeler de bons souvenirs.

– Pour ton livre ! Tu comptes en partager les droits d'auteur en autant de chapitres qu'il contiendra ?

– Pourquoi pas ? Après tout, c'est l'histoire de chacun de nous que je voudrais raconter.

– La mienne est passionnante, siffla Quint, tu pourrais en tirer une bonne cinquantaine de pages. Je ne te cache pas que je serais assez fier de la voir publiée sous une belle couverture. Pourquoi ne pas commencer tout de suite ? Enlève ton blouson, installe-toi au secrétaire, je vais te donner de quoi écrire et me mettre à table.

– Cela peut attendre demain, il est un peu tard ce soir.

– Qui s'est déjà confié à toi ?

– Robert, malheureusement il est tellement imbibé que ses propos sont trop confus pour en tirer quoi que ce soit. J'ai vu Max, qui vit à Philadelphie avec une très jolie femme. Brian a élu domicile dans un vieux car scolaire, il mène une existence spartiate, mais son intelligence est intacte. Raoul tient un club de jazz à Nashville, ce fut un vrai plaisir de le revoir, il a des anecdotes croustillantes. Et toi alors, comment es-tu arrivé à te faire une si belle situation ?

– À qui d'autre comptes-tu rendre visite ?

– Dis donc mon vieux, j'ai droit à un interrogatoire en règle, c'est moi qui suis censé poser les questions !

– Loin de moi cette idée, je trouve juste ton projet de livre passionnant, tu as piqué ma curiosité et plus j'y pense en t'écoutant parler, plus je me dis que notre histoire mériterait d'être connue.

– Ton enthousiasme me réjouit. J'espère revoir Vera, reprit Tom qui se prenait à son propre jeu et entrait dans la peau d'un journaliste d'investigation avec un naturel déconcertant. J'ai toujours eu un petit faible pour elle, je crois savoir qu'elle vit en Oklahoma, près de la frontière texane.

– Elle était jolie, tu as bon goût.

– J'aimerais aussi aller voir Hanna, mais j'ignore où elle habite.

– Et moi, comment m'as-tu trouvé ?

– C'est le métier qui rentre... L'écriture est un jeu de piste que l'on mène avec les personnages de son récit. J'ai croisé Robert dans un bar, il m'a indiqué l'adresse de Max, qui m'a conduit jusqu'à Brian et ainsi de suite.

– Et Raoul t'a donné mon adresse...

– Exactement !

– C'est très fort de sa part, la dernière fois que je l'ai vu, je n'avais pas encore été jeté en prison. Pour quelqu'un qui se targue d'être crédible, tu as encore des progrès à faire. Tu es sûr que tu ne veux pas te mettre à l'aise ?

Tom dévisagea Quint et ouvrit son blouson, laissant apparaître son insigne.

– Alors cessons cette comédie. Si je m'étais présenté en tant que marshal, je suppose que tu aurais exigé un mandat pour me laisser entrer ?

– Pourquoi cela ? Je n'ai rien à cacher ! J'aurais seulement été surpris qu'un vieux copain qui se révoltait contre le système soit passé du côté des flics. Reconnais qu'après ce qu'on leur a mis c'est assez surprenant. À moins que dans le temps tu n'aies déjà été une taupe.

– Pourquoi être entré dans mon jeu si tu savais à quoi t'en tenir ?

– Parce que cela m'amusait de te voir mentir avec autant d'aplomb, mais ce n'est plus le cas. Termine ton sandwich, au nom de notre vieille amitié je t'offre un lit pour la nuit et tu t'en iras demain.

– Elle est venue te rendre visite, n'est-ce pas ?

– Je ne sais pas de qui tu parles, Tom.

– D'Agatha, même si nous l'appelions Hanna à l'époque.

– C'est toi qui nous as balancés, à l'époque, comme tu dis ?

– Non Quint, ça je te le jure. Les fédéraux m'avaient contacté, je me suis servi d'eux pour vous protéger. C'est à moi que vous devez de ne pas être tombés dans l'embuscade qu'ils vous ont tendue.

– C'est très désagréable de t'entendre dire « vous », alors que je te croyais des nôtres. C'est bien le signe que tu travaillais pour eux. Agent double, c'est très romanesque, mais pardonne-moi de ne pas y croire.

— Je ne peux pas t'y obliger, bien que ce soit la stricte vérité. Je n'ai jamais donné qui que ce soit. Oui, je suis passé de l'autre côté de la barrière. Lorsque nos troupes ont enfin quitté le Vietnam, je ne voyais pas de raison de continuer notre combat. Je me suis opposé à la radicalisation du mouvement. J'avais lutté pour la paix, pas pour mener une autre guerre à l'intérieur du pays. Je ne suis pas devenu flic, mais marshal. Ma vie a consisté à mettre des ordures derrière les barreaux, des assassins, des trafiquants, des violeurs, des kidnappeurs, des types qui font de la violence leur raison d'être, et je suis fier de ma carrière. Elle n'a en rien contredit les idéaux de justice pour lesquels j'avais rejoint le groupe. Et si tu veux tout savoir, j'ai évité la prison à grand nombre d'entre nous. Tu vois, j'ai dit « nous ». Chaque fois que je pouvais avoir accès à un dossier sans me faire prendre, je le faisais disparaître. Plusieurs copains ont pu grâce à moi rester libres et vivre dans l'anonymat, même certains que je n'avais pas connus.

— C'est moche, on aurait dû te décerner une médaille.

— Tu peux être sarcastique si cela t'amuse.

— J'ai connu la taule et j'en ai conservé un certain rejet de l'autorité, ne m'en tiens pas rigueur.

— Et à ton avis, à qui dois-tu que le juge n'ait jamais rien su de ton passé ?

– Qu'est-ce que tu veux, Tom ?

– Retrouver Hanna avant qu'il ne soit trop tard.

– Là, au risque de te faire de la peine, je crains qu'il ne soit déjà trop tard. Tu peux aller la voir au cimetière de Santa Fe, mais je doute quelle te raconte quoi que ce soit.

– Tu ne sais pas tout. Il y a trente ans, Agatha est devenue Hanna et Hanna est devenue Agatha. L'aînée s'est tuée dans un accident il y a cinq ans, c'est de la cadette que je te parle, celle qui a pris le prénom de sa sœur avant d'entrer en prison.

– Je me souviens d'elle, je l'aimais plus que son aînée. Mais comme tu le dis, elle est en prison depuis des décennies, comment pourrais-je...

– Elle s'est évadée et je sais qu'elle est passée te voir.

– J'en suis heureux pour elle. Mais tu me surestimes. Pourquoi as-tu dit « avant qu'il ne soit trop tard » ?

– Il me reste vingt-quatre heures pour la trouver, ensuite, les fédéraux ne lui laisseront aucune chance.

– Et ton intention est de l'aider à s'échapper, tu comptes lui faire passer la frontière ? demanda Quint, que les révélations de Tom avaient ébranlé.

– Ce que je veux, c'est lui sauver la vie. Elle ne se rendra pas, je connais ceux qui viendront l'arrêter, et ils ont la gâchette facile. J'ai bon espoir de la raisonner, et de solides appuis pour empêcher que les quelques années qui lui restent à faire ne soient prolongées à cause de son évasion. Si je la ramène à temps, sa petite escapade lui vaudra quelques semaines de cachot, mais rien de plus.

Quint arpenta la pièce de long en large, en proie à un dilemme.

– Qu'est-ce qui te fait croire qu'elle ne se rendra pas ? grommela-t-il.

– À supposer que tu ne l'aies pas revue récemment, tu te souviens de la jeune femme qu'elle était ? Peux-tu penser une seule seconde qu'elle manquerait de courage face à ceux qui viendront l'arrêter ?

– Il est temps d'aller dormir, dit Quint, j'ai besoin de réfléchir.

– Si tu sais quoi que ce soit, dis-le-moi bon sang ! Fais-le pour elle, je t'en supplie. Je n'ai rien à y gagner. Tu crois que je brigue encore de l'avancement à mon âge ? Je ne t'ai pas menti quand je t'ai dit que j'avais pris ma retraite, et si j'en suis sorti, c'est pour elle. Alors réfléchis vite, chaque heure compte.

– Demain matin, au petit déjeuner, je te dirai ce que je sais. Il est tard, tu as la tête d'un homme qui n'a pas dormi depuis longtemps et je ne te laisserai pas reprendre la route ce soir.

– J'ai ta parole ?

– Tu as mon bon vouloir et c'est déjà pas mal.

Sur ces mots, Quint invita Tom à le suivre à l'étage. Ils passèrent devant la chambre qu'Agatha avait brièvement occupée et Quint offrit à Tom de s'installer dans la suivante.

– Moi aussi, j'ai une question à te poser : si ce n'est pas toi qui nous as balancés, qui était-ce ?

– Je n'ai que des soupçons et aucune preuve.

– Un vieux marshal comme toi doit avoir appris à se fier à son instinct.

– Mes contacts parlaient toujours de la taupe au masculin. Il aurait participé à l'action qui a coûté sa liberté à Agatha.

– Qu'entends-tu par participer ? Nous étions tous au courant de ce qui se tramait.

– Mais seuls quatre de la bande ont fait le coup, et l'un en particulier avait tout intérêt à négocier son immunité en balançant le nom des trois autres. Puisque tu veux passer la nuit à réfléchir, cherche celui qui n'est jamais passé par la case prison. J'espère que tu es matinal, je te retrouve demain à 5 h 30 devant une tasse de café et tu me diras où elle est allée.

– Jure-moi que tu ne reprendras pas la route cette nuit ?

– Crois bien que si je le pouvais, je le ferais, mais tu as vu juste, je ne suis plus en état de conduire et ton scotch n'a pas arrangé les choses.

– Elle se rend chez Vera, à Woodward. Son mari et elle vivent dans une maison sur Oklahoma Avenue. Maintenant, écoute-moi bien, s'il lui arrivait quelque chose, marshal ou pas, c'est moi qui viendrais te chercher. Et après le sort que je te réserverais, j'aurais de bonnes raisons de finir mes jours en prison, nous nous sommes bien compris ?

Tom observa Quint un instant et referma la porte de sa chambre.

9.

De temps à autre, des villages surgis des plaines solitaires apparaissaient dans le pare-brise avant de s'effacer dans le rétroviseur. Agatha s'accrochait au volant, conduisant à travers d'infinies étendues couvertes de buissons d'armoise, des paysages au ciel ensanglanté par le jour levant.

– Quelle heure est-il ? demanda Milly en ouvrant les paupières.

– Cinq heures trente.

– Où sommes-nous ?

– Quelque part en Oklahoma, j'ai roulé prudemment.

– Je vais vous relayer, vous devez être épuisée.

Agatha avait l'habitude des nuits blanches et se sentait encore vaillante. Elle s'arrêterait dès qu'elle trouverait un endroit où prendre un café.

Elles dépassèrent un panneau annonçant la proximité de Tulsa. Milly le suivit du regard en écarquillant les yeux.

– Nous n'avons même pas dépassé Tulsa ? Vous avez roulé à vingt à l'heure ?

– Je t'ai dit que j'avais été prudente. Cela étant, j'avais l'impression d'aller beaucoup plus vite, répondit Agatha, et puis avec la nuit, je crois que je me suis un peu perdue en route. Enfin, l'important est que nous soyons arrivées quelque part. Dis donc, tu as roupillé pendant tout le trajet, tu ne vas pas m'engueuler en plus !

Agatha se gara devant un fast-food et fit un grand sourire à sa voisine.

– Une bonne gaufre et un jus de chaussette, ça te dit ?

– Ce que vous pouvez m'énerver par moments ! jura Milly. Vous n'avez pas idée à quel point vous pouvez m'énerver !

– Si, si, ne t'inquiète pas, parfois, je m'énerve moi-même toute seule, alors je te comprends parfaitement. Allez viens, un petit déjeuner te calmera peut-être.

*

Quint se réveilla aux premières lueurs du jour. Il enfila sa robe de chambre et alla frapper à la chambre de Tom. N'entendant pas de réponse, il ouvrit la porte et ne trouva qu'un lit défait. Il se précipita au rez-de-chaussée, entra dans la salle à manger déserte, passa la tête dans le salon et se dirigea d'un pas rapide vers le vestibule. La chaîne de sûreté pendait le long de la porte et Quint comprit que son invité lui avait faussé compagnie.

– Et merde ! grommela-t-il.

Le majordome arriva dans son dos.

– Tu es bien matinal.

– Désolé, répondit Quint, je ne voulais pas te réveiller.

– Il est parti ?

– Oui, et je ne sais pas quand.

– J'ai entendu le moteur d'une voiture il y a une demi-heure.

– J'espère ne pas avoir fait une erreur, soupira Quint.

– Je ne sais pas de quoi tu parles, mais si tu as agi de bonne foi, tu n'as rien à te reprocher. Je suppose que la soirée d'hier aura le mérite de nourrir nos conversations dans les jours à venir. En attendant, je vais aller préparer le petit déjeuner. Une dernière chose, ton amie a chapardé un cadre en argent, il faudra trouver une excuse.

– Quel cadre ?

– Celui qui se trouvait sur le bureau du patron, je serais étonné qu'il ne s'en rende pas compte.

Quint esquissa un sourire.

– Une amie qui se réfugie sous ton toit profite de ta générosité pour nous voler et cela te fait sourire ?

– Un cadre en argent n'est pas grand-chose, et le monde lui devait deux ou trois choses.

*

Comme chaque matin, le juge Clayton sortit faire quelques pas dans son jardin afin d'examiner la taille de ses haies. Satisfait, il alla prendre son petit déjeuner dans sa cuisine.

Après avoir lavé son assiette, il monta faire sa toilette, enfila un costume, noua sa cravate devant le miroir de sa chambre et examina la tenue qui lui semblait convenir à la tâche qui l'attendait.

Il alla ensuite s'installer à son bureau, ouvrit son carnet d'adresses et attendit que la pendule affiche 8 heures. Au premier son du carillon, il appela l'antenne du FBI de Philadelphie. Pendant que l'opératrice le faisait patienter, il but une gorgée de thé.

– Juge Clayton à l'appareil, dit-il à son interlocuteur. J'ai le regret de vous informer d'une évasion au centre correctionnel du comté. Je viens seulement d'en prendre connaissance et je voulais vous communiquer les éléments du dossier, vous avez de quoi noter ?

*

Milly trempa ses lèvres dans sa tasse et fit une moue de dégoût.

– Si tu avais connu le café qu'on nous servait en prison, tu prendrais celui-ci pour un pur arabica. Je te préviens, la gaufre est immangeable, ajouta Agatha en portant sa fourchette à la bouche.

– Où allons-nous aujourd'hui ?

– Pas très loin, à Woodward. Nous y serons avant l'heure du déjeuner, ensuite nous franchirons la frontière du Texas.

– Et qu'allons-nous faire à Woodward ?

– Rendre visite à quelqu'un.

– Le contraire m'aurait surprise.

Agatha fouilla sa poche et posa une voiture miniature sur la table.

– Un petit cadeau, pour te remercier.

– De quoi ? demanda Milly en prenant la voiture dans ses mains.

– De la guitare. Je n'ai pas eu l'occasion de te dire combien cela me touche. Tu as fait une folie, mais ça me touche énormément.

– Elle ressemble à mon Oldsmobile, répondit Milly en faisant rouler le jouet sur la table.

– C'est pour ça que je l'ai choisie.

– Où l'avez-vous achetée ?

– Je l'ai volée au Christmas Center, mais c'est un cadeau quand même.

– Elle est très jolie, dit Milly.

– Je suis heureuse qu'elle te plaise et j'espère t'énerver un peu moins.

– À qui allons-nous rendre visite ?

– Elle s'appelle Vera, mais cette fois, c'est elle qui viendra à nous, nous avons eu chaud hier soir ; le danger se rapproche d'heure en heure et il est encore trop tôt.

– Trop tôt pour quoi ?

– Pour qu'on m'arrête.

– Alors pourquoi courir autant de risques pour saluer des amis et les quitter aussitôt ? À quoi bon s'obstiner à rouler vers l'ouest ? Fonçons vers le sud, nous pourrions être ce soir à la frontière mexicaine.

– Où je me présenterais sans passeport ?

– J'ai grandi à Santa Fe, il n'y a pas une piste ou un sentier que je ne connaisse pas ; la frontière, je vous la fais traverser les doigts dans le nez.

– Et si on se fait prendre, tu vas en prison, pas question !

– Je peux vous déposer près d'un point de passage, si c'est ce qui vous inquiète.

– Et à quoi ressemblerait ma vie une fois de l'autre côté ?

– Vous seriez libre. Si l'argent vous manque au début, je pourrais vous en envoyer.

Agatha regarda Milly au fond des yeux.

– Et pourquoi ferais-tu cela ?

– Parce que j'en ai envie.

– C'est très généreux de ta part, mais je ne peux pas. En revanche, quand nous arriverons à Woodward, je te demanderai un dernier petit service.

*

Elles reprirent la route et Agatha s'offrit un léger somme jusqu'à Enid.

– Tu comptes avoir des enfants un jour ? demanda-t-elle en s'étirant.

– Je peux savoir d'où sort cette question ? répliqua Milly en rigolant.

– Tu pouvais me répondre simplement par oui ou par non.

– Je n'en sais rien.

– Quand tu t'endors auprès de Frank, tu as envie d'un enfant de lui ?

– Vous n'allez pas recommencer ?

– Tu m'as répondu.

– Je ne vous ai rien répondu du tout, et puis ça me regarde.

– Moi, vois-tu, si j'avais été libre, je ne me serais pas posé la question une seconde. Et si la vie m'en avait offert la possibilité, j'aurais voulu un enfant de l'homme que j'aimais.

– Mais vous n'avez jamais vécu au quotidien avec lui, alors ce ne sont que de belles paroles.

– Tu peux faire ta peste si ce que je te dis te dérange, mais une femme sait ce genre de choses, même si elle ne veut pas se l'avouer.

– Cet homme que vous avez aimé, vous ne l'avez jamais revu ?

– Si, au parloir, au début de ma captivité. Je me souviens de chacune de ses visites, elles étaient le seul instant où je me sentais en vie... et celui où je rêvais de mourir. Un jour, je lui ai demandé de ne plus jamais revenir.

– Pourquoi ?

– Pourquoi, pourquoi, pourquoi ! Toi aussi tu m'agaces avec tes pourquoi stupides. J'étais une femme en prison, lui un homme libre, combien de temps se serait écoulé avant qu'il ne succombe aux charmes d'une autre ? J'ai préféré devancer le moment où il serait venu me l'avouer. Maintenant, changeons de sujet. Quand nous arriverons à Woodward, tu me déposeras dans un café et puis tu iras au collège. Tu demanderas à parler à Vera Nelson, elle y enseigne ; tu lui diras que j'ai besoin de la voir et tu la conduiras jusqu'à moi, en faisant bien attention à ne pas être suivie. D'ailleurs, ne prends pas l'itinéraire le plus court, fais le tour d'un pâté de maisons, arrête-toi en route, rebrousse chemin et reste vigilante. Si tu repères deux fois la même voiture, alors raccompagne Vera et ne reviens pas.

– Et vous ?

– Je me débrouillerai, si tu n'es pas revenue après une heure, je filerai.

– Non, non, et non, pas question ! On se donne un point de chute, un endroit où je pourrais vous récupérer.

– S'ils te repèrent, ils ne te lâcheront plus, ce serait trop dangereux, ne discute pas.

*

Tom Bradley avait roulé bien au-delà de la vitesse autorisée. À la sortie de Tulsa, une voiture de la Highway Patrol l'avait pris en chasse, sirènes hurlantes. Tom s'était rangé sur le bas-côté et avait présenté son insigne à l'officier. En remontant dans son véhicule, le policier passa un appel radio pour prévenir ses collègues de ne pas interpeller la Ford noire qui circulait à grande vitesse avec à son bord un marshal en mission.

En arrivant à Woodward, Tom se rangea sur le parking du collège et alla s'asseoir avec un journal, sur un banc, face à l'entrée du bâtiment principal.

*

Milly s'arrêta devant le Wind Café et se retourna vers Agatha, désemparée.

– Ne fais pas cette tête-là, tout se passera bien. Quand tu m'auras ramené Vera, je te demanderai de nous laisser seules. Ne m'en veux pas, mais les choses dont je veux m'entretenir avec elle sont très personnelles.

– Quoi qu'il arrive, attendez-moi dans ce café, supplia Milly. Si j'étais suivie, je sèmerais mes poursuivants, même si je devais y passer la journée. Je suis très douée au volant. Alors, promettez-moi de rester là.

– Prends-moi dans tes bras au lieu de dires des bêtises et disons nous au revoir, au cas où... et puis non, ça pourrait nous porter la poisse. Allez, file, il sera bientôt midi et je ne veux pas que tu rates ton rendez-vous.

Agatha sortit de la voiture et alla s'asseoir derrière la vitrine du café.

Dix minutes plus tard, Milly se rangea sur le parking du collège et entra dans le bâtiment principal. Elle se présenta au secrétariat et demanda où se trouvait la salle de classe de Vera Nelson.

La réceptionniste, après l'avoir toisée, ne se donna pas la peine de lui demander si elle était la mère d'un collégien. Pour des raisons de sécurité évidentes, l'accès à l'établissement était interdit à toute personne étrangère. Milly pouvait attendre Mme Nelson dans le hall.

– À quelle heure finissent les cours ? demanda Milly.

– Dans trente minutes, répliqua la réceptionniste. Mme Nelson tarde toujours un peu, soyez patiente.

– Pourriez-vous aller la prévenir qu'il s'agit d'une urgence ?

– Quel genre d'urgence, mademoiselle ?

Milly avait suffisamment fréquenté de personnel scolaire pour savoir que son interlocutrice possédait toutes les qualités d'un cerbère et elle se trouva bien incapable d'imaginer une réponse convaincante.

En proie à l'impatience, Milly ne quittait pas des yeux la pendule murale, elle ne tenait pas en place.

Lorsque la cloche retentit enfin, une nuée d'élèves jaillie des salles de cours envahit le hall. Milly essaya de reconnaître parmi les visages adultes qui dépassaient du flot celui qui pouvait correspondre à la description que lui avait faite Agatha de Vera Nelson. Un coup d'œil à la pendule lui rappela qu'il ne lui restait que vingt-cinq minutes pour récupérer sa passagère et la conduire à bon port. Elle sentait la sueur sur son front et la moiteur dans ses mains quand soudain elle surprit le regard de la réceptionniste se tourner vers une femme qui marchait dans sa direction. Milly se précipita à sa rencontre.

– Vera Nelson ?

– Bonjour. Je n'ai pas beaucoup de temps, si c'est pour me parler de votre enfant, prenez rendez-vous au secrétariat. Vous êtes la mère de quel élève ?

– Il faut que vous me suiviez !

– Qui êtes-vous ? demanda Vera.

– Agatha vous attend au Wind Café.

– Je ne connais aucune Agatha, s'il s'agit d'une plaisanterie d'étudiants, dites à vos camarades que ça ne marche pas avec moi. Maintenant, laissez-moi tranquille.

Vera avait haussé le ton et, depuis sa guérite, le cerbère ne perdait rien de la scène.

Milly réfléchit aux options qui s'offraient à elle. Aucune chance d'entraîner Vera par la force... L'amadouer prendrait un temps qu'elle n'avait plus... Elle cherchait ce qu'il convenait de faire, lorsqu'un souvenir lui revint en mémoire.

– Une sœur de Soledad a besoin de vous, c'est urgent !

– Qu'est-ce que vous venez de dire ? s'enquit Vera d'une voix étranglée.

– Dépêchez-vous, je vous expliquerai en route.

Vera suivit Milly sur le parking. La vue de l'Oldsmobile la ramena trois décennies en arrière.

– Mon Dieu, cette voiture !

– Je vous en prie, montez, c'est une question de minutes.

Milly était en proie à la panique. Ses mains tremblaient et elle entendit la voix d'Agatha lui chuchoter que tout irait bien. Elle démarra en trombe sans regarder dans son rétroviseur.

– Quelle heure est-il ? demanda-t-elle à Vera.

– Qu'y a-t-il de si urgent ? Et pour votre gouverne, le Wind Café est à gauche.

– Je sais.

– Alors pourquoi avoir tourné à droite, si nous sommes si pressées ?

Milly ne répondit pas, se contentant de suivre les instructions d'Agatha. Au carrefour suivant, elle fit demi-tour, jeta un œil par la lunette arrière et prit la direction du café.

Lorsqu'elle y arriva, sa mâchoire se serra. Agatha n'était plus là.

– J'ai réussi, vous n'aviez pas le droit de faire ça ! cria-t-elle, au bord des larmes.

Sa passagère la regarda, interdite. Milly se précipita à l'intérieur. Vera lui emboîta le pas et n'en crut pas ses yeux quand elle aperçut Agatha, installée dans la salle.

Milly les observa à distance et se retira.

Elle alla garer l'Oldsmobile qu'elle avait abandonnée en double file ; et lorsqu'elle fit un créneau, elle ne prêta aucune attention à la Ford noire qui passait devant elle pour aller stationner un peu plus loin.

*

– Hanna, c'est toi ? murmura Vera en prenant place à la table.

– J'ai tant vieilli ?

– Non, dit Vera, je t'aurais reconnue au milieu d'une foule, je suis si surprise de te voir ici, je te croyais en prison.

– J'en suis sortie, mais pour combien de temps ?

– Tu es en permission ? s'exclama Vera.

– Non, en cavale, ça te dérange ?

– Pas plus que ça, mais dans ce cas, tu ne crois pas qu'il y avait plus discret que ce café ?

– Rien n'est plus anonyme qu'un lieu public, souviens-toi quand nous étions dans la clandestinité.

– Je me souviens surtout de la façon dont certains sont tombés dans un guet-apens.

– Je vais aller droit au but, je n'ai pas le loisir de m'éterniser. Ne te méprends pas, je suis heureuse de te revoir, mais...

– Moi aussi, interrompit Vera, et bien plus que tu ne l'imagines. Si tu savais tous les souvenirs que ta présence réveille, c'est incroyable de te voir ici en chair et en os. J'ai tant de choses à te raconter et tant de questions à te poser.

– Plus tard, si tu le veux bien. Est-ce que tu as revu ma sœur ?

– Mon Dieu, Hanna, personne ne t'a rien dit à son sujet ? répondit Vera, la mine contrite.

– Qu'elle est morte ? Si, je te rassure, les gardiens n'ont jamais été avares de mauvaises nouvelles. Mais là, c'en était une bonne.

– Que ta sœur ait péri dans un accident ?

– Pas cela, paix à son âme, mais que je puisse enfin retrouver la liberté. Le jour de son décès, j'entamais ma vingt-cinquième année de captivité et je commençais à trouver le temps long.

– Je ne comprends rien à ce que tu me racontes, pourquoi la disparition de ta sœur t'aurait permis de sortir de prison ?

– Réponds d'abord à ma question, est-ce que vous vous êtes revues ?

– Oui, il y a une vingtaine d'années, j'étais de passage à Santa Fe et je suis allée la saluer. Je n'étais pas la bienvenue, nous avons échangé quelques banalités et j'ai vite compris à son attitude qu'elle n'avait pas envie que je reste, et encore moins de réveiller le passé. Pourquoi cette question, Hanna ?

Agatha observa Vera, son visage n'avait pas changé, elle avait cette même candeur, cette spontanéité qui n'était jamais feinte. Son air étonné ne laissait planer aucun doute sur sa sincérité, et Agatha comprit qu'elle avait fait fausse piste.

– Je suis désolée de t'avoir dérangée pour rien, retourne auprès de tes élèves, il faut que je m'en aille.

– Non, certainement pas, objecta Vera d'une voix douce. Je veux que nous parlions.

– De quoi ?

– Nous étions des amies, je n'ai jamais cessé de penser à toi, ni aux autres d'ailleurs.

– Alors ton absence au parloir... ?

– J'étais terrorisée à l'idée de te voir en cage, je culpabilisais, et puis j'avais la trouille, je suppose. Que l'on t'ait enfermée était d'une telle injustice, toi qui t'opposais toujours à la violence. Pourquoi as-tu refusé un procès ? Je serais venue témoigner qu'il était impossible que tu aies commis les actes dont on t'accusait.

– Ce n'est pas moi qui ai refusé que l'on me juge.

– Je ne comprends pas.

– J'ai choisi de sauver ma sœur. C'était elle qui avait participé à l'action. Son nom est apparu sur la liste des personnes activement recherchées par les Fédéraux. Le procureur en charge de l'affaire avait fait savoir qu'il offrirait un marché à ceux qui se rendraient. C'est ainsi que notre justice fonctionne, un petit accord vaut mieux qu'un grand procès. À ce moment-là, le seul crime commis était : destruction de bien public. Cinq ans, alors qu'elle en risquait trente de plus devant un jury. Elle a accepté. La peine a été prononcée et le début de son incarcération fixé au premier jour du mois suivant. C'est alors qu'elle m'a avoué être enceinte. Comment se résoudre à l'idée qu'elle allait accoucher en prison ? Et qu'allait-il advenir de son bébé ? Je vivais dans la clandestinité, ma mère ne nous adressait plus la parole, nous n'avions plus que nous-mêmes l'une pour l'autre. Ma grande sœur était ma seule famille, elle était tout pour moi et je lui ai proposé de purger sa peine à sa place. Pour elle et pour son enfant. Nous avons fait falsifier nos papiers, je suis devenue Agatha et Agatha est devenue Hanna. Je l'admirais tellement que l'idée d'entrer dans sa peau me fascinait. J'allais enfin être l'aînée, la plus rebelle des deux, l'héritière de ses combats, devenir soudain ce qu'elle était et que je n'avais jamais réussi à être. Je n'avais pas peur. En incarnant Agatha, j'héritais de son courage, gagnais son assurance, son aplomb, et sa force. Quel héritage, n'est-ce pas ! D'autant que lorsqu'ils ont reconstruit le commissariat qu'elle et ses copains avaient fait sauter, un corps fut découvert sous les décombres. En signant cet accord avec le procureur, ma sœur avait aussi signé ses aveux, à ceci près que sa culpabilité était devenue la mienne. Le crime avait changé de nature, et ma peine fut lourdement aggravée, trente ans de plus que les cinq convenus. Je l'ai suppliée de dire la vérité, de me rendre à ma vie. Mais entre-temps, elle était devenue mère. À la seule pensée qu'on l'arrache à sa fille, de ne pas la voir grandir, de ne plus pouvoir la serrer dans ses bras, elle a perdu tout courage. Quelle maman privilégierait sa sœur au détriment de l'enfant qu'elle a mis au monde ? Elle a coupé les ponts. J'avais pris sa place pour qu'une mère et sa fille ne soient pas séparées et je suis restée derrière les barreaux.

Vera posa sa main sur celle de son amie, baissant les yeux, incapable de parler. Alors, Agatha lui conta l'histoire d'un carnet devenu son unique espoir de liberté.

– Et tu as pensé que j'avais ce carnet ? hoqueta Vera.
– Je l'espérais, cela m'aurait disculpée.
– Hanna...
– Agatha ! Je porte ce prénom depuis si longtemps que je n'en connais plus d'autre.

– Pourquoi ne pas avoir écrit au procureur ? Puisque c'était ta sœur qu'il avait condamnée, il aurait suffi d'une confrontation pour révéler la supercherie.

– Parce qu'il était au courant depuis le début. Ma sœur lui avait fait savoir qu'elle était enceinte. Grâce à sa condition, elle aurait pu intenter un recours pour obtenir une libération anticipée, ce n'était pas acquis mais loin d'être impossible. Sauf que ce jeune procureur voulait un coupable qui purge sa peine jusqu'au bout. Alors, invoquant l'innocence et l'avenir d'un enfant qui n'avait pas de raison de payer pour les erreurs de sa mère, il a fermé les yeux sur notre petite magouille. Les papiers que nous avions falsifiés étaient de bonne facture, et qui aurait pu soupçonner que quelqu'un puisse aller en taule de son plein gré ? Seulement, faire état de la duperie, surtout après qu'il y avait eu mort d'homme, aurait compromis sa carrière. Un type médiocre peut devenir un vrai salaud lorsque son avenir est en jeu. Il a probablement fait le bon choix puisque j'ai appris plus tard qu'il avait été promu juge. À dire vrai, je ne sais même pas si j'aurais eu le courage de les séparer, d'anéantir ce qui me restait de famille. Qu'est-ce que j'aurais pu faire si j'étais sortie ? Élever une enfant qui n'était pas la mienne jusqu'au moment où, à l'adolescence, elle aurait appris que sa vraie mère était derrière les barreaux, qu'elle ne la reverrait pas avant d'avoir

trente-cinq ans et que j'en portais ma part de respon-
sabilité ? C'est un choix terrible, n'est-ce pas ?

– Mais tu n'y étais pour rien bon sang !

– Je faisais tout de même partie de la bande.

– Et cette gamine, qu'est-ce qu'elle est devenue ?

– C'est elle qui t'a conduite jusqu'à moi.

Vera ouvrit les yeux si grands qu'Agatha crut un
instant qu'ils allaient sortir de leurs orbites.

– Elle est au courant ?

– Non, elle ne sait rien. Sa mère a fait d'elle
une jeune femme formidable, avec un caractère de
cochon. Mais ce n'est pas pour me déplaire,
l'important est qu'elle ait du caractère, n'est-ce pas ?

– Et tu ne veux pas lui dire ? s'exclama Vera,
stupéfaite.

– Lui dire quoi ? Que je me suis dénoncée pour
une sœur qui m'a trahie deux fois ? Milly n'a pas eu
de père, je ne peux pas lui enlever sa mère en la
déshonorant ; même morte, elle doit rester la mère
qu'elle a aimée, c'est une chose sacrée. Et puis ce
que j'ai enduré perdrait tout son sens. Rien que pour
cela, je ne veux pas qu'elle sache la vérité, en tout
cas pas toute la vérité.

– Alors, pourquoi l'avoir embarquée dans ta
fuite ?

– Parce que c'est en pensant à elle que j'ai tenu
le coup. Au fil des années, elle est devenue ma raison
de vivre, ou de survivre. Parce que je me suis mise à

l'aimer et à l'aimer de plus en plus. Alors je voulais la connaître, savoir quelle femme elle était devenue, si tout cela en avait valu la peine. Je crois bien que c'est le cas, et tu ne peux pas savoir à quel point cela compte pour moi. Je dois partir, Vera. J'aurais voulu te poser plein de questions, savoir ce qu'est la vie quotidienne d'une femme entourée d'adolescents...

– C'est une existence faite de joies et de frustrations, de moment glorieux et d'échecs, interrompit Vera. Il y a des gosses qu'on aime, d'autres qu'on ne supporte pas, et ce n'est pas parce qu'ils sont bons ou mauvais élèves. Ce qui fait la différence, c'est ce qu'il y a en eux. Depuis mon bureau dans la salle de classe, je peux présager de leur avenir. Deviner ceux qui feront quelque chose de leur vie et ceux qui sombreront dans la médiocrité, les généreux et les rapaces, les gentils et les teignes, ceux qui feront le bien et ceux qui feront du mal aux autres, les esprits larges et les mesquins. Je leur enseigne notre histoire, ce que nous avons fait, ils m'écoutent bouche bée, incrédules, sans que je puisse leur avouer que j'ai participé à cette histoire. C'est à la fois drôle et frustrant. Chaque année, il y en a au moins un qui donne un sens à mon métier, un élève dont je sais qu'en lui prêtant attention, en lui apportant ce qui lui manque je pourrai l'aider à devenir quelqu'un. J'ai la sensation d'être utile et cela me rend heureuse, et pourtant quand je me regarde dans un miroir, je me trouve toujours aussi gourde, c'est un sentiment dont je n'ai jamais pu me défaire.

– Retourne auprès d'eux, le temps m'est compté. J'ai été heureuse de te revoir, Vera, et tu n'as pas l'air gourde du tout. Si je m'en sors, j'espère que nous nous retrouverons.

– Je sais que tu t'en sortiras, je l'espère de tout cœur. File, je n'ai pas envie de retourner au collège tout de suite, je vais rester un peu ici, et laisse cette addition, elle est pour moi, c'est un plaisir et un honneur.

Agatha prit Vera dans ses bras et lui chuchota à l'oreille :

– Dis bien à tes élèves que nous nous sommes battus pour eux, que nous avons commis des erreurs terribles, mais que nous avons toujours agi pour un monde plus juste.

– Soit tranquille, ma vieille, je le leur répète chaque année.

*

C'était la première fois qu'il la revoyait et son cœur se mit à battre à toute vitesse. Il posa une main sur la crosse de son revolver, l'autre sur la poignée de la portière, mais ses deux mains tremblèrent. Et tandis qu'Agatha sortait du Wind Café, il sentit ses jambes se dérober, comme si son être tout entier sombrait. Elle était là, si près de lui, avançant sur le trottoir d'en face, entrant dans une voiture qu'il avait traquée sans relâche. Elle prenait place sur le siège passager, et lui restait là, tétanisé.

L'Oldsmobile démarra en trombe et fila sur Oklahoma Boulevard.

*

— Ça valait le coup de prendre tant de risques ?

— Quand vas-tu cesser de poser des questions stupides ? Tu m'as demandé la même chose la dernière fois. Cela ne valait pas le coup de revoir Raoul ? Tu ne t'es pas bien entendue avec lui, as-tu déjà rencontré dans ta vie quelqu'un comme lui ? Ton Frank est-il de sa trempe ?

— Vous êtes de mauvais poil ?

— Je suis en colère, folle de rage si tu préfères, et je ne veux pas passer mes nerfs sur toi, alors taistoi jusqu'à ce que je me calme.

— C'est quoi Soledad ? interrogea Milly.

Agatha soupira.

— Soledad est un pénitencier où fut enfermé un innocent devenu une légende. Qu'est-ce qu'on vous apprend en cours dans ce putain de pays ?

— Des choses plus récentes, peut-être. Vous voulez bien pallier mon ignorance ? proposa Milly d'un ton espiègle.

— George Jackson avait passé son enfance dans les ghettos noirs de Chicago et de Los Angeles.

Comme beaucoup de jeunes qui vivaient dans le plus grand dénuement, il avait eu maille à partir avec la police pour des délits mineurs. À dix-huit ans, il fut accusé de complicité de vol pour s'être trouvé au volant de la voiture à bord de laquelle un de ses copains devait s'échapper après avoir piqué soixante dollars dans une station-service. On lui avait conseillé de plaider coupable, lui promettant une peine maximale d'un an à purger dans la prison du comté. Il signa ses aveux, mais en lieu et place de la promesse qui lui avait été faite, on le condamna à une peine minimum d'un an et maximum à vie, et on l'envoya au pénitencier.

– Pour soixante dollars ?

– Qu'il n'avait pas volés lui-même. Les sentences de ce genre étaient de vraies ignominies, laissant le détenu à la merci d'un comité qui se réunissait chaque année et décidait de son sort en fonction de sa conduite. Mais Jacskon étant noir, ses jours et ses nuits n'étaient que brimades, humiliations et sévices corporels. Il refusa de se soumettre. Chaque fois qu'il se rebellait, on l'envoyait au cachot, dans un réduit couvert d'excréments, sans aucune aération, où il lui était interdit de se laver, contraint de faire ses besoins sur le sol où il devait aussi dormir et manger.

– Vous l'avez connu ?

– Non, j'étais trop jeune. Jackson fut très vite identifié par les autorités comme un militant politique, un homme que l'on ne pourrait briser. Au cours de l'année 1970, alors qu'il était emprisonné depuis déjà dix ans, une nouvelle cour fut ouverte dans la prison, les gardiens s'amusèrent à y faire entrer dix Blancs et sept Noirs. Les Noirs qui avaient été choisis étaient connus pour leur militantisme et les Blancs pour leur racisme exacerbé. Un tireur d'élite fut posté dans un mirador, armé d'un fusil à lunette. Ce qui devait arriver arriva, une bagarre éclata et le gardien vida son chargeur. Trois Noirs tombèrent sous ses balles, un Blanc fut blessé à la hanche. Ils laissèrent un des Noirs qui avait été touché se vider de son sang dans la cour, alors qu'elle jouxtait l'infirmerie.

Des protestations s'élevèrent dans la prison, et pour une fois, Noirs, Blancs et Mexicains entamèrent de concert une grève de la faim. Trois jours plus tard, un grand jury du comté attribua la légitime défense au tireur d'élite. Le jour où ce verdict fut prononcé, un maton de Soledad fut retrouvé mort et Jackson, dont les autorités voulaient la peau, fut accusé du meurtre avec deux autres prisonniers, tous encourant la peine de mort. Trois Noirs sont abattus par un gardien qui s'en sort blanc comme neige, un gardien est retrouvé mort et trois Noirs vont aller s'asseoir sur la chaise électrique, tu vois la parodie de justice ! Leur procès devint emblématique du racisme d'État et les trois prisonniers furent baptisés « Les frères de Soledad ».

— Ils ont été exécutés ?

– Non. Des comités de défense se formèrent dans tout le pays. Deux avocats rendus à leur cause réussirent à faire destituer la pourriture de juge raciste qui voulait leur condamnation à tout prix et obtinrent que le procès se tienne à San Francisco. La presse locale de Soledad et de ses environs les avait déjà déclarés coupables. Les appuis affluaient de toute part, les comités de défense voyaient leurs rangs gonfler, les plus grands militants du pays prirent leur défense.

– Ils ont été innocentés ?

– Si tu arrêtais de m'interrompre tout le temps, je pourrais te raconter leur histoire ! Jackson avait un petit frère et, bien qu'il n'ait pas eu le droit de le voir grandir, il l'aimait plus que tout et cet amour fraternel était réciproque. Jonathan voyait en son aîné un héros, détenu de la façon la plus injuste. Au cours d'une audience où l'on jugeait trois autres prisonniers, Jonathan, qui n'était qu'un gamin, est entré dans le tribunal. Quelques instants après le début du procès, il s'est levé, a sorti un fusil dissimulé sous son manteau et a lancé aux détenus des pistolets qu'il avait cachés dans un sac en papier. Il a crié : « Ça suffit maintenant, c'est moi qui décide, libérez les frères de Soledad ! » Les prisonniers et lui ont pris des otages et se sont enfuis à bord d'une camionnette sur laquelle la police a tiré. Deux prisonniers, un des otages et Jonathan sont tombés. Après la mort de son frère, Jackson entreprit une correspondance avec sa famille et quelques proches, racontant son quotidien et son combat. Sa plume était celle d'un grand écrivain et ses textes furent publiés sous la forme d'un recueil dédié à la mémoire de son petit frère. L'ouvrage connut un certain succès, il fut traduit et publié à l'étranger, attirant encore plus d'attention sur le sort de Jackson, sur l'injustice dont il était victime, sur les atrocités du système carcéral, sur le racisme de l'appareil judiciaire. Le ministère public décida de le faire taire, Jackson fut abattu un an plus tard, au cours d'une prétendue tentative d'évasion de la prison de Saint Quentin où il avait été transféré. Ils l'ont tué mais ils n'ont pas réussi à faire oublier l'homme, ni sa cause. Les frères de Soledad sont devenus un symbole, leurs bourreaux disparaîtront dans leur médiocrité.

Était-ce de l'instinct, une prémonition, Agatha se retourna brusquement et regarda par la lunette arrière.

– Accélère progressivement, dit-elle en abaissant le pare-soleil.

– Nous sommes suivies ?

– J'en ai l'impression.

À la sortie de Woodward, les champs de maïs s'étendaient à perte de vue. Les seuls reliefs étaient formés par des silos et quelques corps de ferme. Aucun détour possible, nul endroit où se cacher et la vieille Oldsmobile ne pouvait rivaliser de vitesse avec la Ford qu'Agatha observait dans le miroir de courtoisie.

L'aiguille du compteur de vitesse dépassait les soixante miles, mais la distance entre les deux voitures ne se creusait pas pour autant.

– Ne va pas plus vite, dit Agatha, si cette voiture nous suit, il ne faut pas que son conducteur comprenne que nous l'avons repéré.

Pourtant, Milly continua d'appuyer sur l'accélérateur et l'aiguille dépassa les soixante-dix miles.

– Tu vas bousiller ton moteur ! protesta Agatha.

– Taisez-vous et laissez-moi faire, je vous l'ai dit, personne ne peut rivaliser avec moi au volant.

Un train de marchandises arrivait dans le lointain, avançant sur la voie ferrée qui biffait la plaine. Milly estima le temps qu'il mettrait à croiser leur route, et elle jeta un œil dans son rétroviseur. La Ford se rapprochait.

– C'est peut-être un type qui joue à l'aspirateur.

– Et cela consiste en quoi, jouer à l'aspirateur ?

– C'est une technique pour berner les flics en planque sur des chemins de traverse qui vous visent depuis leur bagnole avec un pistolet radar. Quand vous trouvez un pigeon qui roule au-dessus de la vitesse autorisée, il suffit de lui coller au train. Celui qui ouvre la route est pris en faute, celui qui le suit s'en tire à bon compte.

– À propos de train, j'en vois un qui va sonner l'heure de vérité, ralentis et ne fais pas l'idiote, nous n'aurons pas le temps de passer.

Milly obtempéra et leva le pied. Agatha observa la Ford qui grossissait dans le miroir.

Le conducteur de la motrice qui tractait un interminable convoi fit sonner son klaxon alors qu'il approchait du passage à niveau dépourvu de barrière. Le feu de signalisation se mit à clignoter, accompagné dans ses éclats du tintement d'une cloche.

Milly tourna brièvement la tête vers Agatha et s'écria :

– Fermez les yeux !

Elle appuya de tout son poids sur la pédale de l'accélérateur et le moteur rugissant de l'Oldsmobile donna tout ce qu'il avait dans le ventre. L'aiguille bondit jusqu'a la butée d'arrêt à l'intérieur du compteur de vitesse.

La voiture se rapprochait des rails, si elle les traversait à cette allure, elle y laisserait ses essieux.

En voyant une traînée de poussière se dresser devant lui, Tom comprit dans l'instant le tour qu'on lui jouait. Il accéléra, doubla l'Oldsmobile et traversa la voie. Mais juste avant de la franchir, Milly écrasa la pédale de frein, donna un coup de volant et accéléra à nouveau, faisant partir la voiture de travers pour la mettre dans l'axe du chemin qui longeait la voie ferrée.

Alors que fonçait le convoi qui la séparait désormais de la Ford, elle s'arrêta pour enclencher la marche arrière, recula jusqu'à la route et reprit la direction de Woodward à toute allure.

– Alors là, chapeau ! souffla Agatha.

Mais Milly n'avait pas le temps d'apprécier le compliment, son regard allait du pare-brise au rétroviseur ; tant que passerait le train, elles resteraient masquées aux yeux de leur poursuivant.

Elle bifurqua vers le sud à la première intersection, puis vers l'ouest au croisement suivant, dépassa une caravane de camions et fila vers les collines.

– Je crois que nous l'avons eu, dit-elle.

– Je crois surtout que tu es folle à lier. Mais ce n'est pas un reproche, bien au contraire.

*

Tom enrageait, en regardant, impuissant, défiler les wagons. Les trains de marchandises qui traversent le pays en comptaient parfois plus de soixante et ce convoi n'en finissait plus de s'étirer. Lorsque la motrice de queue s'éloigna, la route devant lui était déserte. Il retraversa les voies, se rangea sur le bas-côté et déplia la carte routière. Il avait raté le rendez-vous de Vera, mais pensait connaître l'endroit où Agatha se rendrait maintenant. Cette fois, il n'y aurait plus d'hésitation ; il

avait une mission à accomplir, la dernière de sa carrière et il était résolu à la mener à son terme. Il refit
demi-tour et poursuivit sa route vers l'ouest.

*

– Qui t'a appris à conduire comme ça ?
– Ma mère, répondit Milly, et aussi l'endroit où
j'ai grandi. On s'en rapproche d'ailleurs. Je ne suis
pas retournée à Santa Fe depuis sa mort.
– Tu veux que nous y passions ?
– Après ce que nous venons de vivre, je ne crois
pas qu'un détour soit une très bonne idée.
– C'est sur notre route, et puis nous l'avons
semé.
– Non, ça me ferait bizarre de m'y arrêter.
– Parfois, ce qui vous paraît bizarre a du bon,
moi je pense que nous devrions aller lui rendre hommage.
– À qui ?
– À ta mère. Elle est enterrée là-bas, j'imagine.
– Pas question !
– Écoute-moi bien, même si cela ne me regarde
pas. Il y a des choses qui ne se font pas dans la vie.
La famille, c'est sacré, si ta mère te voit depuis là-
haut, elle serait très malheureuse que sa fille passe
si près d'elle sans se donner la peine d'aller se
recueillir sur sa tombe. Tout à l'heure, au passage à
niveau, c'est peut-être elle qui nous a protégées.

– Parce que vous croyez à ce genre de choses, vous ?

– Ne viens-tu pas de me dire que c'est elle qui t'avait appris à conduire ? On lui doit bien ça, non ? Et puis, je vais te faire une confidence, j'aimerais voir l'endroit où tu as grandi.

– Pourquoi ?

– Toi et tes pourquoi ! Parce que ça me plairait, pour paraphraser quelqu'un qui se trouve juste à côté de moi.

Milly sourit.

– Il y a un petit restaurant près de chez nous où maman m'emmenait parfois dîner. C'est très modeste, mais on y servait les meilleurs tacos du monde, je crois que ça me ferait plaisir d'aller en manger un.

– Va pour les tacos ! Mais après, tu me feras visiter ta maison.

– Je ne sais pas si j'en aurai le courage, tout doit être couvert de poussière, et puis je n'ai pas les clés. Je n'avais pas prévu de partir en voyage, si vous voyez ce que je veux dire.

– Ne me dis pas qu'un garçon manqué comme toi ne faisait pas le mur. Et si tu savais sortir en douce, tu savais rentrer de la même façon. Ensuite nous irons présenter nos respects à ta mère.

Milly, exaspérée, prit la direction de Santa Fe au croisement suivant.

Une autre idée du bonheur

*

Sur une route parallèle située plus au nord, Tom Bradley entrait au Texas, se dirigeant vers l'ouest. La faim et la soif commençaient à se faire sentir mais il se refusait à perdre du temps, même si la jauge d'essence l'invitait à s'arrêter urgemment. Il repensait au manque de sang-froid dont il avait fait preuve à Woodward, et ne se le pardonnait pas. S'il y avait bien une chose qu'il avait apprise au cours de sa carrière, c'est que la vie offre rarement une seconde chance à un marshal qui laisse filer sa proie.

Il traversa un hameau en ruine, probablement rasé par le passage d'une tornade ; dévastatrices et meurtrières, elles apparaissaient fréquemment à l'été dans ces plaines poussiéreuses. Il ne restait des maisons que des fétus de bois amassés le long de la route. Tom se demanda ce qu'il était advenu des gens qui vivaient là. Il aperçut les décombres de ce qui fut une école, un peu plus loin, ceux d'un restaurant où les familles du coin devaient se retrouver le soir, un panneau brisé en deux était tout ce qu'il subsistait d'un ancien bowling et, au milieu de ce paysage fantomatique, le clocher renversé d'une église fiché dans la terre témoignait de la violence qui s'était abattue ici, comme une punition du ciel. Tom frissonna et passa son chemin, s'inquiétant de savoir s'il aurait assez de carburant pour atteindre la prochaine station-service. Par précaution, il ralentit.

Une autre idée du bonheur

Le village suivant n'était guère plus engageant, moins de cent âmes devaient vivre à Fargo. On n'y trouvait aucun commerce dans la rue principale, seuls quelques vieux pick-up rangés en épi témoignaient que l'endroit n'avait pas encore été abandonné de tous. De part et d'autre, des habitations en préfabriqué, posées sur des fondations précaires, rappelaient la pauvreté de ces campagnes arides. Une loupiote rouge clignota sur le tableau de bord et Tom n'eut plus qu'une seule préoccupation, trouver sur son chemin un endroit où faire le plein.

*

– Nous n'arriverons jamais à Santa Fe avant la tombée de la nuit, soupira Milly.

– Et alors, ta voiture a des phares !

– Pourquoi San Francisco ?

– Il me semblait te l'avoir dit, des amis m'y attendent.

– Auprès desquels vous resterez quelques heures, et ensuite ?

– Ensuite, il y a l'océan.

– Vous comptez fuir par la mer ?

– Je ne fuis pas, du moins pas au sens où tu l'entends, sinon j'aurais accepté que tu me conduises à la frontière. Je veux juste revoir la baie du Golden Gate, m'enivrer à la vue de l'horizon, et puis une fois là-bas, je saurai où me cacher et vivre des jours paisibles.

– Vous avez vraiment des amis là-bas ?

– Je l'espère, mais je n'en suis pas certaine.

– Alors à quoi bon ?

– Pour moi, c'est le bout de la route. De toute façon, il serait difficile d'aller plus loin. Toi, il te faudra rebrousser chemin et je ne pourrai pas t'accompagner. Tu me promets d'être prudente ?

– Je n'ai pas l'impression de pouvoir l'être moins que depuis que nous sommes parties.

Agatha regarda le paysage.

– Nous ne nous reverrons plus ? demanda Milly

– Ne pense pas à ça. Peut-être qu'un jour tu me rendras visite.

– Et où est-ce que je vous trouverais ?

– Plus tard, je t'écrirai.

– Et où est-ce que je vous répondrai ?

– Je t'indiquerai dans une lettre les coordonnées d'une boîte postale, et si tu viens vraiment me voir, nous choisirons un lieu de rendez-vous que nous serons seules à connaître, ce sera notre secret.

– Je crois que j'aimerais ça, dit Milly.

– Qu'est-ce que tu vas faire en rentrant chez toi ?

– Essayer de garder mon travail, retrouver Frank, me faire pardonner.

– Te faire pardonner de quoi ?

– Je ne sais pas, soupira Milly en haussant les épaules.

– Il faut que je t'avoue une chose. Ce revolver avec lequel je t'ai menacée le soir de notre rencontre, il ne fait que des tout petits trous, et il ne contient qu'une seule balle. Au mieux, et en visant bien, j'aurais pu faire péter le verrou de ta boîte à gants.

– Je sais, je m'en étais rendu compte. Maman m'emmenait parfois au stand de tir et j'en connais assez sur les armes à feu pour savoir que la vôtre était d'un tout petit calibre. Moi aussi je vous ai menti ; ma routine n'a rien de confortable, je m'emmerdais à mourir et j'ai saisi ma chance.

– Je peux te faire une autre confidence ? demanda Agatha.

– Oui, bien sûr.

– Tu mens très mal !

– Vous aussi !

*

Tom Bradley arriva à Santa Fe à la tombée du soir. Il chercha un hôtel où dormir, prit possession de sa chambre et s'allongea sur son lit, bras derrière la nuque, songeant à ce qu'il ferait le lendemain. Éreinté par une journée passée à conduire, il se leva pour aller se doucher et regarda le téléphone posé sur la table de nuit. Il hésita et finit par composer le numéro du juge Clayton.

– Où es-tu ? lui demanda celui-ci.

Tom se garda de lui répondre et l'interrogea à son tour.

– Quelles sont les nouvelles ?

– Le directeur du centre de détention a craqué, dit-il, il vient de m'appeler pour m'informer qu'il contacterait les fédéraux demain à la première heure et signalerait l'évasion.

– C'est regrettable pour sa carrière, soupira Tom.

– Pourquoi, tu l'as interpellée ?

– Pas encore, mais ce sera bientôt fait.

– Tu l'as logée ?

Tom ricana dans le combiné.

– J'ai dit quelque chose d'amusant ? se récria le juge d'un ton offusqué.

– Ce qui est amusant, c'est de t'entendre emprunter un vocabulaire de truand. Je pense avoir deviné où elle se rendra demain et si je ne me trompe pas, je l'y attendrai.

– Indique-moi le lieu, du renfort ne sera pas de trop.

– C'est une fugitive, elle est armée, les feds ne lui laisseront aucune chance et je veux éviter ça, mais peut-être que cela t'arrangerait que son arrestation tourne mal ?

– Comment peux-tu penser une chose pareille ? s'insurgea Clayton.

– Parce que je te connais.

– Ne joue pas au justicier solitaire, Tom, je suis le premier à vouloir que tout rentre dans l'ordre, le plus discrètement possible.

– Alors retiens les bouledogues encore vingt-quatre heures.

– Je ferai de mon mieux, mais je ne peux rien te promettre. Que veux-tu que je leur dise ?

– Fais preuve d'imagination.

– C'est moi qui t'ai confié cette mission, j'espère que tu t'en souviens. Si je n'avais pas voulu une fin paisible à cette affaire, je ne t'aurais pas appelé, ton attitude est insultante. Pourquoi ne pas l'arrêter ce soir, si tu sais où elle se trouve ?

– Parce que je suis fatigué et que je me vois mal l'enchaîner à un radiateur pendant que je dors. Je vais aller dîner, me reposer et j'accomplirai ma mission en temps et en heure. Nous avions passé un marché, si l'on s'y tient, tout se terminera sans faire de vagues, comme tu le souhaites.

– Je ferai de mon mieux et j'accepterai tes excuses lorsque tu voudras me les présenter.

Tom entendit un déclic. Clayton avait raccroché.

Tom songea à ce qui l'attendait, il y pensa en se douchant et y pensait encore en entrant dans un bar une heure plus tard. Il but un scotch, puis un autre qui le réconforta et alla arpenter les rues de la vieille ville.

Santa Fe était chargée d'histoire, les touristes s'y promenaient, allègres, admirant les maisons en adobe, leurs encorbellements exhalant des parfums de fleurs et des senteurs de bois fumé. Les terrasses des restaurants étaient pleines, on buvait, chantait et dansait, le soir semblait être acquis à la fête et Tom, attablé seul sur l'une de ces terrasses, se souvint en regardant un jeune couple qui discutait face à lui, d'une nuit d'été à Santa Fe, trente ans plus tôt.

Au lendemain de cette nuit, riche de promesses, il avait repris la route avec ses amis, traversé trois États, un fleuve sur une barge, puis trois autres frontières avant d'atteindre la côte Est. Les images défilaient dans sa tête, des visages et souvenirs de jeunesse qu'il n'avait pas revisités depuis longtemps.

– Vous voulez autre chose ? demanda la serveuse.

Tom releva la tête, elle était ravissante dans sa robe de mousseline.

– Vous êtes d'ici ? s'enquit-il, l'air étonné.

– Avec mon accent de Brooklyn, j'aurais du mal à le prétendre, je ne sais pas pourquoi tant de clients me prennent pour une Mexicaine, ce doit être à cause du soleil, il tape si fort dans ce coin qu'il tannerait la peau d'un Irlandais. Et vous, d'où venez-vous ?

– Du nord du Wisconsin.

– Ce n'est pas vraiment la porte à côté, ni le même climat ; qu'est-ce qui vous amène à Santa Fe ?

– Un saut dans le passé, je crois. Et comment une jeune femme de Brooklyn a-t-elle atterri ici ?

– Le ras-le-bol des hivers, et un petit ami que j'ai suivi.

– Deux bonnes raisons.

– La première surtout.

– Brooklyn vous manque ?

– Parfois, mais je ne peux pas me plaindre. La vie est agréable ici, la moitié des gens sont d'anciens hippies, presque tous les vieux en fait, et ils sont plus détendus que mes copains new-yorkais ; c'est un peu le monde à l'envers mais c'est assez marrant. Vous aussi vous étiez un hippie ? Il y en a tellement qui reviennent en pèlerinage.

Tom sourit.

– J'en ai l'air ?

– Oui et non, je ne sais pas, et en même temps, quelque chose me dit que vous avez pas mal bourlingué. Qu'est-ce que vous faites comme métier ?

– Je suis marshal.

– Sérieusement ? répondit la serveuse.

– Non, plus très sérieusement, je vous taquinais.

– Bon, je vois des impatients qui agitent les bras comme si j'étais aveugle, je vais devoir aller les servir. Vous ne voulez rien d'autre ?

Tom lui tendit un billet de cinquante dollars et la remercia pour le repas et le brin de conversation.

En rentrant à son hôtel, Tom Bradley ne savait toujours pas ce qu'il ferait le lendemain, mais sa seule certitude était que, quelle qu'en soit l'issue, cette journée lui apporterait une forme de délivrance.

*

Le juge Clayton achevait une discussion avec l'agent Maloney qui lui avait enfin apporté de bonnes nouvelles. Un inspecteur de la police de Philadelphie avait contacté le FBI après avoir reconnu la fugitive sur l'avis de recherche envoyé aux commissariats centraux du pays. Les images des caméras de surveillance d'une station-service située près de l'université témoignaient qu'elle était montée à bord d'une Oldsmobile 1950 de couleur rouge. L'agent Maloney s'expliquait mal que ces enregistrements datent de plusieurs jours, alors que l'évasion n'avait été signalée qu'au matin, et le directeur du centre pénitentiaire aurait quelques explications à fournir à ce sujet. Le juge Clayton assura en être le premier étonné. Si quelqu'un, dans les rouages de l'administration carcérale, avait failli à sa mission, il diligenterait une enquête et des sanctions seraient prises. Résolution qu'approuva l'agent Maloney avant de poursuivre son rapport.

Les logiciels de traitement d'images des laboratoires fédéraux ayant révélé l'immatriculation du véhicule, sa propriétaire avait été identifiée et son téléphone portable localisé dans la région de Tulsa. Elle faisait route vers l'ouest quand les relais avaient perdu sa trace. Le Texas et ses plaines désertiques connaissaient de vastes zones dépourvues de couverture du réseau cellulaire, mais dès qu'elle approcherait d'une agglomération, le signal réapparaîtrait. Les bureaux de Dallas, de Colorado Springs et d'Albuquerque étaient sur le qui-vive, prêts à intervenir.

Le juge Clayton remercia chaleureusement Maloney et le félicita de la célérité avec laquelle le Bureau[1] avait diligenté les recherches.

Après avoir raccroché, Clayton alla se préparer une tisane, attrapa son journal qu'il n'avait pas fini de lire et monta se coucher.

*

– Je suis désolée, dit Milly, mais ce soir, nous n'irons pas plus loin que Tucumcari. La nuit va tomber et avant d'arriver à Santa Fe il nous faudra traverser les montagnes du Sangre de Cristo. Ce sont de sacrés cols, la route est sinueuse, et la nuit elle se couvre d'un épais brouillard. Je me suis déjà retrouvée coincée en altitude, incapable de voir au-delà du capot. Même au printemps, il fait un froid de loup là-haut, et si nous étions bloquées...

---

1. Diminutif employé pour nommer le FBI.

– C'est bon, pas besoin de me dire qu'il y a aussi des grizzlis et du verglas, tu m'as convaincue, si tu es fatiguée, va pour Tucumcari.

– Je ne suis pas fatiguée, je vous dis que c'est dangereux la nuit.

– C'est bien ce que j'ai entendu, allons passer la soirée à Tucumcari. Qui ne rêve pas d'avoir fait ça au moins une fois dans sa vie ? D'autant que si ma mémoire est bonne, il y a un hôtel mythique là-bas, le Blue Swallow Motel.

– Vous êtes déjà allée à Tucumcari ? demanda Milly incrédule.

– Non, heureusement jamais ! Mais c'est écrit sur le guide, ajouta-t-elle en pointant du doigt le petit fascicule qu'elle feuilletait, et d'après ce que je lis, s'il est mythique, c'est parce qu'il est le seul de ce patelin.

*

La patronne du Blue Swallow Motel s'appelait Poopsie Gallena, et Milly eut aussitôt une pensée pour Jo, parce qu'un nom comme ça ne s'inventait pas non plus. Son motel était l'un des derniers rescapés de la route 66.

Dans l'entrée, une petite boutique de pacotilles rappelait les heures de gloire de la première voie goudronnée reliant le pays d'est en ouest en parcourant huit États et trois fuseaux horaires. Le temps où Chuck Berry lui avait donné ses lettres de noblesse au travers d'une chanson était révolu et, depuis qu'elle avait été déclassée, bien des villages qu'elle traversait s'étaient éteints avec elle.

Poopsie et son mari, Oncle Stinkwad – Milly ne réussit pas à apprendre pourquoi il avait été affublé d'un tel patronyme –, avaient quitté le Michigan et racheté l'établissement après avoir tous deux perdu leur travail au cours de la grande récession de 2008. On ne servait pas à dîner au Blue Swallow mais Poopsie recommanda un restaurant mexicain, à deux miles de là. Roy, le propriétaire, se faisait un plaisir de convoyer les clients à bord de son minibus Volkswagen qui n'avait plus d'âge. Poopsie Gallena l'appela aussitôt et s'occupa de leur réservation.

Agatha et Milly eurent à peine le temps de faire un brin de toilette dans leurs chambres respectives, modestes mais propres, décorées chacune de tout l'amour que les propriétaires avaient investi dans leur établissement.

Un coup de klaxon se fit entendre et Milly fut la première à sortir. Oncle Stinkwad, mains dans les poches, admirait sa voiture, avec les yeux émerveillés du petit garçon qu'il avait été jadis. Les néons de l'enseigne du motel se reflétaient sur la carrosserie, y imprimant des reflets bleu turquoise.

– On en voyait beaucoup comme celle-ci dans le temps, on la croirait revenue dans son décor originel, dit-il en caressant le capot.

– Vous ne pensez pas si bien dire, elle appartenait à ma grand-mère et elle a passé la plus grande partie de son existence sur les routes de Santa Fe. D'ailleurs, je n'ai jamais changé les plaques, elles sont d'origine comme le reste.

Agatha apparut sur le pas de la porte et indiqua à Milly que leur chauffeur les attendait.

Milly salua Oncle Stinkwad et grimpa dans le van.

Roy, au volant, portait une moustache blanche et tombante, comme ses cheveux qui recouvraient une bonne moitié de son visage buriné. Agatha n'eut aucun doute sur ce qu'il devait consommer dans les années 1960 et elle l'examina, se demandant s'ils s'étaient déjà croisés dans un lointain passé.

– Vous vivez ici depuis longtemps ? dit-elle alors que le minibus cahotait sur la piste.

– Tout dépend de ce que vous appelez longtemps ?

– Les années 1970, répondit Agatha, piquée par la curiosité.

– Vous savez ce que l'on dit au sujet de ces années : si vous vous en souvenez, c'est que vous n'y étiez pas. Mon père était soldat et nous déménagions à chaque nouvelle affectation. Alaska, Floride, Kansas, Massachusetts et même l'Allemagne, à l'époque où il y avait encore le mur bien sûr. J'en garde de drôles de souvenirs. C'est grâce à un accident de voiture que nous nous sommes installés ici ; comme quoi le destin a parfois de l'humour.

Le jeune Roy et son épouse avaient quitté l'Arizona après qu'un incendie avait ravagé leur maison. Ils étaient allés vivre en Floride chez le père de Roy, qui les avait hébergés et soutenus financièrement. Quand ils eurent amassé suffisamment d'économies, ils décidèrent de lever le camp et retraversèrent le pays, sans avoir la moindre idée de l'endroit où ils allaient.

– Lors d'une halte à Vegas, nous avions gagné un joli petit pécule au jeu, poursuivit Roy d'un air amusé. Nous sommes repartis au bout d'une semaine. Quand nous avons traversé les montagnes du Sangre de Cristo que vous voyez là-bas, nous avons rencontré une brume à couper au couteau à la tombée du soir et j'ai versé la voiture dans un fossé. Ne vous inquiétez pas, les circonstances étaient exceptionnelles, et le restaurant n'est plus très loin. On a passé la nuit à l'intérieur de notre break qui penchait sérieusement, avec une peur bleue d'en sortir. Nous n'avions pas la moindre idée de ce qui se trouvait sous nos roues. Cent pieds plus loin, le même accident nous aurait précipités dans un ravin. Quand le brouillard s'est levé avec le jour, mon épouse, en découvrant à quoi nous venions d'échapper, a dit : « Ça suffit, nous n'irons pas plus loin ! » Alors, nous avons posé nos valises dans le premier village qui s'est présenté. Nous avons trouvé une petite maison et du boulot, à l'époque le travail ne manquait pas. On a réussi à monter ce restaurant, ma femme est très bonne cuisinière et nous n'avons plus bougé. Et vous, c'est la première fois que vous venez dans le coin ?

– Oui, répondirent de concert Agatha et Milly.

– Qu'est-ce qui vous amène à Tucumcari ?

– Comme vous, l'amour de la route, nous traversons le pays, répliqua Milly.

– Eh bien, soyez prudentes quand vous franchirez les Rocheuses.

Le talkie-walkie accroché à sa ceinture crépita, Roy l'attrapa d'une main et baissa le volume.

– Les téléphones portables ne passent pas à cause des montagnes, ici nous communiquons encore à l'ancienne, dit-il en tendant l'oreille. C'est Anita qui s'impatiente, j'ai des clients à raccompagner.

Roy les déposa devant la porte du Pow and Lizard Lounge et leur souhaita bon appétit.

*

À la fin d'un dîner qu'elles avaient apprécié, Agatha redouta la conversation de Roy sur le chemin du retour.

– Tu ne le trouves pas terriblement bavard ? chuchota-t-elle en réglant l'addition.

– Pas plus que ça, non.

– Je lui pose une question et il nous récite sa vie.

– Ce qui vous agace, c'est que vous espériez le connaître et que vous êtes déçue.

– C'est toi qui m'agaces, grommela Agatha, tu deviens trop pertinente.

– Par moments, j'ai l'impression que l'on se ressemble.

– Toutes les deux ?

– Non Roy et moi, avec sa moustache et sa crinière de vieux cheval éreinté ; évidemment que je parle de nous deux.

– Et qu'est-ce qui te fait dire ça ?

– Votre caractère.

– Ah, et je devrais prendre ça pour un compliment ?

– C'est à vous de voir.

Roy les raccompagna au Blue Swallow Motel. Poopsie Gallena et Oncle Stinkwad étaient déjà couchés, et les deux femmes contournèrent le bâtiment principal pour regagner leurs chambres.

Milly s'allongea sur son lit, songeuse. Elle avait envie de parler et son regard se tourna vers le combiné du téléphone sur la table de nuit. Il était presque minuit à Philadelphie et elle ne voulait pas prendre le risque de réveiller Frank. Elle était certaine que Jo veillait encore, il se couchait toujours tard dans la nuit, mais elle ressentit un étrange sentiment en composant son numéro et raccrocha à la première sonnerie.

Elle entendit les pas d'Agatha de l'autre côté de la cloison et l'écho sourd du poste de télévision qu'elle avait dû allumer. Alors elle prit son courage à deux mains et alla frapper à sa porte.

— À part Brad, vous vous êtes déjà attachée à quelqu'un dans votre vie ? demanda-t-elle en entrant dans la chambre.

— En prison, tu veux dire ? répondit Agatha en relevant la tête de sa lecture.

Milly baissa les yeux, confuse d'avoir posé une question qui lui semblait déplacée maintenant qu'Agatha l'avait reformulée.

— Vous lisez et regardez la télé en même temps ?

— C'est une vieille habitude. Le soir, nous n'avions pas le droit de rester seule dans le dortoir, alors je n'avais d'autre choix que de bouquiner dans la pièce où les autres filles s'abrutissaient devant des émissions idiotes ; je me suis faite à ce ronron et j'aime bien lire accompagnée d'un fond sonore.

Agatha invita Milly à s'asseoir au bout de son lit. Elle posa son livre sur la table de nuit et se redressa sur le coussin.

— Pour répondre à ta première question, je n'étais pas très sociable, mais j'ai eu la chance de me faire une véritable amie.

— Elle est toujours là-bas ?

— Non, elle en est sortie il y a dix ans et elle a refait sa vie en Jamaïque. Lorsqu'elle a été libérée, ce fut un déchirement terrible. J'étais heureuse pour elle et malheureuse de la perdre. Nous nous sommes beaucoup écrit.

– Qu'avait-elle fait pour aller en prison ?

– Des choses qui la regardent.

– Pourquoi ne pas aller la rejoindre ? Vous seriez tranquille en Jamaïque.

– Ce serait épatant, je n'aurais qu'à visser une casquette sur mes dreadlocks et je serais vraiment méconnaissable... La vie n'est pas si simple, Milly, et la mienne est ici.

– Vous êtes têtue comme une mule, vous comptez jouer au chat et à la souris jusqu'à ce qu'ils vous reprennent ?

– La liberté n'est pas un jeu, c'est une nécessité, il faut en avoir été privé pour comprendre ce qu'elle représente. Si tu me disais ce qui t'empêche de dormir.

– Je n'en sais rien, je me sentais seule et j'avais besoin de compagnie.

– Il est peut-être temps que tu rentres à Philadelphie. Je peux me débrouiller désormais, nous ne sommes plus très loin de la côte. Une fois à Santa Fe, tu n'auras qu'à me déposer à la gare routière, je rejoindrai San Francisco en bus.

– Ce n'est pas ce que je voulais dire.

Agatha prit la main de Milly dans la sienne.

– J'ai eu beaucoup de plaisir à te connaître, et je serai triste de te dire au revoir, mais nos routes devront se séparer bientôt. Nous ne pouvons pas rester ensemble éternellement. Tu as ton travail, ton ami qui t'attend, et ta vie à mener.

Milly resta muette.

— Bon, soupira Agatha, ce lit est assez grand pour deux, prends l'oreiller dans l'armoire et viens te coucher ; tu ne ronfles pas, j'espère ?

— J'allais vous poser la question, répondit Milly en se glissant sous les draps.

Agatha éteignit la lumière.

— Quand tu ne trouves pas le sommeil, fais semblant, murmura Agatha.

— Semblant de quoi ?

— Que tout va bien, que tu te trouves dans un endroit de rêve, tu peux en changer autant que bon te semble : l'ombre d'un arbre au milieu d'une plaine, le bord d'une rivière ou d'un océan, la chambre de ton enfance, l'important est que le lieu soit calme. Ensuite, imagine à tes côtés la personne de ton choix, ou personne si tu préfères être seule.

— Et ensuite ? dit Milly qui s'était transportée sur le toit de sa maison.

— Ensuite, fredonne dans ta tête un air de musique que tu aimes, ou concentre-toi sur un bruit qui te rassure, le souffle de la brise, le clapotis des vagues, la pluie qui court sur les fenêtres.

Mais Milly entendit le bruissement des premières neiges quand elles tombaient sur le grand réservoir derrière chez elle.

— Lorsque les lumières s'éteignaient dans ma cellule, chuchota Agatha, je m'envolais vers Baker

Beach, c'est une plage de sable gris, non loin du Golden Gate. Mon père s'y trouvait toujours à mes côtés et nous avions ensemble des conversations passionnées. Il me racontait sa journée à l'atelier, nous parlions de politique, de l'avenir, de ce que je ferais de ma vie quand j'aurais fini de purger ma peine. Il me suggérait des idées, me donnait des conseils pour tenir bon, et d'entendre sa voix finissait toujours par m'apaiser. Un jour où je m'étais battue avec une pensionnaire pour un morceau de savon qu'elle essayait de me voler, j'avais reçu pas mal de coups au visage et aux côtes et je souffrais tant que je ne trouvais aucune position pour m'assoupir sans réveiller la douleur. Ce soir-là, j'avais beau fermer les yeux, je n'arrivais pas à voir son visage et j'ai connu la plus grande peur de ma vie : avoir oublié les traits de mon père. Une peur telle que c'est la douleur que j'ai fini par oublier. Alors ses yeux sont apparus dans le noir, avec toute cette bonté qu'il y avait dans son regard...

Et Agatha s'interrompit en entendant le souffle de Milly qui s'était endormie.

10.

Le jour entra par la fenêtre, Agatha cilla des yeux et s'étira. Milly n'était plus à côté d'elle.

Elle fit sa toilette, boucla son sac et se rendit à la réception où Poopsie Gallena l'accueillit avec un grand sourire.

– Elle prend son petit déjeuner, dit-elle en lui désignant le chemin. Vous voulez des œufs, du café, du thé ?

Ce qui faisait beaucoup de questions pour Agatha.

Elle emprunta un couloir étroit aux murs tapissés de vieilles photographies et suivit le rai de lumière qui passait par la porte ouverte de la salle à manger.

Milly s'y trouvait en compagnie d'Oncle Stinkwad. Elle avait une mine reposée et semblait d'humeur joyeuse.

– Votre amie me racontait que vous arriviez de Philadelphie, c'est une sacrée route que vous avez faite dans cette voiture, dit-il en se levant pour lui offrir sa chaise.

– Mon amie est très loquace le matin, grogna Agatha en s'asseyant.

– Impossible de battre Poopsie, répondit leur hôte, je vous laisse, vous aurez beau temps aujourd'hui.

Milly but une gorgée de café et lorgna Agatha, le visage dissimulé derrière sa tasse.

Poopsie arriva au milieu de ce silence. Elle servit son petit déjeuner à Agatha et se retira.

– Cesse de me regarder comme ça, si tu as quelque chose à dire, dis-le.

– Très bien, rétorqua Milly d'un ton sec. On oublie les tacos, l'arrêt à Santa Fe et nous filons à Frisco.

– Tu m'as fait une promesse et tu t'y tiendras.

– Et si je n'en ai plus envie ?

– Alors, tu me déposeras à la gare routière et tu iras où tu voudras.

– Et vous prétendez que je suis têtue.

Agatha repoussa son assiette et quitta la table.

– Je vais régler la note, je t'attends à la voiture.

*

Sous l'auvent du motel, Poopsie Gallena et Oncle Stinkwad agitaient les bras en signe d'au revoir alors que l'Oldsmobile partait en direction des montagnes.

Une autre idée du bonheur

Milly et Agatha quittèrent la route 66 pour emprunter la 104 qui grimpait au col.

Les lacets s'enchaînaient. Une heure plus tard, elles arrivèrent sur un haut plateau rocheux, aride et désertique. Pas une âme à cent lieues à la ronde, on ne voyait que poussière rougeoyante voltigeant au-dessus d'un ruban d'asphalte craquelé. De temps à autre, elles croisaient d'anciennes fermes laissées à l'abandon, quelques maisons en ruine, éparses au milieu de ce paysage aussi beau qu'inquiétant. Un pasteur qui vivait en ermite les salua de la main lorsqu'elles passèrent devant sa minuscule église qui n'avait plus accueilli de paroissiens depuis des lustres.

À l'extrémité ouest du plateau se dressaient de nouveaux sommets.

– Bientôt, dit Agatha, tu apercevras un petit sentier sur la gauche, prends-le.

– Pour aller où ?

– Pour redescendre directement vers Santa Fe. C'est un ancien chemin qui traverse le parc national, il se faufile entre deux cols, dans le temps, il menait à une mine abandonnée.

– Et qui vous dit qu'il est encore praticable ?

– Personne, mais tu as perdu le goût de l'aventure ? Au pire nous ferons demi-tour, au mieux, nous gagnerons deux bonnes heures.

– Comment connaissez-vous ce raccourci ? J'ai grandi dans la région et je n'en ai jamais entendu parler ?

– C'est marrant, vous avez vraiment tendance à prendre ceux qui vous ont précédés pour des gens qui ne savent rien à rien, des vieux schnoques démodés, et pourtant vous écoutez la musique que notre génération a inventée, vous chinez dans les brocantes à la recherche de vieilleries que nous aurions achetées dix cents et que vous payez mille fois ce prix, vous dépensez des fortunes pour des vêtements dont nous ne voulions même plus ; ce que j'ai pu voir dans les magasins où nous sommes entrées m'a sidérée.

– C'est l'effet vintage ! En tout cas, ça vous rajeunit beaucoup de parler comme ça !

– Je connais ce raccourci parce que j'ai vécu avant toi, et quand on se retrouve dans la clandestinité, on apprend des choses que les autres ignorent, comme par exemple, à franchir la frontière d'un État par des sentiers perdus ou se rendre d'une ville à une autre sans se faire voir ; ça te satisfait comme réponse ?

– C'est cohérent.

– Tu m'en vois ravie, et la prochaine fois, tu me dispenseras de ton insolence. Je suis peut-être un peu vintage, moi aussi, mais loin d'être gâteuse.

Le raccourci d'Agatha était cahoteux, mais il avait le mérite de contourner le flanc de la montagne suivant le cours d'un ru asséché. Milly dépassa l'entrée de la vieille mine et regagna, dix miles plus loin, la route qui plongeait en ligne droite depuis le plateau vers Santa Fe. La ville surgit dans le lointain et Agatha la découvrit, bien plus vaste que dans son souvenir.

– À quoi pensez-vous ? demanda Milly.

– Au temps qui passe, répondit Agatha.

– Attention à ne pas trop vous vieillir, vous allez être au-dessus de mes moyens.

Agatha lui lança un regard incendiaire mais l'attention de Milly fut attirée par son portable qui ne cessait de biper.

– Nous avons récupéré un réseau, dit-elle et j'ai l'impression qu'on a cherché à me joindre.

Elle se contorsionna pour le prendre dans sa poche et la voiture dévia à droite, mordant le bas-côté. Agatha lui arracha le téléphone des mains.

– Regarde devant toi, s'il te plaît. Comment ça marche, ces trucs-là ?

– Effleurez du doigt la petite enveloppe sur l'écran et lisez-moi les noms qui apparaissent.

– Jo, Frank, Jo, Jo et encore Frank, ça fait trois à deux !

– Ils doivent s'inquiéter, je les rappellerai dès que nous serons arrivées.

– Il est encore un peu tôt pour déjeuner, si nous commencions par visiter la maison où tu as grandi ?

– Pourquoi pas, soupira Milly, au moins, je n'aurai pas complètement menti à Frank, et puis c'est sur le chemin.

Milly bifurqua vers le nord et ne prononça plus un mot.

Peu à peu, le désert se peupla de hameaux ; les maisons en adobe semblaient surgir de terre pour former de petits quartiers résidentiels, tous identiques.

– Tu n'aurais pas dû tourner à gauche ? demanda Agatha.

– Vous comptez aussi m'indiquer le chemin pour aller chez moi ?

– Bien sûr que non, murmura Agatha, confuse.

– C'est tout de même moi qui ai vécu ici, que je sache ?

– Tu m'avais dit habiter vers Tesuque et il me semblait que cela se situait au nord-ouest.

– Je n'ai aucun souvenir de vous l'avoir dit, bien que ce soit exact.

– Tu me l'as dit, pas aujourd'hui mais je me le rappelle très bien, je n'aurais pas pu l'inventer, affirma Agatha. Ce devrait être un moment joyeux de retrouver la maison de son enfance, pourquoi es-tu si nerveuse ?

– Parce que nous devrions rouler vers la frontière, penser à votre avenir, au lieu d'aller fouiller mon passé.

– Quand nous serons séparées, je repenserai souvent à toi, ces quelques jours ne m'auront pas permis de te connaître assez, alors en visitant les lieux de ton enfance, j'apprendrai plus de choses, et j'aurai l'impression que nous sommes un peu plus complices.

– Je ne suis pas certaine que le mot « complice » soit bien choisi, vu les circonstances, et vous avez de drôles de théories. C'est vraiment pour vous faire plaisir, mais ensuite...

– ... ensuite, reprit Agatha, nous irons nous régaler des meilleurs tacos du monde, avant de rendre visite à ta mère.

– Et après, vous me laisserez vous conduire à la frontière du Mexique ?

– Après, nous verrons, répondit Agatha.

Milly s'engagea sur un sentier qui filait vers le sommet d'une colline. Elle accéléra d'un coup, obligeant Agatha à s'accrocher à la poignée de la portière.

– Qu'est-ce qui te prend ?

– Nous y sommes presque, j'ai toujours accéléré à cet endroit, ça soulève une traînée de poussière assez haut dans le ciel. Ainsi, ma mère me voyait arriver de loin. Maintenant, ça ne sert plus à rien, mais c'est une habitude.

Agatha avait le regard fixé sur la maison couleur d'argile qui grossissait devant elle, et elle accusa la poussière pour expliquer l'humeur qui avait gagné ses yeux.

Milly gara l'Oldsmobile et sortit de la voiture.

– On y va ou pas ? dit-elle à sa passagère qui restait immobile et silencieuse, contemplant fixement la porte bleue.

– Je croyais que tu n'avais pas la clé ? Tu ne dois pas te faufiler d'abord et venir m'ouvrir ensuite ? Je n'ai plus l'âge de passer par les trous de souris.

Milly haussa les épaules. Elle posa un pied sur l'une des poutres en bois qui encadraient la porte, s'accrocha d'une main au linteau et s'étira vers la corniche avant de retomber brusquement sur ses pieds.

– Voilà ! dit-elle en montrant fièrement une clé.

Mais Agatha ne bougeait toujours pas de son siège.

– Qu'est-ce qu'il y a ? demanda Milly, vous êtes pâle comme un linge.

– Ce n'est rien, juste un peu de fatigue, tu m'as bien secouée sur ce chemin. Entre, je te rejoindrai, et puis, tu as peut-être envie d'être seule chez toi, au moins quelques instants.

– C'est vous qui vouliez visiter ma maison, moi je la connais par cœur et je n'ai pas plus envie d'y retourner que ça. Nous pouvons faire demi-tour, rien ne nous oblige...

– Je ne serais pas contre un verre d'eau et un peu d'ombre, l'interrompit Agatha. Il doit faire frais à l'intérieur, je crois que cette chaleur m'a tourné la tête. Vas-y, je reprends des forces et j'arrive.

– Vous me jurez que ça va aller ?

– Mais oui, je te le jure, tout ira bien.

Milly poussa la porte et entra chez elle. Les meubles et les tomettes au sol étaient blanchis par la poussière. Elle s'approcha de la cheminée et s'empara d'un cadre posé sur la tablette. La photographie remontait à l'anniversaire de ses douze ans, sa mère la tenait dans ses bras et l'embrassait sur la joue. Qui avait pris cette photo ? Milly ne s'en souvenait pas. Elle reposa le cadre sur la table basse, se retourna et sursauta en découvrant Agatha qui la regardait depuis le pas de la porte.

– Vous n'entrez pas ?

– J'attendais que tu m'y invites.

– Suivez-moi, je vais vous donner à boire.

Agatha obéit.

– Je peux m'asseoir ? demanda-t-elle en tirant l'une des deux chaises près de la table.

– Vous feriez bien, vous avez vraiment une sale mine.

Milly ouvrit un placard, prit un verre et tourna le robinet au-dessus de la vasque. L'eau qui s'en écoulait était couleur de terre.

– Il va falloir patienter un peu, dit-elle, je ne voudrais pas vous empoisonner.

– J'ai tout mon temps, répondit Agatha d'une voix blanche.

– Attendez, dit Milly en ouvrant un autre placard, je suis certaine que la boîte à sucre est encore pleine. Ça ne se périme pas, le sucre ?

– Non, je ne crois pas.

Milly attrapa un récipient en fer sur l'étagère et le tendit à Agatha.

– Croquez un carreau de sucre, ça vous fera le plus grand bien. Ma grand-mère disait que c'est le meilleur remède contre les coups de mou.

– Alors, si ta grand-mère le disait, soupira Agatha en portant un morceau de sucre à sa bouche.

– Vous avez eu raison de me forcer la main. J'avais peur, mais maintenant, je suis heureuse d'être là. Je ne pensais pas ressentir cela après toutes ces années. Je croyais avoir fait ma vie à Philadelphie, et pourtant c'est ici que je me sens chez moi.

– Cet endroit te ressemble, dit Agatha.

– Vous voyez que mon remède fonctionne, vous reprenez des couleurs.

– Quand es-tu partie ?

– Peu après la disparition de ma grand-mère, j'ai obtenu une bourse d'études et j'ai pris la route à bord de sa voiture.

– Cette maison est restée fermée depuis la mort de ta mère ?

– Je suis revenue après l'accident. Maman est partie si subitement. En rentrant de l'enterrement, j'ai recouvert les meubles, j'aurais voulu mettre un peu d'ordre dans ses affaires, mais je n'ai pas pu. J'ai passé une grande partie de la nuit assise sur le pas de la porte de sa chambre à regarder son lit, son bureau, sa chaise. J'avais l'impression de sentir sa présence, qu'elle allait apparaître dans son peignoir et me dire d'aller me coucher. C'est dingue le nombre de choses sans intérêt que l'on dit aux gens qu'on aime, encore plus dingue tout ce qu'on ne leur dit pas. Alors cette nuit-là, je n'ai plus eu de secret pour elle. J'espérais qu'elle serait encore un peu là, qu'elle voudrait bien rester une nuit de plus auprès de moi. J'avais vingt-cinq ans et je pleurais comme une enfant. Je lui ai demandé pardon de ne pas avoir pris plus souvent de ses nouvelles, d'avoir choisi d'aller vivre si loin. Parce que rien ne pousse à l'ombre des grands arbres, et maman était un chêne, j'avais ressenti le besoin d'aller construire ma vie ailleurs. J'ai regretté toutes ces années perdues, tous les non-dits et les silences. Maman est morte à l'âge où je croyais ne plus avoir besoin d'elle, mais je me trompais. Elle me manque toujours. Un peu plus tard, je suis entrée dans sa salle de bains, et je suis restée debout pendant une heure à contempler ses objets, sa brosse à dents, son flacon de parfum et son éternel peignoir. Ce sont de tout petits détails qui vous rappellent cruellement que la personne que vous aimiez n'est plus là, qu'il n'y aura plus de moments ensemble, que votre mère est partie pour de bon et que vous ne la reverrez plus.

— Les gens qu'on aime ne meurent jamais tant qu'on les garde en soi. Tu voudrais m'emmener visiter sa chambre ?

— Pourquoi ?

— Parce que ce serait bien que tu y retournes et tu n'as peut-être pas envie d'y aller seule.

Milly regarda Agatha et se leva.

Elles grimpèrent à l'étage, marchant à pas feutrés dans le petit couloir qui séparait la chambre de Milly de celle de sa mère.

Elle poussa la porte et entra. Après un instant de recueillement, Milly afficha un sourire triste.

– Ce n'est plus comme avant, dit-elle.

– En quoi est-ce différent ?

– Maintenant, elle partie, cette pièce est vraiment vide. Le dernier soir que j'ai passé ici, elle habitait encore les lieux, plus aujourd'hui. Alors peut-être qu'elle aura entendu tout ce que je lui ai raconté.

– J'en suis certaine, dit Agatha.

– Cette chambre serait devenue la mienne si j'étais restée vivre à Santa Fe. Avant ma mère, c'était celle de ma grand-mère.

– Où était-elle allée vivre ?

– En centre-ville, maman m'a dit qu'après avoir perdu sa fille ma grand-mère ne pouvait plus supporter d'être ici. Maman était déjà enceinte de moi, je crois.

Agatha demanda la permission à Milly de s'asseoir au bureau de sa mère. Milly lui montra la chaise et s'en alla vers la salle de bains.

– Reposez-vous, je vais chercher deux trois choses.

– Prends tout ton temps, je ne bouge pas.

Dès que Milly s'éclipsa, Agatha ouvrit délicatement le tiroir du bureau et y plongea la main.

Ne trouvant pas ce qu'elle y cherchait, elle alla inspecter ceux de la commode qui se trouvait entre les fenêtres. Elle ouvrit ensuite l'armoire et s'arrêta devant un cintre où pendaient un vieux jean et une chemise échancrée. Sa sœur aînée les portait le soir où elle était partie avec trois de ses amis déposer une bombe dans un commissariat fermé la nuit. Elle la revit, superbe et fougueuse, s'en allant résolue, faire ce qu'elle croyait être juste, parce que la veille, des policiers de ce même commissariat avaient abattu froidement trois étudiants noirs dans leur sommeil.

Elle approcha la chemise de son visage et huma le tissu avant de refermer l'armoire. Elle balaya la pièce du regard, examina le contenu de la table de nuit, et rouvrit le tiroir du bureau, cherchant à tâtons un éventuel compartiment secret.

– Qu'est-ce que vous faites ?

La voix de Milly la fit sursauter.

– Rien, j'étais curieuse, j'essayais d'imaginer à quoi ressemblait ta mère, j'espérais trouver une photo d'elle.

– Ne faites pas ça, s'il vous plaît. Je ne veux pas qu'on fouille dans ses affaires. Sauf une qui est en bas, toutes les photographies sont rangées dans des cartons au grenier et j'ai trouvé tout ce dont j'ai besoin, dit Milly en montrant un flacon de parfum et une brosse à cheveux qu'elle tenait dans ses mains. Maintenant, allons-nous-en.

– Tu ne veux pas que je t'accompagne au grenier, il y a peut-être de vieilles affaires que tu serais heureuse de retrouver ?

– Non, répondit Milly d'un ton ferme. Il est temps de partir.

Elles regagnèrent le rez-de-chaussée et Agatha s'arrêta devant le cadre que Milly avait posé sur la table du salon.

– C'est très touchant, dit Agatha.

– Je fêtais mes douze ans, sur cette photo.

– C'est ta grand-mère qui l'a prise ?

– Non, elle n'était pas venue. Maintenant je m'en souviens, c'est un vieil ami de maman qui nous a photographiées. Il venait la voir une fois par an. Ils avaient une amie en commun qui habitait à l'autre bout du pays, je crois qu'elle était malade et Max venait chaque fois lui donner de ses nouvelles.

Agatha déglutit et se retourna vers la fenêtre pour ne pas croiser le regard de Milly.

– Un homme très généreux, reprit-elle, il arrivait toujours les bras chargés de cadeaux. C'est grâce à lui que j'ai obtenu ma bourse d'études à Philadelphie, il vit là-bas, c'est un notable assez puissant. Je suis allée déjeuner deux ou trois fois chez lui quand je suis entrée à la fac, il est avocat, j'espérais faire un stage dans sa firme, mais sa petite amie ne m'aimait pas et me le faisait sentir, alors on en est restés là.

– Allons-y, dit Agatha en ouvrant la porte de la maison.

Une autre idée du bonheur

*

L'agent Maloney pesta contre le collègue avec lequel il s'entretenait au téléphone. Personne n'était disponible pour répondre à sa demande. L'antenne d'Albuquerque manquait cruellement de personnel et ses effectifs étaient entièrement dévoués à une filature. Des passeurs de drogue en provenance du Mexique. Opération dont l'envergure était pour eux plus importante que l'arrestation d'une simple fugitive. Maloney avait eu beau protester, rappelant que la femme en cavale figurait sur une liste de personnes considérées comme dangereuses et qu'il était possible qu'elle ait une otage avec elle, son confrère lui répondit qu'elle l'était peut-être il y a trente ans mais que les temps avaient changé. Tant que la prise d'otage n'était pas avérée, et rien de tel ne figurait dans le dossier qu'il consultait sur son écran, il ne pouvait mettre en péril une opération engagée depuis des mois. Une équipe serait peut-être disponible en fin de journée. Maloney raccrocha furieux et contacta aussitôt le bureau de Denver qui réagit plus promptement à sa requête. Deux agents pourraient être sur place dans les cinq heures et le recontacteraient dès leur arrivée à Santa Fe.

*

Tom régla sa note à la réception de l'hôtel et reprit place à bord de la Ford. Il étudia le plan de la ville et se rendit à la mairie.

Fernando Montesoa, préposé aux renseignements, n'en avait strictement rien à faire qu'il soit marshal ou non. Dans le temps, il y avait deux employés à l'accueil, mais avec les restrictions budgétaires, son collègue parti à la retraite n'avait pas été remplacé. Tout cela, selon lui, était la faute des banques ; sauf que les banquiers, eux, ne manquaient de rien et surtout pas de personnel pour les servir, qu'il s'agisse de se faire porter un café, d'aller chercher un costume chez le teinturier ou de taper des comptes-rendus de réunions où ils concoctaient de nouvelles façons de saigner le pays à blanc pour s'en mettre plein les poches. Sans parler des maisons qu'ils saisissaient à tour de bras à de pauvres gens qui n'arrivaient plus à payer les emprunts qu'ils leur avaient fait contracter. Fernando Montesoa était bien placé pour le savoir. Si Tom devait prendre son mal en patience, et faire la queue comme tout le monde, lui n'y était pour rien.

Tom essaya plusieurs fois d'interrompre sa verve polémique, rien n'y fit et Fernando Montesoa continua de déverser son amertume sur le premier représentant de l'ordre public qui lui faisait face et auquel, pour une fois, il n'avait pas de comptes à rendre.

Une femme qui patientait dans la file d'attente avec ses deux enfants soupira bruyamment et indiqua à Tom que le bureau de l'état civil se situait à l'étage. Tom la remercia et passa devant le préposé en lui lançant un regard noir.

– Si c'était la seule chose que vous vouliez savoir, fallait le demander tout de suite, répondit Montesoa en haussant les épaules.

C'était pourtant ce que Tom avait fait, et d'une voix suffisamment claire pour qu'une femme l'entende et finisse par le renseigner.

La salle d'attente du bureau de l'état civil n'était guère mieux servie. Dix personnes y patientaient. Mais cette fois, Tom posa son badge sur le comptoir et demanda sans politesse l'accès à un terminal pour consulter les registres de la ville.

*

Le restaurant qui servait les meilleurs tacos du monde avait l'allure d'une gargote de routiers. Une vingtaine de tables en formica meublaient la salle à manger dont la décoration se limitait à des lambris de bois cloués aux murs et des néons au plafond.

Derrière un comptoir en carrelage, trois cuisiniers mexicains, au front ruisselant de sueur, faisaient virevolter des galettes de maïs au-dessus d'un fourneau rougeoyant dont les flammes semblaient surgies de l'enfer. Deux autres les attrapaient à la volée, les parant à toute vitesse d'une préparation à base de poivrons, tomates, oignons, lamelles de viande, fromage fondu et copieusement arrosée de Tabasco.

Toutes les chaises étaient prises et une dizaine de clients patientaient dehors, mais quand Milly entra, le plus grand des trois cuistots ouvrit les bras en grand et vint l'embrasser.

– Une revenante, s'exclama-t-il en la serrant contre lui. Tu nous avais abandonnés, cela fait combien de temps ?

– César, je te présente une amie, répondit Milly.

César se courba comme un gentilhomme. Il fit un baisemain à Agatha et les installa aussitôt à une table lorgnée par deux clients qui attendaient leur tour ; sûrement des habitués connaissant le tempérament du patron, car aucun ne broncha. César retourna à ses fourneaux sans que Milly eût besoin de commander quoi que ce soit.

– Tu es sérieuse ? demanda Agatha en contemplant son assiette.

– Goûtez avant de râler.

Agatha mordit prudemment le tacos et avoua être agréablement surprise.

– Ne mangez pas trop vite, il nous resservira d'ici peu et si on en laisse une seule miette, il le vivra très mal.

Agatha observa deux convives à une table en face d'elle.

– Qu'est-ce que vous regardez ? questionna Milly.

– Un couple, derrière toi. Ils sont bizarres.

– Qu'est-ce qu'ils ont de bizarre ? dit-elle en se retournant.

– Ils ont chacun les yeux rivés sur leur téléphone, tapent dessus à toute vitesse et ne s'adressent pas la parole.

– Ils doivent être en train d'envoyer des messages à des amis, ou peut-être qu'ils postent des commentaires sur le restaurant.

– Comment ça ?

Milly sortit son téléphone et fit une démonstration à Agatha.

– Avec ça, on peut communiquer avec le monde entier, publier des photos de soi, de chaque endroit où l'on se trouve, raconter ce que l'on est en train de faire, partager tous les moments de sa vie.

– Dans la notion de vie privée, c'est le mot « privé » qui vous a échappé ?

– Il ne faut pas voir les choses sous cet angle, protesta Milly. Les réseaux sociaux sont de formidables remèdes à la solitude.

– Tu as raison, il n'y a qu'à regarder les deux zozos qui déjeunent là-bas. Si je comprends l'idée, on se rapproche des gens qui sont loin et l'on s'éloigne de ceux qui sont proches. Ce doit être passionnant de partager son repas avec un téléphone.

Si j'avais pensé à ça en prison, j'aurais dîné plus souvent avec ma brosse à dents, moi qui me sentais seule, quelle idiote !

– Vous faites exprès de ne pas comprendre. Témoigner de son expérience, partager ses opinions, c'est la liberté d'expression dans toute sa dimension.

– Et les gouvernements n'ont aucun moyen de lire ce que l'on écrit ou révèle de soi depuis ces petits machins ? Je suppose que tout cela est parfaitement protégé. Vous êtes tous devenus fous !

– Ce n'est plus comme à votre époque, chuchota Milly.

– Ah bon ? Le monde n'est plus en guerre, la corruption a disparu, il n'y a plus d'innocents en prison, pas plus de gens de couleur que de Blancs en cellule, aucun homme politique ni aucun gouvernement n'abuse de son pouvoir, les inégalités appartiennent au passé, la presse est devenue vraiment indépendante, les libertés n'ont cessé de croître et les leaders d'opposition vivent tous paisiblement ? Alors là, évidemment, dans de telles conditions, pourquoi se priverait-on d'étaler sa vie sur la place publique !

– Pourquoi regarder toujours le mauvais côté des choses ? Quand nous serons séparées, nous pourrons communiquer à souhait et même nous voir en nous téléphonant.

– Et personne ne pourra savoir où l'on se trouve ?

À court d'argument, Milly haussa les épaules. Son portable se mit à vibrer. Elle regarda l'écran et se leva.

– Je reviens, dit-elle.

Milly sortit précipitamment du restaurant et décrocha dès qu'elle arriva sur le trottoir.

*

– Jo ?

– Bon sang, Milly, je n'ai pas arrêté de t'appeler, je tombais toujours sur ton répondeur.

– J'étais dans les montagnes, il n'y avait pas de réseau, tu as une drôle de voix, quelque chose ne va pas ?

– Tu parles que quelque chose ne va pas ! J'étais sur la pelouse du campus avec Betty...

– Avec qui ?

– Betty Cornell, je me doutais que ça te paraîtrait fou, mais voilà qu'après toutes ces années nous nous sommes croisés au cinéma. Je t'ai fait une petite infidélité, mais fallait pas me laisser tomber, ma vieille. Ils rejouaient *Bird* et depuis le temps que je rêvais de le voir sur grand écran, je ne voulais rater ça sous aucun prétexte. Forest Whitaker est vraiment incroyable dans son interprétation de Charlie Parker. Betty se trouvait aussi dans la salle, nous sommes tombés dans les bras l'un de l'autre à la sortie du film. Elle a beaucoup changé, tu sais, fini les minauderies, c'est, comment dire... une femme, je crois que c'est le mot. Elle étudie la musique, on s'est promis de prendre un café et c'est ce que nous avons fait hier.

— Jo, tu peux aller au fait s'il te plaît, en quoi tout cela me concerne ?

Jo resta silencieux et Milly s'en voulut d'avoir été agressive.

— Pardonne-moi, j'ai très peu dormi cette nuit et je suis à fleur de peau, continue, je ne voulais pas t'interrompre.

— Excuses acceptées, ne t'en fais pas. Où en étais-je ?

— À Betty Cornell qui te faisait du gringue sur la pelouse du campus.

— Ah voilà, nous étions en pleine discussion...

— Elle était habillée comment ?

— Une jolie robe rouge décolletée, un petit chandail blanc, il faisait un peu frais, et des ballerines, pourquoi ?

— Pour rien.

— Deux types en costume noir se sont approchés de nous, ils m'ont demandé si j'étais bien Jonathan Malone et ont sorti leurs insignes. Des fédéraux ! Ils m'ont questionné sur la propriétaire d'une Oldsmobile et voulaient savoir si je te connaissais. Ne t'inquiète pas, j'ai joué la comédie encore mieux que l'autre fois quand ce flic m'avait téléphoné. Je leur ai dit que nous avions papoté au sujet de ta voiture, que tu m'avais emmené faire un tour, mais que je ne te connaissais pas vraiment et que je ne t'avais pas revue depuis.

– Ils t'ont cru ?

– Pour qui me prends-tu ? Je n'ai même pas sourcillé quand ils ont montré ta photo.

– Ils avaient ma photo ?

– Oui, plusieurs en fait. Elles provenaient des caméras de surveillance de la pompe à essence, des agrandissements un peu flous, mais c'était bien toi.

– Et Betty m'a reconnue ?

– Oui, mais c'est quelqu'un de bien, elle non plus n'a rien dit, en tout cas, pas devant les fédéraux. Après leur départ, elle m'a demandé pourquoi j'avais menti et si on se voyait toujours.

– Qu'est-ce que tu as répondu ?

– Rien, que je préférais ne pas parler de ça, j'ai changé de sujet et elle n'a pas insisté.

– Et les fédéraux, qu'est-ce qu'ils ont fait ?

– Ils se sont promenés sur le campus, j'ai pensé les suivre, mais je ne voulais pas inquiéter Betty. Qu'est-ce qui se passe, Milly ? Je n'aime pas ça du tout ; si tu as des ennuis, je suis là, et ça me fait de la peine que tu ne m'aies rien dit. Tu sais que tu peux compter sur moi en toute circonstance, dis-moi où tu es et je viens te chercher.

– Ne t'inquiète pas, Jo, ce n'est pas moi qui ai des ennuis, mais ma passagère, c'est une longue histoire, je te raconterai tout dès que je serai rentrée.

– Quand ? Quand rentres-tu ? Je suis inquiet.

– Si je tarde, tu n'auras qu'à emmener Betty au cinéma, je suis certaine qu'elle ne demande que ça. Ne te soucie pas de moi, je te ferai signe quand j'arriverai à Philadelphie.

– Milly, ce n'est pas ce que tu crois, soupira Jo.

Mais Milly avait déjà raccroché

Lorsque son téléphone sonna quelques secondes plus tard, elle hésita avant de prendre l'appel.

– Je suis désolée, dit-elle, je crois que nous avons été coupés.

– Non, je ne crois pas, répondit Frank. En tout cas, ce n'était pas avec moi.

– J'allais t'appeler, répondit Milly dont les joues venaient de virer au pourpre.

Frank avait une voix des mauvais jours et semblait d'une humeur acariâtre.

– Où es-tu, Milly ?

– Je te l'ai dit, en route vers chez moi.

– Je croyais que chez toi c'était l'endroit où nous dormions ensemble.

– Ce n'est pas ce que je voulais dire, je parlais...

– Arrête de me mentir veux-tu, c'est blessant. Deux types sont venus hier au bureau me questionner à ton sujet.

Milly, blêmissante, se tourna vers Agatha qui la regardait à travers la vitrine.

– Des fédéraux ?

– Comment le sais-tu ? Ils te soupçonnent d'être en compagnie d'une fugitive et s'interrogent à ton sujet.

– Ils s'interrogent en quoi ?

– J'aurais préféré entendre « Quelle fugitive ? » ou « De quoi parles-tu ? ». Avec qui voyages-tu ?

– Ne me parle pas sur ce ton, Frank, je ne suis pas une gamine et je suis libre de faire ce que je veux. Moi, j'aurais préféré que tu sois inquiet au lieu de me faire la leçon.

– Mais je le suis depuis que tu es partie, et encore plus depuis la visite du FBI.

– Qu'est-ce qu'ils voulaient savoir ? répéta Milly en durcissant le ton.

– Ils craignent que tu sois retenue en otage et que tu ignores l'identité de la personne qui se trouve avec toi.

– Ils t'ont dit qui elle était ?

– Oui, une certaine Agatha Greenberg qui se serait évadée de prison. Maintenant, tu peux me dire depuis combien de temps tu me mens, je croyais que tu n'avais plus aucune famille ?

La question de Frank resta sans réponse car Milly venait de s'effondrer devant la vitrine du restaurant. Et alors que les passants accouraient pour lui porter secours, Agatha sortit en trombe et la prit dans ses bras pour la ranimer.

*

César, qui l'avait suivie, se proposa d'appeler une ambulance.

– Je ne crois pas que ce soit nécessaire, dit Agatha, elle rouvre les yeux.

D'un geste affectueux, elle épongea le front de Milly avec la serviette humide qu'avait apportée César.

– Tu reprends des couleurs, souffla-t-elle d'une voix douce. Ne t'inquiète pas, tu as fait un petit malaise. Il faisait frais dans la salle et très chaud dehors. Ce n'est rien, tu essaieras de te relever quand tu t'en sentiras la force.

Milly secoua la tête et repoussa la main d'Agatha.

– Ça va, dit-elle.

César l'aida à se redresser et la soutint, lui faisant faire quelques pas.

– Je suis désolée, lui dit-elle.

– Il n'y a pas de quoi, mais tu nous as fait peur. Tu attends un heureux événement ?

– Non, c'est juste un coup de chaleur, je crois que j'ai un peu abusé de ta cuisine.

– Rentrons, tu vas te reposer au frais.

Agatha se tenait tout près d'elle. Elle lui tendit la main, mais Milly l'ignora et se laissa escorter par César.

Elles restèrent assises un long moment dans la salle, burent une menthe fraîche et sucrée dont César avait assuré qu'il s'agissait du meilleur des remontants. Une fois réhydratée, tout irait mieux.

La potion de César avalée et la fraîcheur de la salle aidant, le visage de Milly retrouva bientôt sa teinte rosée.

– C'est passé, dit-elle, nous pouvons y aller.

– Tu en es certaine ? demanda Agatha.

Milly ne lui répondit pas, elle se leva, embrassa le patron, lui fit la promesse de ne plus laisser passer autant de temps avant de revenir et sortit.

Agatha, intriguée, remercia César et la suivit.

– Tu devrais refermer la capote, dit-elle en prenant place à bord de l'Oldsmobile, le soleil cogne fort, tu as peut-être attrapé une petite insolation.

– Mon malaise n'avait rien à voir avec la chaleur.

– C'est ce coup de téléphone qui t'a mise dans cet état ?

– Oui, lâcha Milly, le visage crispé.

– Qui était-ce ?

– Jo, il a reçu hier la visite des fédéraux, ils sont à nos trousses.

– Ce n'est pas une surprise, il fallait bien que cela arrive, dit Agatha en soupirant.

– Ils savent qui je suis, ils avaient même ma photo. C'est un miracle que les flics ne nous aient pas encore arrêtées, ma voiture ne passe pas inaperçue.

— Les fédéraux n'offriraient jamais à une police locale le crédit de mon arrestation. Les prisonniers qu'ils ont fait condamner leur appartiennent de droit, et puis nous sommes une proie facile, ce n'est pour eux qu'une question de temps.

Milly sortit son téléphone de sa poche et le jeta par la vitre sous le regard éberlué d'Agatha.

— Ce n'est pas la peine de leur faciliter la tâche, dit-elle avec froideur.

— Je te donnerai de quoi t'en racheter un autre et je crains que nous ne devions trouver un véhicule plus anonyme si nous voulons arriver jusqu'à la frontière.

— Parce que vous avez enfin changé d'avis ?

— San Francisco me semble désormais hors d'atteinte. Tant pis pour moi, j'irai contempler l'océan depuis la côte mexicaine.

Milly se dirigea vers la sortie de la ville.

— C'est en apprenant que les fédéraux nous traquaient que tu as fait ce malaise ?

Milly resta silencieuse, les yeux rivés sur la route, fuyant le regard d'Agatha.

— Qu'est-ce qui ne va pas ? Jo t'a dit quelque chose d'autre ?

— Qu'il était en compagnie de Betty Cornell quand les feds lui ont rendu visite.

— Qui est cette Betty ?

– Une fille dont il était fou d'amour au collège. Enfin, je dis une fille mais il paraît que c'est une femme, maintenant.

– Si elle a le même âge que toi, on ne peut pas le lui reprocher.

– Non, on ne peut pas. Une femme épatante, quelqu'un de bien, au dire de Jo, ajouta Milly.

– Je vois.

– Non, vous ne voyez rien du tout.

– Au contraire. Si tu penses avoir des sentiments pour Jo, ne tarde pas trop à les lui avouer. Toi aussi, il serait temps que tu deviennes une femme qui sait ce qu'elle veut. On ne peut pas se mentir éternellement, tu sais.

– Et mentir aux autres, c'est une chose permise ? Et que l'on peut faire durer autant qu'on veut ?

– Je suppose. Cela dépend des circonstances, il y a des pieux mensonges.

– Vous n'êtes pas montée à bord de ma voiture parce que je me trouvais au mauvais endroit, au mauvais moment.

– Ce voyage t'a paru si pénible pour que tu utilises ces mots-là ?

– Arrêtez de jouer avec moi et de me prendre pour une conne !

– Qu'est-ce qui se passe, Milly ?

– À vous de me le dire. Comment se fait-il que nous portions le même nom ?

Agatha l'observa longuement avant de lui répondre :

– Parce que ta mère était ma sœur. Je suis ta tante, Milly.

Milly écrasa des deux pieds la pédale du frein. Les pneus crissèrent et la voiture glissa sur le macadam.

– Vous comptiez m'en parler avant San Francisco ou me laisser rentrer seule à Philadelphie aussi ignorante que je l'ai été depuis le début ? cria-t-elle en se tournant vers Agatha.

– Je souhaitais le faire une fois arrivée chez toi.

– Encore un mensonge, puisque vous ne m'avez rien dit.

– Entrer dans cette maison, qui fut aussi la mienne, a été pour moi plus bouleversant que je ne l'avais supposé. Depuis que nous en sommes reparties, je guettais le bon moment.

– Parce qu'il y a un bon moment pour m'avouer que vous me mentiez depuis le début ?

– Non, parce que je ne savais pas comment m'y prendre.

– Vous m'attendiez dans cette station-service, c'est évident ! Comment saviez-vous que je me trouverais là ?

– Je le savais parce que ta vie est réglée comme une horloge et qu'un ami s'était renseigné pour moi.

– De mieux en mieux ! Et je peux savoir pourquoi votre ami me fliquait ?

– Quand je t'ai dit qu'à vingt ans je conduisais une voiture comme la tienne, c'est de celle-ci dont je parlais. Ta grand-mère, qui te l'a offerte, était ma mère et je me suis si souvent assise sur ce fauteuil que tu peux deviner mon émotion quand je m'y suis installée au moment de notre rencontre, à Philadelphie. Ta mère préférait la banquette arrière, pour avoir les cheveux au vent, moi je les portais courts.

– Pourquoi grand-mère m'a fait croire que vous étiez morte ?

– Probablement parce que je l'étais dans son cœur, et qu'elle était complice d'une duperie qu'elle n'avait jamais acceptée, sans pouvoir l'interdire.

– Quelle duperie ?

– Cela ne regarde qu'elle et moi. Je suis certaine qu'il y a des choses que tu as vécues avec ta propre mère que tu garderas toujours pour toi. Il est temps de lui rendre visite, nous ne pouvons passer si près d'elle sans nous recueillir sur sa tombe. Si tu as cru sentir sa présence au cours de cette dernière nuit passée dans sa chambre, tu dois pouvoir imaginer qu'elle est probablement en train de nous attendre, et que rien ne pourrait l'apaiser plus que de nous voir réunies. Que tu m'aimes ou me détestes, en cet instant précis, nous appartenons toutes trois à la même famille.

Milly observa longuement Agatha avant de démarrer en trombe.

Une autre idée du bonheur

*

Elles roulèrent dans un silence imposé par une réalité nouvelle que Milly appréhendait peu à peu. Agatha ne la quittait pas des yeux. Et soudain, sans que Milly le lui ait demandé, elle prit la parole pour conclure à sa façon le récit du dernier épisode de sa vie de jeune femme libre.

– Vera, Lucy, Max et une amie avaient décidé d'aller venger trois étudiants que des policiers avaient abattus dans leur lit. Trois jeunes de nos âges, des militants de la première heure, mais contrairement à nous, ils étaient. noirs. Les flics avaient défoncé la porte de leur studio et avaient vidé leur chargeur sans sommation. Comme d'habitude, ils avaient invoqué la légitime défense, prétendant que leurs victimes avaient ouvert le feu en premier. Dès le lendemain, des jeunes frères d'armes invitèrent la presse et le public à visiter les lieux. Les flaques de sang sur les literies et les éclaboussures sur les murs ne laissaient planer aucun doute quant à la façon dont les choses s'étaient déroulées, les trois étudiants, dont le plus vieux n'avait pas vingt-cinq ans, avaient été assassinés dans leur sommeil, mais les auteurs de ce massacre, missionnés par les fédéraux, ne seraient jamais inquiétés. Alors au cours d'une nuit qui suivit, une folle équipée vengeresse alla faire sauter une antenne du commissariat dont dépendaient les assassins. L'attaque visait une permanence de quartier fermée dès la tombée du soir. Aucun risque de faire de victime. Et pour s'en assurer, un appel fut passé, comme chaque fois, afin de prévenir les autorités avant l'heure fatidique. Malgré cela, un corps fut retrouvé quelques mois plus tard lors de l'excavation des décombres. Peut-être s'agissait-il d'un type que les flics avaient tabassé à mort et dont le cadavre attendait d'être jeté dans l'Hudson. Voilà pourquoi j'ai passé trente ans de ma vie derrière des barreaux.

– Vous avez dit Vera, Lucy, Max et une amie, vous n'y étiez pas ?

– Non.

– Alors pourquoi avez-vous été en prison ?

– Parce que j'avais participé aux préparatifs de cette action et que j'ai été la seule à me faire prendre.

– Et les autres ne se sont pas dénoncés ?

– Non plus, et heureusement d'ailleurs ! Ils auraient connu le même sort que moi et cela ne m'aurait pas fait sortir pour autant.

– Maman en faisait partie ?

– Non, mentit Agatha, ta mère s'est toujours opposée à toute forme de violence.

– Ce n'est pas ce que vous me laissiez entendre quand vous me parliez de votre sœur.

– Eh bien, entends ce que je te dis maintenant, et si je t'ai laissée imaginer une chose pareille, c'est que j'ai dû exagérer.

– Parlez-moi encore d'elle. Elle n'a jamais rien voulu me dire de sa jeunesse.

– Je t'ai raconté l'essentiel. Nous étions inséparables, elle était mon idole, un peu trop probablement. J'avais envie de lui ressembler, d'être aussi à l'aise qu'elle l'était, d'avoir sa force et sa détermination. Elle était une jeune femme engagée, révoltée par la guerre, la répression et le racisme d'État, cette forme d'esclavagisme qui n'avouait pas son nom. Ta mère ne tolérait pas l'injustice et l'hypocrisie, elle haïssait la corruption qui régnait en toute impunité des plus hauts sommets de la nation jusqu'aux flics des rues. Le monde politique n'était que pots-de-vin et violence. Le gouvernement de Nixon commettait des massacres de masse, des femmes et des enfants mouraient par millions pour engraisser les magnats de nos industries militaires. Combien de chambres d'hôpital construisait-on pour une bombe, combien d'écoles pour un tank ou un hélicoptère, combien de logements sociaux pour un programme de recherche militaire ? Les crimes commis étaient trop graves pour qu'on ne veuille pas changer le monde. Nous nous sommes fait traiter de tous les noms, de rouges, de terroristes, de naïfs ou d'utopistes. Nous n'avons pas changé le monde, mais aujourd'hui, le président du pays le plus puissant de la planète est un homme de couleur et je suis certaine que ta mère a dû verser bien des larmes le jour où il a prêté serment, car lorsque nous avions ton âge, c'était une chose inimaginable.

– J'aurais aimé qu'elle me raconte tout ça, j'aurais voulu porter son histoire sous mes habits d'écolière, je me serais sentie plus forte et me serais moins plainte de mon sort. J'aurais voulu lui dire avant qu'elle parte que j'étais fière d'être sa fille, et lui avouer qu'à sa place je n'aurais peut-être pas eu son courage.

– La seule chose dont tu dois te souvenir, c'est qu'elle était ta mère et qu'elle t'aimait.

À la sortie de la ville, le désert reprenait ses droits. Agatha releva la tête, derrière quelques maisons éparses, le paysage se fondait dans le ciel.

Au loin se dessinait un alignement de barrières en fer forgé délimitant le territoire d'un immense cimetière. L'Oldsmobile franchit la grille et roula au pas.

En cet endroit paisible, la terre aride avait cédé la place à des pelouses verdoyantes piquées de stèles que les frondaisons de séquoias monumentaux plongeaient dans l'obscurité en maints endroits.

La chaleur s'élevait au-dessus des allées goudronnées, seul le chant des grillons dominait le silence.

Milly se rangea le long d'un trottoir et fit signe à Agatha de l'accompagner.

Elles grimpèrent à une colline, parcourant plusieurs rangées de sépultures. Arrivée presque au sommet, Milly s'arrêta devant une pierre blanche sur laquelle on pouvait lire « Hanna Greenberg ».

Agatha effleura les lettres du prénom gravé sur la stèle. Elle s'agenouilla pour caresser l'herbe qui recouvrait la tombe de sa sœur.

De la voir ainsi recueillie, Milly eut envie de poser sa main sur son épaule. La colère du mensonge s'était dissipée en entrant dans ces lieux. Cette femme, auprès d'elle, était tout ce qui lui restait de famille, et la solitude qui ne l'avait jamais quittée s'était enfuie depuis qu'elles étaient réunies.

– Ta mère avait de nombreux défauts, dit Agatha. Elle était parfois égoïste, toujours têtue, d'un sans-gêne qui dépassait les bornes, mais Dieu qu'elle était courageuse. Elle se serait battue avec le ciel si sa couleur lui avait déplu, et je l'admirais pour cela. Tout ce qu'elle a fait dans sa vie, de bien et de moins bien, c'est par amour pour toi, pour que tu vives dans un monde meilleur que le sien, que ton enfance ne connaisse pas la peur de la folie des hommes, de la violence et de la répression, pour que tu puisses mener la vie d'une femme libre de décider de son avenir, à l'égal des hommes. C'est pour toi, qu'elle a mené toutes ces batailles. Mais parfois, le courage saute une génération... Alors, en son nom, je t'en prie, ne te satisfais pas d'une petite vie tranquille. Lutte pour un idéal, et quand bien même tu mènerais des combats de Don Quichotte, cela en vaudrait toujours la peine. Si tu croises la route de quelqu'un qui souffre, ne passe pas ton chemin, si tu rencontres quelqu'un qui a faim dans la rue, c'est à toi qu'il incombe de mettre un terme à cette abomination, si tu vois un homme se faire malmener parce que sa peau est d'une autre couleur que la tienne, deviens caméléon, quant à ceux qui te diront qu'il n'existe de Dieu que le leur, rappelle-leur que c'est Lui qui a créé le monde en couleurs et l'a paré de tant de diversité. Sois gardienne de ta dignité autant que de celle des autres. L'injustice et le mal se propagent dès que les gens de bien renoncent. La vraie laideur consiste à faire semblant, et à tolérer l'ignoble.

En se relevant, Agatha aperçut la silhouette d'un homme adossé à un arbre. Elle le reconnut aussitôt et son cœur, bien que soulagé, se mit à battre aussi vite et aussi fort qu'il battait lorsqu'elle avait vingt ans. Tandis qu'il l'observait, elle inclina la tête d'une façon bien particulière. À l'époque où ils étaient en cavale, cette façon de faire signifiait à un ami de ne pas s'approcher, d'attendre qu'on vienne le chercher. L'homme reconnut le geste et ne bougea pas.

– Viens, dit Agatha, j'ai besoin de m'asseoir.

Elle prit Milly par le bras et l'entraîna vers le bas de la colline.

De retour dans la voiture, Agatha baissa la vitre et ouvrit la boîte à gants.

– Qu'est-ce que vous cherchez ?

– Les cigarettes de Jo, j'en grillerais bien une.

Milly plongea la main dans la pochette de la portière, sortit le paquet et appuya sur l'allume-cigare.

Agatha inspira une longue bouffée avant de reprendre la parole.

– Tout à l'heure tu me demandais pourquoi je t'avais attendue à cette station-service. Ma vie s'est arrêtée le jour où tu es née, il fallait bien qu'elle reprenne avec toi. Au fil des ans, j'ai fini par accepter, derrière les murs de ma prison, que je n'aurais jamais d'enfant ; c'est douloureux pour une femme de renoncer à devenir mère. Chaque nuit je me demandais pourquoi ma vie m'avait été confisquée. La seule raison qui m'a donné la force de survivre était de savoir que j'avais une nièce, que moi aussi j'avais mené des combats pour elle. Si je me suis évadée et si je ne t'ai rien dit au long de ce voyage, c'est parce que je ne voulais pas évoquer une promesse que je m'étais faite avant d'être certaine de pouvoir la tenir.

– Quelle promesse ?

– T'aider à réaliser ton plus grand rêve. Je vais retourner saluer ma sœur, et je voudrais y aller seule, j'ai des choses à lui dire. Promets-moi de m'attendre ici, ce ne sera pas long.

Milly regarda Agatha.

– Tu comprendras bientôt. Il me reste une dernière chose à te confier, peut-être la plus importante de toutes. Si tu aimes quelqu'un, dis-le-lui, même si tu as peur, même si ensuite ton monde doit s'écrouler. Cette histoire de Betty, je suis sûre que Jo cherchait à te rendre jalouse et je crois que ça a bien fonctionné, n'est-ce pas ?

Sur ces mots, Agatha sortit de la voiture et s'en alla.

En montant la colline, elle eut envie de se retourner mais elle ne le fit pas. Sa silhouette disparut bientôt derrière une rangée de peupliers cotonniers.

La voyant marcher seule dans sa direction, l'homme sortit de l'ombre et s'approcha.

– Pourquoi es-tu venue jusqu'ici au lieu de passer la frontière ? demanda Tom.

– Parce que je t'y attendais, répondit Agatha. Je n'ai pas laissé le récit de ma vie sous mon matelas pour les gardiens, j'avais une petite chance qu'il aille jusqu'à toi, je l'ai tentée.

Ils se contemplèrent un moment dans le plus grand silence. Chacun cherchant les mots qu'il convenait de dire en pareille circonstance.

– Tu aurais dû passer la frontière, je t'en avais laissé le temps.

– Lorsque tu nous as ratées de peu chez Raoul ?

– Quand je t'ai laissée filer après ton rendez-vous avec Vera. J'étais en face, dans ma voiture.

– Ça t'a fait quelque chose de revoir les copains ?

– Ça me fait beaucoup de choses de te revoir toi, bien plus encore que je ne le supposais.

Agatha se tourna vers la tombe de sa sœur.

– Alors, pourquoi m'as-tu trahie à deux reprises ?

– Je ne t'ai jamais trahie. Je travaillais pour le gouvernement et je faisais mon métier. Seulement voilà, je suis tombé fou amoureux de toi sur une barge qui traversait le Mississippi. Tu t'en étais rendu compte, et je ne pouvais pas vivre dans le mensonge. Ta sœur et moi, ce ne fut que l'histoire d'une nuit, je n'ai jamais éprouvé le moindre sentiment pour elle, elle le savait et s'en moquait. Me jeter dans ses draps était la façon la plus gauche et la plus grossière que j'avais trouvée pour nous éloigner l'un de l'autre. Tu m'aurais toujours aimé si je t'avais révélé qui j'étais ?

– C'est une chose que nous ne saurons jamais, répondit Agatha.

– Si tu ne me l'avais pas interdit, j'aurais continué à te rendre visite en prison et ce, jusqu'au jour de ta libération.

– Non, jusqu'au jour où tu aurais rencontré une femme, libre de t'aimer. Alors, tu serais venu me raconter au parloir la vie que j'aurais pu mener à sa place. L'idée m'était insupportable.

– Ça ne s'est jamais produit.

– Vraiment ?

– Je n'ai eu toutes ces années que la loi pour compagne. Peu de temps après ton incarcération j'ai quitté le Bureau, je ne croyais plus en ce que l'on me demandait de faire. Je suis devenu marshal et le suis resté.

– Tu aurais dû choisir cette carrière plus tôt, nous aurions gagné du temps.

Le silence s'installa à nouveau tandis que chacun soutenait le regard de l'autre.

– Et maintenant, qu'est-ce qu'on fait ? demanda Agatha.

– Je vais te ramener là-bas, et si tu le veux bien, je viendrais t'y chercher le jour où tu sortiras.

– Ce n'est pas si simple, dit Agatha.

– Je m'en doutais, j'avais une petite chance, je l'ai tentée.

– Je ne parlais pas de moi. Cette nuit que tu as passée avec ma sœur s'est prolongée au-delà de ce que tu penses.

– Je te jure que non.

– Elle s'est prolongée durant trente ans et se prolonge encore.

– Mais qu'est-ce que tu racontes ?

– Elle est tombée enceinte de toi. C'est parce qu'elle portait ton enfant que je me suis livrée à sa place.

Agatha observa Tom. Il la regardait, blême, la bouche tremblante et les yeux embués. Si Agatha s'était demandé au cours de ces années s'il était au courant, elle avait désormais la réponse, et cet instant fut pour elle une délivrance bien plus grande que de sortir de prison.

— Je sais, dit-elle, c'est un gâchis d'une cruauté inouïe, mais ma sœur était assez douée en ce domaine.

— C'est une fille ou un garçon ? balbutia Tom.

— Tu as une préférence ? répliqua Agatha au bord de l'ironie.

Tom fut incapable de répondre. Pour la troisième fois en quelques jours, il s'avoua que, sous l'apparence d'un homme qui n'avait peur de rien, s'en cachait un autre, vulnérable.

Agatha fit un pas vers lui et Tom fut troublé de la sentir si forte.

— Tu vas prendre ton courage à deux mains, descendre cette colline et te présenter à elle.

— C'était elle qui était à tes côtés, tout à l'heure ?

— Mon pauvre Tom, tu en perds tes facultés. Je ne me moque pas, je trouve cela plutôt touchant et rassurant. Ne lui dis rien du secret que je t'ai confié au sujet de sa mère et moi. Efforce-toi d'être à la hauteur du père dont elle a rêvé. Quand tu lui auras parlé, dis-lui de partir, que je ne reviendrai pas, je ne suis pas douée pour les adieux. Mais toi, promets-lui de la revoir et promets-moi que tu le feras. Elle t'attend depuis trente ans, et je suis bien placée pour savoir ce qu'il a dû lui en coûter de chagrins et de nuits blanches.

Une autre idée du bonheur

Agatha prit la main de Tom. Son visage n'était que tendresse mêlée de regrets. Des larmes apparaissaient au bord de ses paupières.

– Je t'attendrai ici, ne crains rien, je n'ai pas l'intention de m'enfuir, je ne l'ai jamais eue. J'espérais seulement forcer un peu le destin. Maintenant que c'est chose faite, je n'ai nulle part où aller.

*

Lorsque Tom prit place dans la voiture, il n'eut besoin de prononcer aucun mot pour que Milly comprenne.

Cet homme qui la détaillait en silence était presque son propre reflet, ils avaient les mêmes yeux, la même bouche et cette même fossette au menton... Elle sut instantanément. Dans le brouillard qui l'enveloppait, elle crut réentendre la voix d'Agatha lui chuchoter à l'oreille : *si je ne t'ai rien dit tout au long de ce voyage, c'était parce que je ne voulais pas évoquer une promesse que je m'étais faite avant d'être certaine de pouvoir la tenir.*

Ils s'observèrent longuement, le regard humide et les premières paroles de Tom furent pour lui dire d'une voix tremblante :

– Je ne savais pas que tu existais.

C'était une drôle d'entrée en matière, Milly ne s'attendait pas à cela. Pour être honnête, elle ne s'attendait à rien du tout et encore moins à se trouver dans sa voiture en compagnie d'un inconnu qui était son père.

Elle non plus ne savait pas quoi dire, elle ne savait même pas interpréter l'émotion qui la submergeait. La seule chose dont elle était consciente était ce besoin impérieux et insatiable de regarder cet homme. Son front, sa nuque, sa pomme d'Adam saillante, ses mains fortes, comme si elle voulait absorber son être tout entier. Elle se demanda s'il était tel qu'elle se l'était imaginé, soir après soir en cherchant le sommeil, matin après matin en marchant seule sur le chemin de l'école, et elle réalisa que dans cet espoir immense qui l'avait occupée durant tant d'années, elle n'avait jamais réussi à lui inventer un visage. Son père n'avait été qu'une présence qu'elle invoquait à ses côtés, une absence à laquelle elle avait confié ses secrets, ses déceptions, ses chagrins comme ses joies, ses échecs et ses victoires. Maintenant qu'il se trouvait face à elle, elle se sentait incapable de lui dire quoi que ce soit d'intelligent et les premiers mots qui lui vinrent à l'esprit, bien que nécessaires, lui parurent dénués de tout intérêt.

– Je m'appelle Milly.

Tom sourit un peu gauchement et finit par répondre :

– Tom, Tom Bradley. Tu peux choisir, Tom ou Brad, c'est comme tu veux, je suis habitué aux deux. Je suppose qu'il est un peu tard pour utiliser « papa ».

Puis il se frotta le visage, se disant qu'il aurait aimé être rasé de près en une telle occasion, être vêtu d'une chemise plus propre, d'une veste digne de ce nom au lieu de son vieux blouson, on ne rencontrait pas sa fille pour la première fois tous les jours, et il ajouta :

– Peut-être qu'avec le temps, qui sait...

– Oui, qui sait, enchaîna Milly à une vitesse qui la surprit elle-même.

– Tu es sacrément jolie, lâcha-t-il poliment.

– Ma mère était très belle, j'ai eu de la chance.

– C'est vrai, répondit Tom, embarrassé.

– Vous n'êtes pas mal non plus, ajouta-t-elle timidement.

– Ça, je n'y crois pas beaucoup, mais si tu le dis, je vais te faire confiance.

Ils échangèrent un sourire gêné, puis ils se turent et s'observèrent à nouveau.

– C'est très courageux, ce que tu as fait. Tu as réussi à me semer, peu de gens peuvent se vanter d'un tel exploit.

– On dit que la pomme ne tombe jamais très loin de l'arbre, répliqua Milly du tac au tac.

– C'est vrai, j'ai déjà entendu ça, grommela Tom. Il n'empêche qu'il faudra un jour que tu m'expliques comment tu t'es débrouillée.

– J'étais en bonne compagnie. Je ne veux pas vous vexer, mais ce n'était pas si compliqué, il suffisait de choisir les bonnes routes et d'être imprévisible.

– En effet, c'est une bonne méthode. Tu es quelqu'un d'imprévisible ?

– Depuis quelques jours, j'apprends à le devenir.

Tom passa la main sur le tableau de bord et se tourna pour jeter un œil à la banquette arrière.

– Ça me fait quelque chose d'être assis dans cette voiture. Ce n'est pas la première fois.

– Je sais, répondit Milly.

Et le silence reprit ses droits.

– Agatha, vous l'aimiez ?

– Ta mère ?

– Mais non ! Ma mère s'appelait Hanna ; je parle d'Agatha, ma tante !

Tom sembla déconcerté et se rappela soudain l'échange des prénoms.

– Oui, je l'aimais, et je n'ai jamais cessé de penser à elle. Je ne sais pas comment t'expliquer cela, mais à certains moments de sa vie, on n'y voit pas très clair et on peut passer à côté de la plus belle chance qui vous soit offerte. Le pire, c'est que l'on ne s'en rend même pas compte, enfin pas tout de suite. Je crois que j'ai gâché pas mal de choses et je crois aussi que j'ai passé le reste de mon existence à faire semblant de ne pas y penser. Si j'avais su que j'avais une fille, tout aurait été différent.

– Moi, je n'ai jamais douté que j'avais un père.

– Tu pensais parfois à moi ?

– Au point que je ne saurais quoi vous dire aujourd'hui, sans avoir l'impression que vous l'ayez déjà entendu.

– Comme quoi par exemple ?

– Il est encore un peu tôt pour cela, murmura Milly.

– Je comprends, dit Tom en hochant la tête.

– Et maintenant, qu'est-ce que vous allez faire ?

– Nous ne pourrons pas rattraper le temps perdu, mais si tu le veux bien, nous pourrions essayer d'apprendre à nous connaître ? Tu pourrais même un jour venir me voir, je vis dans le nord du Wisconsin, c'est une région sauvage mais très belle, ou sinon, c'est moi qui voyagerai jusqu'à toi.

– Je crois que j'aimerais cela, avoua Milly.

– Alors je te promets que nous le ferons et je n'ai qu'une parole.

– Et Agatha, vous allez la reconduire en prison ?

– Je n'ai pas le choix, et quand bien même je m'en irais sans elle, les fédéraux sont à ses trousses, ce n'est qu'une question d'heures.

Milly se retourna vers Tom et lui demanda d'une voix assurée :

– Qu'est-ce qu'il y a de plus important pour un homme épris de justice : attraper un coupable ou protéger une innocente ?

Cette question l'aurait laissé de marbre si ce n'était sa fille qui la lui avait posée.

Il regarda une dernière fois Milly, et d'un geste hésitant posa sa main sur sa joue.

– Je te promets de te donner la réponse la prochaine fois que nous nous verrons. Maintenant il faut que tu rentres chez toi, elle ne reviendra pas. Elle m'a chargé de te dire au revoir, elle ne veut pas que tu la voies partir. Ne sois pas triste, c'est juste un au revoir, bientôt tu pourras lui rendre visite, il faut que tu me fasses confiance.

– Dites-lui que je prendrai soin de sa guitare, et que personne n'y touchera jusqu'à ce qu'elle puisse m'en jouer, elle comprendra. Dites-lui aussi que j'irai la voir souvent, ajouta Milly sanglotante, et que je n'oublierai rien de ce que nous avons vécu.

Tom, d'un geste malhabile, essuya les joues de Milly, et cet homme qui n'avait jamais connu la tendresse la prit dans ses bras de la façon la plus spontanée en la serrant contre lui.

L'étreinte entre un père et sa fille dura quelques instants, puis Tom griffonna son adresse sur un ticket de parking trouvé dans sa poche et le posa en évidence sur le tableau de bord.

Puis il ouvrit la portière, sortit de l'Oldsmobile et s'éloigna vers la colline.

*

Agatha regardait le revolver dans le sac ouvert à ses pieds. Elle ne l'avait pas quitté des yeux depuis que Tom était parti. Elle se baissa, s'en empara et poussa un grand soupir.

Tom arriva dans son dos.

– Tu pars à la chasse ? demanda-t-il en contemplant le revolver.

– Comment ça s'est passé ? s'inquiéta Agatha.

– Bien, je crois.

– Elle est partie ?

– J'ai entendu sa voiture s'éloigner pendant que je te rejoignais.

– Elle t'a dit quelque chose pour moi ?

– Qu'elle prendrait soin de ta guitare et que tu comprendrais.

– Tiens, dit Agatha en lui tendant l'arme.

– Range ça dans ton sac, veux-tu. Il est temps de s'en aller.

– Tu comptes me passer les menottes ?

Tom ne répondit pas et marcha vers la Ford garée dans une allée sur l'autre versant de la colline. Agatha le suivit.

11.

À l'entrée de Santa Fe, Milly fut arrêtée par une voiture du FBI, les deux agents l'appréhendèrent, fusil en main, et constatèrent avec dépit qu'elle était seule à bord. Ils lui firent ouvrir le coffre et n'y découvrirent qu'une Gibson dans son étui au cuir usé.

Milly répondit à leurs questions, assurant avec aplomb qu'elle était venue se recueillir sur la tombe de sa mère. Elle avait bien pris une femme en stop à Philadelphie, mais elle l'avait déposée depuis longtemps sur la route et elle n'avait aucune idée de ce qu'elle était devenue. Rien n'aurait pu lui laisser supposer que sa passagère était recherchée. Elle se vanta du fait que son père étant lui aussi un officier fédéral, un marshal pour être précise, elle avait été éduquée dans le strict respect de la loi.

Les deux agents du FBI n'eurent aucun motif pour la retenir davantage.

Pendant ce temps, Tom Bradley et sa prisonnière roulaient vers l'est, profitant de la longue route qui les attendait pour évoquer des souvenirs et réconcilier leurs passés.

Après avoir quitté le Nouveau-Mexique et traversé le Colorado, ils dînèrent le premier soir dans un restaurant sur la rive du lac McConaughy à Ogallala dans le Nebraska.

Cette nuit-là, Tom et Agatha partagèrent la même chambre d'hôtel.

12.

Quatre jours s'étaient écoulés depuis que l'agent Maloney avait contacté le juge Clayton. Au cours de cet appel, il l'avait informé qu'un marshal, répondant au nom de Tom Bradley, s'était présenté spontanément au Bureau de Denver accompagné de la fugitive recherchée. Disposant d'un ordre de mission en bonne et due forme signé de la main même du juge, il avait fait valoir ses droits à la ramener lui-même en prison. Maloney ne s'était pas privé de dire à Clayton qu'il appréciait peu que le FBI ait été sollicité alors qu'un agent fédéral se trouvait déjà sur le coup, la moindre des politesses aurait été au moins de l'en informer. L'affaire étant maintenant réglée, le mandat de recherche se trouvait de facto annulé.

Sur ce, Maloney avait raccroché.

*

Une autre idée du bonheur

En ce matin du cinquième jour, Clayton faisait les cent pas sur son perron, se demandant pourquoi Bradley ne l'avait toujours pas contacté et surtout pour quelle raison Agatha Greenberg n'avait pas encore regagné sa cellule. Le directeur du centre correctionnel le lui avait confirmé d'une voix chevrotante une heure auparavant. Clayton n'aimait pas du tout cela et, bien qu'il aime encore moins s'éloigner de chez lui, et plus encore prendre l'avion, il prépara un bagage, appela sa secrétaire et lui ordonna de lui trouver le moyen de rejoindre le nord du Wisconsin dans la journée.

Il se posa en début d'après-midi à l'aéroport de Duluth, où l'attendait une voiture de police.

Escorté de trois inspecteurs, il traversa Kimball deux heures plus tard et la ville s'effaça pour laisser place à la campagne.

Les policiers qui l'accompagnaient n'étaient guère bavards et Clayton n'était pas d'humeur à engager la conversation. Il leur avait juste demandé de le laisser faire une fois sur place et de n'intervenir qu'en cas de nécessité.

Arrivés à hauteur d'un calvaire en bord de route, ils empruntèrent une piste en terre qui filait vers les plaines les plus reculées du pays.

Au bout de ce chemin sur lequel ils avaient été ballottés sans relâche apparut enfin un petit chalet adossé à un bois.

Lorsque Clayton sortit de la voiture, Tom apparut sur le perron, la main posée sur la crosse de son revolver accroché à la ceinture.

– Je vois que tu es un homme de parole. Tu avais promis de venir me voir un jour et te voilà, dit-il en ignorant les policiers qui se tenaient derrière le juge. Je t'aurais bien convié à dîner, mais tu arrives un peu tard, j'ai déjà pris mon repas.

– J'aurais préféré te rendre visite en d'autres circonstances. J'imagine qu'elle se cache à l'intérieur ?

– Ce n'est pas très grand chez moi, vois-tu, et il n'y a aucun endroit où cacher quelqu'un. Mais si tu parles de la femme que tu as condamnée à trente-cinq ans de prison alors que tu la savais innocente, la réponse est non. Figure-toi qu'elle a réussi à me fausser compagnie. J'ai tardé à te prévenir, parce que je n'en suis pas fier, il faut croire que j'ai vieilli. À l'heure qu'il est, elle doit avoir gagné le Canada.

– Ne fais pas l'imbécile, Tom, je sais très bien qu'elle est derrière ces murs. Tu te doutes bien que je ne suis pas venu sans mandat. Ne rends pas les choses plus difficiles qu'elles ne le sont et laisse-nous entrer.

Tom regarda fixement Clayton et afficha un grand sourire.

– Tu imagines les titres dans les journaux demain, « Fusillade entre trois policiers et un marshal en présence d'un juge proche de la retraite », belle manchette ! Ça vous tente, les gars ? demanda Tom à ses collègues.

Les policiers désemparés échangèrent des regards avant de se tourner vers le juge Clayton.

– Comme je n'ai aucun secret pour toi, et parce que nous sommes de vieilles connaissances, reprit Tom, je dois te prévenir que j'ai retrouvé le fameux carnet où la véritable Agatha Greenberg avait consigné ses aveux. Elle écrivait bien, on pourrait même en tirer un livre. Cela étant, au cas où il m'arriverait quelque chose, je l'ai posté en route à un vieil ami avocat, avec un récit détaillé, que j'ai cru bon d'ajouter, sur la façon dont un jeune procureur avait sciemment laissé emprisonner une femme à la place de sa sœur, parce que celle-ci était enceinte et risquait de lui échapper. J'ai aussi pris la peine de raconter que ce même procureur, une fois devenu juge, n'avait eu aucun remords à aggraver sa peine. Quand on y pense, je crois que c'est une chance pour toi qu'elle ait trouvé refuge auprès de nos voisins canadiens, et je réfléchirais à deux fois avant de demander son extradition.

Les trois policiers, qui n'avaient rien perdu de la scène, se regardèrent à nouveau, saluèrent Tom d'une main en effleurant leurs chapeaux et repartirent vers la voiture.

– Tu sais, continua Tom, je connais bien ces gars-là, mon avis est que si tu ne veux pas rentrer à pied, et le prochain bus ne passe que demain matin, tu ferais bien de les suivre. Je ne te promets pas que le retour soit une partie de plaisir, mais ce sera moins pénible que de marcher.

Clayton se tourna vers la voiture de police dont le moteur tournait déjà. Le visage crispé, il lança un dernier regard à Tom, fit signe aux policiers et courut vers eux.

Tom attendit que la voiture ait disparu, puis il contempla quelques instants le ciel où le soleil déclinait, et rentra chez lui.

*

– Et maintenant ? demanda Agatha assise à la table.

– Maintenant, nous allons dîner, parce que j'ai faim. Cette semaine, je te ferai visiter la région, et puis dans quelque temps j'irai voir Max et je récupérerai ce carnet. Lorsque ce sera chose faite, alors un certain juge connaîtra une retraite différente de celle qu'il escomptait. Justice sera rendue et je pourrai enfin prendre la mienne. Si un petit chalet dans une région perdue du monde peut te suffire, rien ne me rendrait plus heureux que de vivre cette retraite à tes côtés.

Agatha emprunta l'expression de quelqu'un qui comptait désormais beaucoup pour elle et répondit :
– Je crois que ça me plairait.

*

Au petit matin suivant, en sortant du chalet, Agatha admira le paysage qui s'étendait à perte d'horizon. Elle respira l'odeur des pins qui se mêlait aux senteurs de terre humide et pensa que la vie qui s'offrait à elle commençait à ressembler à cette autre idée du bonheur qu'elle avait imaginée, et Dieu que cette idée était belle.

*

Ce même matin, Milly, qui avait fait une halte chez Raoul sur le chemin du retour, arriva enfin à Philadelphie.

Avant même de rentrer chez elle, elle se précipita au café du Kambar Campus Center.

Merci à

Pauline, Louis et Georges.
Raymond, Danièle et Lorraine.

Susanna Lea.
Emmanuelle Hardouin.
Cécile Boyer-Runge, Antoine Caro.
Élisabeth Villeneuve, Anne-Marie Lenfant, Caroline Babulle, Arié Sberro, Sylvie Bardeau, Lydie Leroy, Joël Renaudat, Céline Chiflet,
toutes les équipes des Éditions Robert Laffont.
Pauline Normand, Marie-Ève Provost.
Léonard Anthony, Sébastien Canot, Danielle Melconian, Naja Baldwin, Mark Kessler, Stéphanie Charrier, Julien Saltet de Sablet d'Estières, Moez Slimi.
Katrin Hodapp, Laura Mamelok, Kerry Glencorse, Julia Wagner, Aline Grond, Charlotte Aston.
Brigitte et Sarah Forissier.
Peter Schlesinger et Claire McFadden.

www.laffont.fr
www.marclevy.info

*Ce volume a été composé et mis en pages
par ÉTIANNE COMPOSITION
à Montrouge.*

Dépôt légal : avril 2014
N° d'édition : 53822

MARQUIS

Québec, Canada

Imprimé au Canada